现代水库管理理论与实践

主　编　王志良

副主编　马长顺　赵秀民

编　委　王志良　马长顺　赵秀民　韦　乾

邢朝阳　郭宏军　张淑波　温俊波

黄 河 水 利 出 版 社

内 容 提 要

本书系统地阐述了北方初建水库现代化管理的基本概念和原理，并将其应用于盘石头水库的管理实践。内容包括三大部分：一是与工程有关的管理，如水情自动测报系统、水工建筑物安全监测、水库运用调度、库区生态环境建设、水库渔业以及水库的数字化建设等；二是介绍水价理论知识，论述水价制定和实施；三是对与水库相关联的水规水法进行了介绍，对水库水的法制化、行政手段管理进行阐述。本书适于初建水库的管理者、高等院校水资源管理相关专业学生以及其他从事水资源管理的工作人员阅读。

图书在版编目(CIP)数据

现代水库管理理论与实践／王志良主编. —郑州：黄河水利出版社，2005.6

ISBN 7-80621-928-5

Ⅰ.现… Ⅱ.王… Ⅲ.水库管理-研究-中国 Ⅳ.TV697

中国版本图书馆 CIP 数据核字(2005)第 059271 号

策划组稿：王路平 ☎ 0371-66022212 E-mail：wlp@yrcp.com

出 版 社：黄河水利出版社

地址：河南省郑州市金水路 11 号 邮政编码：450003

发行单位：黄河水利出版社

发行部电话：0371—66026940 传真：0371—66022620

E-mail:yrcp@public.zz.ha.cn

承印单位：黄河水利委员会印刷厂

开本：787 mm × 1 092 mm 1／16

印张：15.25

字数：350 千字 印数：1—1 800

版次：2005 年 6 月第 1 版 印次：2005 年 6 月第 1 次印刷

书号：ISBN 7-80621-928-5／TV·405 定价：30.00 元

序

淇河是鹤壁人民的母亲河，是一条“文化河”、“诗河”、“史河”，有着“北方漓江”的美称。《诗经》中有39篇描写了淇河的美丽风光和两岸的风土人情。盘石头水库是淇河上一颗璀璨的明珠。水库的兴建，使备受文人墨客吟唱的淇河为鹤壁人民又立新功，成为以防洪、供水为主，兼顾农田灌溉、水产养殖、发电的水利枢纽。

王志良博士是华北水利水电学院的优秀学者。2003年随河南省第二批博士服务团来到鹤壁，在盘石头水库建管局任职，为了鹤壁的水利事业勤奋工作。为了取得淇河的第一手水文资料，他和盘石头水库建管局有关人员踏遍了淇河的山山水水，获得了大量翔实的原始资料，在紧张的工程建设中，完成了这部宝贵的著作。我对王志良博士和建管局全体同志严谨的治学态度表示钦佩，对他们研究上取得的丰硕成果表示祝贺。

本书以盘石头水库为例，以科学、严谨的态度，从不同的层面对水资源的管理、调度、利用、水环境保护，以及水情自动测报、水工建筑物运行和信息化建设等方面的问题，进行了深入的研究。这对鹤壁乃至整个华北地区如何依法科学管理利用水资源、服务经济建设都有很强的借鉴意义，对我们利用好、管理好、保护好盘石头水库水资源有着重要的指导意义。

盘石头水库是河南省的重点建设项目，它的落成为鹤壁市留下了宝贵的水利建设和管理方面的财富。王志良博士与盘石头水库建管局的同志一道，结合淇河多年来的水文资料和盘石头水库工程建设经验，记下了这一壮举。从这个层面讲，这本书也是盘石头水库全体建设者聪明才智的写照。

水是生命之源，水是中华民族智慧、善良的象征。王志良博士以自己智慧之笔，写就了生命源泉的鸿篇巨制，邀我为序，乃欣然命笔，以襄盛事。

是为序。

中共鹤壁市市委常委、组织部长 **马葆青**

2004年10月

前言

盘石头水库位于河南省北部鹤壁市境内，属海河流域，卫河支流淇河中游。水库是以防洪、供水为主，兼顾农业灌溉、发电、养殖、旅游等综合利用的大型水利枢纽工程，是河南省“九五”期间开工的重点项目。总库容为 6.08 亿 m^3，属大(二)型水库，水库坝型为混凝土面板堆石坝，水库控制流域面积 1 915 km^2，总投资 9.98 亿元，2000 年主体工程开工，2005 年完工。

2003 年 10 月，华北水利水电学院的王志良博士作为河南省第二批博士服务团成员来到鹤壁盘石头水库建管局。当时水库建设正由高峰期转到项目后期完工阶段，如何实现水库完工后的管理，如何实现由水库建设者到水库管理者的过渡，已摆在每一位建设管理者的面前。水库下闸蓄水后，对水情测报、水资源调度、工程安全监测、水库信息化和网络建设、渔业养殖、水环境保护、水价制定与实施、水事纠纷，以及水资源管理、旅游、土地资源开发与管理等诸多问题，需要进行调查研究、制定方案和规划实施。盘石头水库建设管理局党委建议能对水库建成后在管理方面做一些探索，在局领导的关心和支持下，2004 年 1 月，《现代水库管理理论与实践》一书的写作班子组成，并开始对水库管理所涉及内容进行编写，中间几易其稿，到 2004 年 11 月初稿完成。

本书共分为八章。第 1 章主要介绍水情自动测报系统的基本知识及发展过程，阐述了盘石头水库水情自动测报系统建设的必要性，并对该系统的设计、施工及设备选型进行了重点阐述，对水情自动测报系统的管理进行了探讨；第 2 章主要对水库调度管理过程的现状、存在问题、调度进行分析，结合盘石头水库初期蓄水和正常蓄水调度管理工作进行阐述；第 3 章主要介绍盘石头水库施工期监测项目的实施管理，通过分析监测资料，对各水工建筑和监测设施稳定运行进行总结和探讨；第 4 章介绍和探讨水库信息化和网络建设，介绍水利和水库信息化以及盘石头水库数字化建设；第 5 章介绍水库渔业养殖，从水产养殖角度介绍和分析水库渔业环境、渔业养殖、水库捕鱼、渔业管理和几种适合盘石头水库的养殖模式；第 6 章介绍水资源保护，重点从水污染防治、做好水土保持方面进行阐述，对盘石头水库未来可能存在的问题进行分析，对做好水环境建设进行初步探讨；第 7 章介绍水价理论知识，阐述水作为资源的价值，论述水价制定和实施以及盘石头水库水价的制定和实施；第 8 章从法律和行政角度阐述如何实现和保障水资源的管理，对中国及世界范围实现法制管理进行介绍，并对水库水的法制化、行政手段管理进行阐述。

盘石头水库有两大特点：一是大型初建水库；二是特殊的地理位置，水库处于严重缺水的华北平原的西南边缘。书中的实例大多基于盘石头水库，其主要目的是为该水库管理提供决策依据和理论支持。同时，希望本书的内容，对其他北方初建大型水库运用管理也能起到一定的借鉴甚至指导作用。

在写作过程中，作者参阅了大量文献，在部分章节引用了一些文献及网络上搜集的观点和数据，出处尽可能列于参考文献部分，在此要对这些作者，包括未列举出的文献作者表示衷心感谢。由于编写时间紧张，作者水平有限，没有对水库旅游开发和水库土地资源利用等方面进行论述，这是本书的缺憾。书中不妥之处请广大读者给予指正，以便今后改正。

作　者

2004 年 11 月

目　录

第1章　水情自动测报系统的管理

本章通过介绍水情自动测报系统的基础知识及发展过程，阐述了盘石头水库水情自动测报系统建设的必要性，并对该系统的设计、施工及设备选型进行了重点阐述，对水情自动测报系统的管理进行了探讨。

1.1　概　述

1.1.1　水情自动测报技术的发展与特点

水情自动测报系统是采用现代科技对水文信息进行实时遥测、传送和处理的专门技术，是有效解决江河流域和水库洪水预报、防洪调度及水资源合理利用的先进手段。它综合了水文、电子、电信、传感器和计算机等多学科的有关最新成果，用于水文测量和计算，提高了水情测报速度和洪水预报精度，改变了以往仅靠人工测量水情数据的落后状况，扩大了水情测报范围，在江河流域和水库安全度汛、电厂经济运行以及水资源合理利用等方面都发挥了重要作用。

水情自动测报技术问世以前，水文资料的收集全靠水文站及雨量站点通过邮电部门的电报或有线电话人工传送信息。这不仅因测报站数量和站址受自然环境限制而难以达到要求，而且因常规的电信传报受气候条件的限制，常发生通信电路受阻或通信速度迟缓等现象。每逢狂风暴雨急需水情信息的时节，通信受阻中断或报信延缓情况更易发生，致使洪水预报工作时机延误，防洪调度不力，造成洪水灾害。

美国和日本是世界上较早重视水情自动测报技术开发的国家。20世纪60年代，日本和美国已经开始水情自动测报技术的研究和开发，其产品在70年代后期逐渐成熟而进入国际市场。

中国的水情自动测报系统研究开始于1978年，主要受日本的影响。由于当时的微电子技术不发达，设计受到限制，致使设备体积、功耗、价格都较高而可靠性较低，不能达到理想的实际应用水平。20世纪80年代中期，由于大规模集成电路的应用及引进美国技术，中国的水情自动测报设备水平有了明显的提高，不仅体积、功耗、价格降低，可靠性也有很大提高。这在陆浑灌溉小区、丹江口、丰满等水库、电站进行了安装使用。20世纪80年代末至90年代初，随着微电子技术、现代通信技术、计算机技术以及现代传感技术的迅速发展和普及，许多研究院所和生产单位把这些先进技术应用到了水情自动测报中，使自动测报系统设备得到了质的改变。1994年，水利部发布了《水文自动测报系统规范》(SL61—94)，并将其指定为水利行业强制性标准，自1994年5月1日起实施。目前，进行设备更新换代的同时，水情自动测报系统正在由收集单一参数(雨量或水位)向收集多参数(雨量、水位、流量、水质、地下水位、土壤墒情等)发展，数据传输由简单的有线或超短波通信，过渡到更现代化的微波中继、光纤通信、卫星通信、移动通信、计算机网络通信等；系统的范围也在不断扩大，由几十平方公里向整个水系、全流域，全省或全国联网；数据处理也日趋现代化，并向多目标、多用途、实时调度等方向发展。

1.1.2 水情自动测报系统的结构和体制

1.1.2.1 系统结构

一个最基本的水情自动测报系统至少应由若干个遥测站和一个中心站组成。在超短波数据通信系统中，远距离信号传输往往中途需要中继站转发，因此通信系统中还需要设置超短波中继站。正由于采用超短波地面通讯方式时，系统常需要布置若干个中继站，尤其是在地形复杂的高山地区，常需要设置多级地面中继站进行信号接力，造成系统过于庞大、维护困难、费用高，所以对于多山高原地区，应考虑采用卫星—超短波混合组网方式，超短波信号由卫星中继转发，或采用纯卫星通信组网方式。

由遥测站采集水情数据，数据信息是经信道传输给中心站的，由中心站完成水情自动测报和防洪调度等各项任务。遥测站、中继站及中心站任务见表 1-1。

表 1-1 遥测站、中继站及中心站任务

遥测站	中继站	中心站
收集水情数据，按规定格式发报水情信息	中转遥测站水情数据	收集各遥测站水情信息，处理并存储水情资料，做出水情预报和防洪调度方案

总的来说，系统运行的基本流程如下：

(1)遥测站自动实时采集、暂存和发送水情数据。

(2)中继站以信息再生或模拟方式(相应亦称为处理转发或透明转发)遥测数据。

(3)中心站实时接收遥测数据，并进行存储、打印及数据处理。

(4)中心站能及时对洪水过程进行预报，做出防洪调度方案。

(5)系统可与用户其他监控、管理计算机系统及上级计算机管理系统交换信息。

对于特大的防洪调度网络系统，可以设置一个总调度中心，下设多个分中心站。各分中心站管理各区段的测报任务，形成由各自独立的基本遥测系统组成的网络结构，各个遥测系统独自做出本区的水情测报。这些基本的遥测系统可以是流域中的一个水电站(或水库)，或是一个行政管理单位。各分中心有自己的数据文件库，可供调度中心调用；作为资源共享，也可由其他分中心取用。总调度中心统管各分中心信息资料，随时调用各分中心信息数据，作宏观调度决策。这种总调度中心站可以是大流域或大行政区域性的调度中心，甚至可以设置中央一级的调度中心，掌握全国各流域的水情信息。总调度中心和分中心调度的任务见表 1-2。

在基本的水情自动测报系统中，若采用 Inmarsat(Inmarsat 是一个提供全球范围内卫星移动通信的政府间合作机构，即国际移动卫星组织，原名国际海事卫星组织，英文简称 Inmarsat)或 VSAT(VSAT 系统的英文全称是 Very Small Aperture Terminal，即甚小天线地球站)系统通信，其移动终端可通过电子单元及控测装置与遥测传感器接口，完

表 1-2　总调度中心站和分中心调度站的任务

总调度中心站	分中心调度站
调用各中心站水情资料	收集所属遥测站水情信息
发布宏观来水预报和调度命令	作本区段水情预报和调度决策
建立所管辖的各分中心档案文件库	建立本区段数据文件
建立调度中心数据资料和管理文件库	接收总调度中心指令，并向总调度中心提供本区段水情资料，信息资料也供各分中心共享

成遥测站任务；也可与超短波接收机对接完成超短波遥测信号的中继任务。卫星移动终端在为遥测站使用或为中继站使用的同时，水情自动测报系统的中心站也就必须配备卫星移动通信的移动终端作为前置机的接收部分使用，接收卫星通信系统的信息。

在高山地区采用卫星通信构成大流域水情测报防洪调度网络系统是最为有效的系统结构。可实现远距离点对点和一点对多点的防洪调度通信。

1.1.2.2　系统体制

水情自动测报系统大体分为两种不同的基本体制，一般通称为自报式体制和应答式体制。简言之，遥测站根据遥测参数的变化而随机向数据收集中心发送信息的系统体制称之为自报式体制；遥测站按调度中心的命令而发送采集信息的系统体制称之为应答式体制。

自报式体制的遥测站只需具备数据传送功能，一般情况下，调度中心也只需具备接收数据的功能，因此数据信道是单向的。

应答式体制的遥测站需要有接收指令和发送数据的收发双向功能，调度中心站则应具备发布命令和接收数据的收发双向功能，因此数据信道是双向的。

这两种体制的选择主要出于对功耗的考虑，自报式体制的功耗相对较低。遥测网络较大的项目工程宜于采用应答式体制，遥测网络不很大的工程则宜于采用自报式体制。

1.1.3　水情遥测信息及传输方式

1.1.3.1　水情信息类型

水情信息类型包括雨量、水位、流量、蒸发量、含沙量、降雪量、水温等。目前水情自动测报中的遥测参量仅限于雨量、水位。

1.1.3.2　通信传输方式

目前，国内外水情自动测报系统的通信方式主要有超短波、卫星、短波、有线通信等四种，下面主要对超短波、卫星、短波的通信传输方式的性能进行对比。

1)超短波通信

超短波通信是采用超短波 230 MHz 频段组网，该频段是国家无线电管理委员会指定的数据传输专用频段。

超短波通信方式的优点是：信号传输比较稳定，质量较好，且具有一定的绕射能力，是我国目前水情自动测报系统中应用最多、技术上也较成熟的通信方式。

超短波通信方式的缺点是：传播距离较近，且受地形限制，在山地通信时需设置中继站。

2) 卫星通信

近几年，通信卫星 VSAT 系统及 Inmarsat-C 海事卫星通信系统在水情自动测报系统中的应用也日趋增多，而且其技术也日臻成熟，是当今水情测报的一大发展方向。

卫星通信方式的优点是：传输质量最好，传输距离不受限制，覆盖面积大，受地形、气候的影响小，组网灵活，设备的抗雷击能力强。

卫星通信方式的缺点是：Inmarsat-C 海事卫星通信系统虽然采取使用时收费，不使用不收费的方式，但依然有较高的使用成本，而且系统天线仰角较低，在某些陡峭的山脚下建站有困难。通信卫星 VSAT 系统设备体积较大，功耗大，系统建设成本高，且不利于维护管理。

3) 短波通信

短波通信是利用短波在电离层的反射来进行通信传输的方式。

短波通信方式的优点是：传输距离较远，受地形限制较少，投资少，建设快，抗破坏能力强。

短波通信方式的缺点是：因受电离层的影响，通信质量差，信道稳定性差，受气候的影响大。

1.1.4 水情自动测报系统的组建和性能评估

1.1.4.1 系统组建的一般程序

组建水情自动测报系统现已成为大多数水利、水电工程建设中的一部分，而且其水情资料将成为大行政区、大流域性水利、水能总调度决策中的信息依据。因此，系统建设应审慎处置，要精心设计和施工。组建系统一般要经历以下几个阶段：

(1) 规划阶段。包括对系统建设的必要性和可行性分析及论证，对遥测站点的站网论证，以及对通信方式选择和信道组网规划。

(2) 初步设计阶段。包括系统总体设计及通信信道的设计和现场测试。设计方案一般都需要经过方案审查，确定系统结构和规模(包括拟定工程费用和技术要求)。

(3) 施工设计和设备生产阶段。按审查通过的设计方案完成硬、软件设备的设计和生产，包括室内联机运行和试验。

(4) 现场施工和试运行阶段。运行现场安装施工，包括信道的复查和安装后的试运行，一般试运行期需要一年。

(5) 系统的移交和鉴定。一年的试运行(经历一个汛期)后，在系统正常的情况下才可进行移交和鉴定，在试运行中发现的问题要予以解决，完善系统。移交后亦要进行技术服务。

1.1.4.2 系统性能评估

系统性能指标一般是按其功能、精度、可靠性和容度来评估的。

1) 系统的功能

水情自动测报系统的功能一般包括数据采集(自动采集的参数包括：雨量、水位或其他人工采集参数，诸如流量、含沙量、蒸发量、降雪量、水温等)、数据传输、信息处理及水情预报和水资源调度等功能。

在数据预处理过程中，要对数据的合理性进行判别，必要时进行数据补插；对系统的不正常情况及对危险水情发出警报信号。计算机对实时数据的最终处理包括：建立水文数据文件，绘制各种数据报表和图形，作出洪水预报和防洪调度方案。

2）系统的精度

水情自动测报系统的精度一般从收集数据的精度和洪水预报调度精度两方面考核。

系统收集水情参数的精度主要取决于传感器的分辨率和精度，以及数据传输的误码率。

雨量传感器的分辨率有 0.1 mm 和 1 mm 两种，水情自动测报系统中主要采用 1 mm 分辨率的雨量传感器，相对误差为 ± 3%。

水位计的种类较多，其分辨率一般为 1 cm，相对误差为 ± 0.3%。

数据传输的误码率一般达到 10^{-4} 就可以满足质量要求。因为数据传输质量与信源和信道两者的编码质量都有关，降低信源编码的误码率也是至关重要的。卫星通信的信道误码率可以达到更好的技术指标。

关于洪水预报和调度的精度考核问题比较复杂，一般要经过一段运行期的考核和修正预报数学模型参数后逐步提高，预报精度为 90%左右，预报合格率应大于 75%。

3）系统的可靠性

系统的可靠性表示它在规定条件下和规定时间内完成预定功能的概率。水情自动测报系统的可靠性的最终衡量标志是其报汛率 P_s，即 N 次报汛中有 n 次是成功的概率。计算公式为

$$P_s = n / N \times 100\% \tag{1-1}$$

式中 N —— 报汛的总次数；

n —— 报汛精度达到的次数。

P_s 值直接与预报软件的可靠性以及水文模型的优良性有关，也与水文数据收集的可靠性有关。

水情数据收集的可靠性用系统的畅通率 P_d 来表示。即在数据收集周期内，数据采集中心能准确的接收到 M 个遥测站中 m 个遥测站数据的概率。计算公式为

$$P_d = m / M \times 100\% \tag{1-2}$$

4）系统的容度

考核系统性能时还应包括对其容度的考核。采用超短波数据通信的水情自动测报系统，对应答式体制而言，系统的容度主要受其反应速度的限制，即受到系统完成一次数据收集所耗时间的限制。系统越大，其反应速度越慢，收集一次数据的时间越长，从而限制了系统的容度。采用自报式体制的系统，其容度主要受数据量及其传输速度的限制，即受信号占用信道的时间限制。系统越大，信道中占有信号的时间越长，发生信号碰撞的概率越大，从而限制了系统的容度。采用超短波通信传输水情信息的测报系统，不管是提高反应速度或增加数据传输速度来增大系统容度，都与降低误码率的要求相矛盾，因此在系统设计中必须权衡其最大容度和可靠性要求之间的统一。

采用卫星通信的水情自动测报系统，理论上讲，其系统容度要较地面无线电通信的测报系统大得多，系统规模应能最大限度地得到满足。

下面主要对盘石头水库的水情自动测报系统的设计、施工、运行管理进行介绍。

1.2 盘石头水库概况和水情自动测报系统建设的必要性

1.2.1 盘石头水库概况

1.2.1.1 流域概况

淇河盘石头水库位于海河流域卫河支流淇河中游。淇河是卫河水系左侧山区主要支流，也是卫河洪水主要来源。

淇河流域地理位置为东经 113°19′～114°17′，北纬 35°36′～36°15′之间，属于山西高原东部的边缘山地与华北平原的过渡地带。在林州临淇盆地以西的太行山脉，走向近于南北，山脊标高达 1 300～1 500 m，山岭高耸，风子岭为流域最高点，高程为 1 876.3 m。以东属太行山支脉，山岭标高为 500～700 m，低山绵延，沟壑发达。再向东过渡到垅岗丘陵以后，进入华北平原。

淇河发源于山西省陵川县方垴岭，流经陵川县、辉县市、林州市、鹤壁市、淇县、浚县等县、市，在淇县淇门镇以西的小河口流入卫河，干流全长 170 km，流域面积 2 142 km^2，其中山区占 92%。合河口以上分南北两支，南支仍叫淇河，北支叫淅河。南支自山西省陵川县方垴岭，经辉县市要街入林州市境内，河行于山谷，经波澜掌向东入林淇盆地，再下经荷花村复入山岭至合河口与东流之淅河汇合，长 77 km。北支淅河自山西省陵川县平城镇杨寨村，流经峡谷至合涧盆地，至富家庄又入山峡，到合河口注入淇河，长 78 km，坡度陡峻、水流湍急，河底纵坡为 1／100～1／250。南北汇合后，仍穿行于峡谷中，向东流到贺家村，出山口进入平原。贺家村以上坡陡流急，河底深潭、急流跌水甚多，最大跌水在白龙庙西，跌水高差达 6 m。山西河谷宽在 100 m 以上，河口出山后进入近山较高的地区，在大赉店西穿过京广铁路，转向正南过卫贤镇至小河口入卫河，合河口以下河长 92 km。京广铁路以东两岸地势平坦。

淇河流域森林覆盖率很低。河床情况在林淇盆地河段多为沙土河岸，峡谷河槽多为页岩及卵石组成。出山后河床卵石细小，砂砾渐多。卫贤镇以下，河中卵石也很少，成为细砂河床。

本区多为寒武、奥陶系灰岩。寒武系灰岩与相对隔水的页岩层相间，岩溶发育受到一定的制约；而在奥陶系地层中岩溶现象很普遍。中部低山地带，奥陶、寒武灰岩裸露，植被稀少，地表溶沟、溶槽和高出河床 80 m 上下的溶洞较为发育。

1.2.1.2 水文气象特征

淇河地处暖温带，属典型的季风气候区。冬季受极地大陆性气候控制，寒冷且少雨雪；春季受变性大陆气候影响，降水不多，偏北或偏西风盛行，蒸发量增大，往往形成干旱天气；夏季，太平洋亚热带高压脊线位置北移，促进西南和东南洋面上的气流向本流域输送，成为主要降水季节；秋季，东南季风减退，极地大陆性气团逐渐加强，由多雨天气渐变为秋高气爽的少雨季节。本区多年平均气温为 13.5 ℃，极端最高气温为 41.7 ℃，极端最低气温为–21.7 ℃。全年无霜期约 200 天，最大风力为 7 级，多年平均水面蒸发量约 1 700 mm。降水量年内分配极不均匀，汛期 6～9 月占全年的 70%～80%，年际变化也大，流域实测最大年降水量 1 332.6 mm(1956 年)，是实测最小年降水量 328.0 mm(1966 年)的 4.06 倍。

1.2.1.3 流域工程概况

淇河上游中型、小型一类水库基本情况见表 1-3。

表 1-3 淇河上游中型、小型一类水库基本情况

水库名称	弓上	陈家院	三郊口	柿园	石门
地点	林州 合洞乡	辉县 三郊口乡	辉县 三郊口乡	辉县 三郊口乡	林州 临淇乡
所在河道	淅河	淇河	淇河	香水河	石门河
控制流域面积(km^2)	618	117	215	62.0	43.0
校核洪水标准 N(年)	1 000	1 000		200	500
最高水位(m)	509.9	785	641.6	756.88	
总库容(万 m^3)	2 720	1 370	2 224	870	1 094
溢洪道顶高程(m)	498	766.5	638	749.6	382
相应库容(万 m^3)	2 150	1 029	1 900	632	
最大滞洪库容(万 m^3)	570	341	324	238	
溢洪道最大泄量(m^3/s)	4 380	2 480	1 405	750	1 760
输水洞底高程(m)	473	719.50		702.0	341.5
输水洞最大泄量(m^3/s)	147	12		11	9.2
设计灌溉面积(万亩)	12	7		3.5	4.0
实际灌溉面积(万亩)		5		2	
建成年月	1960 年 5 月	1969 年 7 月	1973 年始建， 1978 年 8 月停建	1970 年 6 月	1971 年 3 月

注：1 亩=0.066 7 公顷(hm^2)，下同。

1.2.1.4 流域基本径流资料

淇河的历史洪水资料较多。淇河新村河段在 1956～1961 年间，曾由水电部原北京勘测设计院和河南省水利厅设计院作过 4 次历史洪水调查。其调查结果显示，主要大水年份有 1665、1757、1823、1861、1870、1876、1892、1906、1917、1929、1932、1937 年等，其中能定量的只有 1892、1917、1929 年这三年，其洪峰流量分别为 7 080、6 550、4 900 m^3/s。

盘石头水库坝址位于土圈、新村水文站之间。盘石头水库坝址 1952～1998 年(水文年)天然年径流系列见表 1-4、表 1-5、表 1-6。

表 1-4 1952～1998 年天然年径流系列 (单位：亿 m^3)

年份	$W_{盘}$	年份	$W_{盘}$	年份	$W_{盘}$	年份	$W_{盘}$
1952～1953	2.125	1964～1965	2.857	1976～1977	5.785	1988～1989	3.662
1953～1954	4.241	1965～1966	2.012	1977～1978	4.361	1989～1990	3.346
1954～1955	4.498	1966～1967	2.233	1978～1979	1.840	1990～1991	3.344
1955～1956	7.258	1967～1968	3.319	1979～1980	1.571	1991～1992	2.601
1956～1957	14.299	1968～1969	2.760	1980～1981	2.058	1992～1993	2.194
1957～1958	2.734	1969～1970	4.010	1981～1982	1.439	1993～1994	2.497
1958～1959	6.138	1970～1971	2.770	1982～1983	8.173	1994～1995	2.929
1959～1960	3.696	1971～1972	4.429	1983～1984	2.809	1995～1996	2.441
1960～1961	1.560	1972～1973	4.197	1984～1985	2.925	1996～1997	6.829
1961～1962	3.858	1973～1974	4.848	1985～1986	3.767	1997～1998	1.122
1962～1963	4.244	1974～1975	2.871	1986～1987	1.787		
1963～1964	13.092	1975～1976	7.720	1987～1988	1.848		

表 1-5 盘石头水库天然系列年径流成果

系列	均值		C_v	C_s/C_v	年径流量(亿 m^3)			
	径流量(亿 m^3)	径流深(mm)			P=25%	P=50%	P=75%	P=95%
1952～1984	4.46	234	0.7	3.0	5.65	3.48	2.23	1.61

表 1-6 盘石头水库天然年径流量统计参数

系列	统计参数			各种保证率年径流量(亿 m^3)			
	均值(亿 m^3)	C_v	C_s/C_v	P=25%	P=50%	P=75%	P=95%
1952～1984	4.46	0.7	3	5.65	3.48	2.23	1.61
1952～1994	4.07	0.6	3	5.08	3.38	2.32	1.59
1952～1998	4.06	0.6	3	4.99	3.32	2.28	1.56

1952～1984 年 33 年系列面雨量均值为 721.6 mm，1952～1998 年 47 年系列的年面雨量均值为 692.2 mm，两者仅相差 4.2%。

1.2.2 盘石头水库水情自动测报系统建设的必要性

1.2.2.1 海河流域水情自动测报系统的有机组成

淇河属海河流域，流域内地形特殊，河系繁多，呈扇形分布，丘陵区过渡带较短，山地与平原近于直接交接，河流源短流急，山区洪水易对平原区造成威胁和灾害。该流域内有北京、天津、石家庄、保定、邯郸、安阳、鹤壁等重要城市，不仅资源丰富，工业、农业发达，而且海、陆、空交通发达，人口稠密，是我国主要的政治、经济中心区域。目前，由于流域内水库防洪标准低，淤积严重，河道堤岸老化失修，行洪能力严重下降，短期内仅靠工程措施还不能完全满足防洪度汛的需要。

1999 年 3 月，水利部汪恕诚部长在海河流域有关省市视察安全度汛时指出，急需在海河流域内的重要水库、水文站点和防汛重点地区建设高标准、高层次的水文自动测报系统和防汛调度通信系统，以加强水情信息采集及通信网络的现代化建设，保证水文信息和调度指令及时、准确地传递，实现科学调度洪水，提高防洪实效，减少洪灾损失。

盘石头水库作为海河流域 2000 年开工建设的大(二)型水库,其水情自动测报系统的建设是海河流域水情自动测报系统的重要组成部分。

1.2.2.2 盘石头水库安全运行的需要

盘石头水库库容 6.08 亿 m^3，是下游 100 多万人民生命财产安全的控制性工程，工程一旦出现险情，后果不堪设想。水库虽然可对设计标准范围内的洪水进行拦蓄，但对超设计标准的洪水仅能够进行短时间的调蓄，因此做好水情的预报是水库汛期安全度汛的关键。

1.2.2.3 盘石头水库优化调度的需要

盘石头水库地处河南省北部的鹤壁市，所处流域属季风气候区，为典型的半干旱大陆性气候，水问题已经成为制约鹤壁市发展的瓶颈，水资源的合理调度问题非常重要。建设水情自动测报系统可使水库水资源得到优化调度，工程的效益得到充分发挥，实现以水兴利、以水兴市的目的，达到造福人民的要求。

1.2.2.4 水库及灌区的经济效益保证

盘石头水库具有防洪、灌溉、发电、旅游、养殖和下游生态保护等多重任务。淇河是来水季节性非常明显的一条河流，汛期、枯水期水情变化很大。如何做好来水预报不仅关系到水库的经济效益，而且直接关系到当地的工农业发展。

1.2.2.5 变化复杂的库区水情预报的需要

盘石头水库库区暴雨中心较多，汛期洪水比较频繁。库区内河谷狭窄，洪水传播速度快，而目前区间内现有的报汛设施无法满足今后水库防洪调度的需要。盘石头水库水情自动测报系统建成后，利用卫星通信方式采集上游水情、雨情信息，并采用较先进的降雨径流模型进行分析计算，增长了洪水的预见期和准确度，确保了对水库库区水情的了解和掌握。

1.3 盘石头水库水情自动测报系统设计

1.3.1 系统建设设计原则

海河流域水文自动测报及防洪调度系统是我国防汛指挥系统工程建设的一个重要组成部分,而淇河盘石头水库水情自动测报系统是海河水情自动测报系统的有机组成部分。因此，盘石头水库的水情自动测报系统在设计、建设过程均按照先进、高标准的原则组织实施。

1.3.1.1 设计依据

(1)水利部海河水利委员会(下简称海委)海计[1999]18号，“关于抓紧开展海河流域水文自动测报及防汛调度系统初步设计工作的通知”。

(2)水利部水资文[1999]38号，“关于颁发《水文基础设施建设实施意见》的通知”。

(3)《国家防汛指挥系统工程水情信息采集系统分类设计》。

(4)《水利水电工程设计洪水计算规范》(SL44—93)。

(5)《水文自动测报系统规范》(SL61—94)等有关规范规程。

1.3.1.2 设计目标

系统的建设要既满足水库施工期防洪预警的需要，又满足水库蓄水运行期防洪、调度的需要。

1.3.1.3 设计原则

系统建设要先进、可靠、功能实用、组网合理、维护方便，具有高度的开放性、兼容性和可持续发展性。

1.3.1.4 采用方式

系统采用卫星通信方式，并符合国家无线电管理委员会的有关规定。

1.3.1.5 设备配置

系统设备配置应满足标准化、模块化、通用化标准，并满足今后国家防汛调度指挥系统工程建设的需要。

1.3.2 系统功能要求

1.3.2.1 遥测功能

(1)实现对水位、雨量的自动遥测。

(2)通过人工采集置数的方式，实现对流量等参量数据的传输。

1.3.2.2 数据处理功能

(1)实时接收遥测站数据，并能进行检错、纠错和插补缺测数据。

(2)数据分类、格式化处理，建立数据文件或数据库。

(3)查询、检索数据，显示流域特征及实时水情图(表)。

(4)报表打印。

(5)接收、处理水情电报和其他测报系统传送的数据和资料，通过电文翻译和数据格式转换，并纳入本测报系统的数据库。

(6)向有关上级部门传送水情预报成果或有关数据。

(7)处理测报系统的监测、监控信息。

1.3.2.3 接收与传输功能(略)

1.3.2.4 预报功能(略)

1.3.2.5 监控功能

(1)越限报警。

(2)设备事故、故障报警。

(3)遥测站电源欠电压报警。

(4)遥测站时钟校正、开关机。

1.3.3 系统主要技术指标

1.3.3.1 响应速度

完成一次全部水情要素的采集、处理和预报作业的时间不超过 20 分钟。

1.3.3.2 采集精度

采集精度应达到表 1-7 的规定。

表 1-7 采集精度

项目	采集分辨率	允许误差	测试条件		备注
雨量	0.5 mm	±4%	年雨量	＜800 mm	
	1.0 mm	±4%	年雨量	≥800 mm	
水位	1.0 cm	2 cm	量程	≤10 m	
		2～3 cm	量程	10～15 m	
		3 cm	量程	＞15 m	

1.3.3.3 确定性系数

水情预报主要方案的确定性系数应大于 0.7。

1.3.3.4 系统的可靠性指标

(1)遥测站和中心站单站设备的平均无故障工作时间(MTBF)应大于 5 000 h。

(2)一般遥测站至中心站数据传输的月畅通应不小于 95%。

(3)采用卫星传输的数据传输平均误码率应不大于 1×10^{-6}。

(4)水文测报系统设备的可用性应大于 90%，在大暴雨时，水文测报系统不应中断预报作业。

1.3.4 系统设备配置

1.3.4.1 遥测站水文仪器配置

按照充分利用现有的设备和资源，以及“实用、可靠、先进”的原则，根据站址条件，选择相应的水文仪器。各雨量站采用翻斗式雨量计，水位站采用感应式数字水位传感器，水位仪器能够检测到本站历史最低水位和不低于50年一遇洪水的水位。雨量计和水位传感器的主要参数如下。

（1）翻斗式雨量计。

承水口径：3 000 mm ± 0.30 mm

分辨率：1.0 mm

测量精度：相对误差≤4%

降雨强度：≤4 mm / min

（2）感应式数字水位传感器。

水位变幅：0～40 m，0～70 m

分辨率：1 cm

准确度：10 m 量程时，±0.2%FS

＞10 m 量程时，±0.3%FS

1.3.4.2 中心站设备配置

中心站硬件设备配置见表1-8。

表1-8 中心站硬件设备配置

设备名称	规格型号	单位	数量
服务器	联想万全 1060 PⅢ 866 / 128M / 2×30G / RAID 卡 / 15′	台	1
工作站	联想奔月 2000 PⅢ933 / 128M / 20G / 17′	台	1
前置机	研华 IPC-610 PⅢ 650 / 64M / 8.4G / 17′	台	1
交换机	联想 DES-1008 8 口 10M / 100M	台	1
MODEM	3COM 56K	台	1
打印机	HP 6L GOLD	台	1
卫星小站	INMARSAT-C TT-3022C	套	1
UPS 主机	POWER1000	台	1
蓄电池	12V 100AH	块	4
卫星电源	AD0150CS	台	1
测控计	TC-302	台	2
雨量计	JDZ 05（02）-1	套	1
数传电台	ND889	台	2
定向天线	BF-230M-D5	付	1

1.3.4.3 仪器设备使用环境要求

水情测报系统设备使用环境要求按表1-9内容执行。

表 1-9　水情测报仪器设备使用环境条件

设备名称	气温(℃)	相对湿度(%)
中心站设备	+5～+40	≤90
遥测站室内设备	−10～+45	≤90
雨量站的传感器及室外设备	0～+50	≤95

1.3.5　盘石头水库水情自动测报系统的通信设计

1.3.5.1　通信系统组网设计

1)站网布设原则

盘石头水库水情自动测报系统采用降雨径流模型预报,通信系统采用卫星通信方式。水位遥测站的布设，主要考虑控制产洪区域的原则，控制入库站、库区站及较大产洪的支流汇入站。雨量遥测站的布设，主要根据本流域现有测站的雨量资料，选择历史上具有代表性的洪水暴雨资料，分析流域现有雨量站的代表性。因此，在站网布设上主要考虑以下因素:

(1)尽量在已有水文站、雨量站的位置设立测站;

(2)按既满足通信要求，又能取得代表性较好的降雨资料确定测站位置;

(3)测站位置尽量靠近居民点，交通方便，便于维护管理;

(4)所设测站能够控制测区的雨水水情，满足洪水预报、调度需要;

(5)选取位于淇河主要支流河道的出山口、主要河流的控制站、主要的枢纽站设立测站;

(6)流域小的水库，只建立水库遥测站，报送雨量、水库水位。

2)站网布设方案

淇河盘石头水库水情自动测报系统设计建设为一个二级组网方式的流域性水情自动测报计算机系统。该水情测报系统有 1 个中心站，中心站设在盘石头水库建管局，根据水文站点规划,该系统下设遥测站点 11 个(含海委规划 3 个),其中刁公岩、临淇、南寨、大峪、小店、桥上、马家庄、六泉、盘石雨量站 9 个(含海委规划 2 个)，弓上、三郊口水文站 2 个(含海委规划 1 个)，盘石坝上水位站 1 个。

盘石头水库流域水位雨量站布设见表 1-10、图 1-1。

表 1-10　盘石头水库流域水位雨量站布设

站名	经度(东经)	纬度(北纬)	高程(m)	站别	遥测项目
盘石	114°1′18″	35°51′35″	312	坝上水文站	雨量、坝上水位
刁公岩	113°58′	35°50′54″	250	雨量站	雨量
临淇	113°52′30″	35°46′18″	292	雨量站	雨量
南寨	113°42′4″	35°45′56″	447	雨量站	雨量
大峪	113°45′58″	35°52′16″	450	雨量站	雨量
小店	113°47′56″	35°53′6″	337	雨量站	雨量
桥上	113°34′10″	35°55′6″	1 211	雨量站	雨量
马家庄	113°31′42″	35°54′44″	1 000	雨量站	雨量
六泉				雨量站	雨量
弓上	113°41′50″	35°56′34″	563	水文站	雨量、坝上水位
三郊口	113°37′18″	35°48′25″	598	水文站	雨量、坝上水位

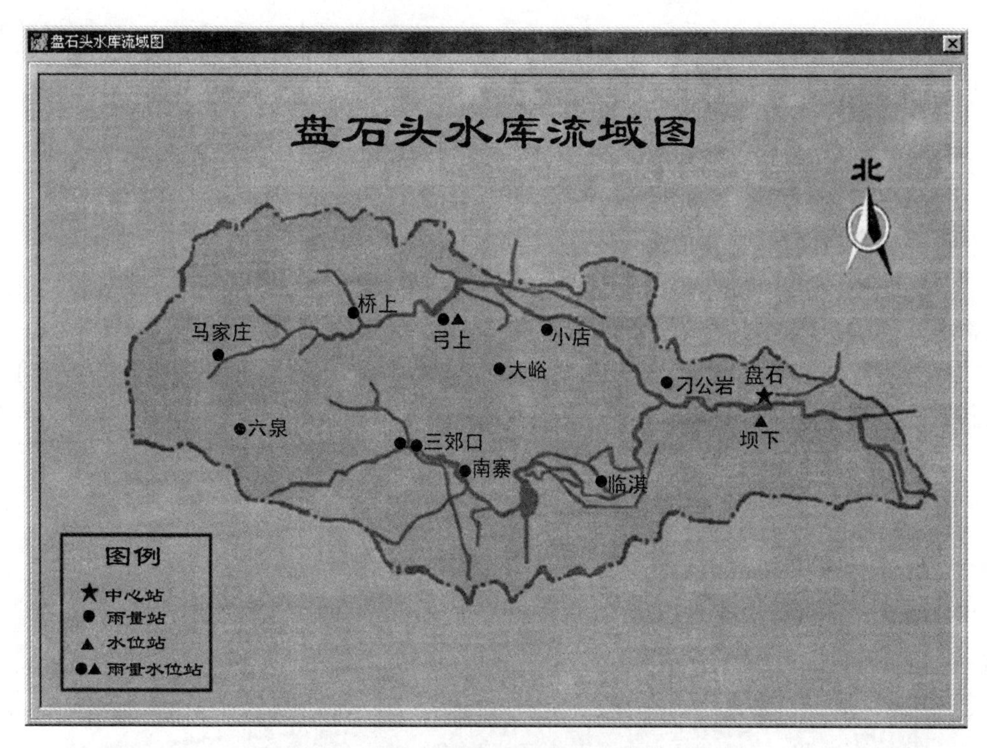

图 1-1　盘石头水库流域图

1.3.5.2　卫星通信方式的选择

根据盘石头水库水情自动测报系统设计要求，系统主要采用卫星通讯的通信方式进行数据的传输。目前国际上中小型卫星通信系统种类较多，而适合国内水文自动测报通信的卫星系统主要有两种，即亚洲 2 号 VSAT 通信卫星和 Inmarsat-C 海事卫星系统。我国已建成的水情自动测报系统有 90%都采用了超短波和 VSAT 通信卫星系统(即亚洲 2 号)，经过一系列测试、分析、对比，结合盘石头水库流域多为山区且站点分布较散等现状，盘石头水库水情自动测报系统的信息数据传输最终确定采用 Inmarsat-C 系统。该卫星系统主要有以下优势：

(1)可靠性高。Inmarsat-C 系统用户终端采用 L 频段，该频段对雨衰非常小，约为 0.2 dB，恶劣天气(尤其是雨季)不会影响通信。Inmarsat-C 通信系统有 4 颗主用卫星，另有 7 颗备用卫星，整个系统非常可靠。

(2)数据传送时间短。数据报告方式传送数据，从发送端到接收端为 40 秒，非常适用于要求传输数据快、传送信息量小的用户。

(3)设备小，运行方便。Inmarsat-C 终端天线很小(重 0.75 kg，尺寸(H × D) 124 mm × 150 mm)，雨季不致遭到雷击，终端设备轻(重约 1.3 kg，尺寸(H × W × D) 50 mm × 180 mm × 165 mm)。终端省电，睡眠状态下耗电仅为 30 mW，可用太阳能供电。

(4)组网灵活。利用 Inmarsat-C 建立通信系统，用户只需购买终端自行组网。所有市场销售的 Inmarsat-C 终端都经过 Inmarsat 的批准，用户只需购买终端办理入网即可使用，故系统的建设速度快。

(5)可实现无人值守。Inmarsat-C 终端省电，睡眠状态下耗电仅为 30 mW，可用太阳能供电。中心站可遥控野外无人值守站。

(6)投资少、运行费低。利用 Inmarsat-C 建立通信系统，用户只需购买终端自行组网。设备价格比其他系统卫星通信设备廉价。

卫星系统和卫星地面站已运行多年，设备小，土建简单，费用少，维护方便，使得运行后的维护费用也很低，而且没有通信月租金，即不通信不收费。

(7)建设速度快。所有市场销售的 Inmarsat-C 终端都已经过 Inmarsat 的批准，用户只需购买终端办理入网即可使用，故系统的建设速度快。

结合盘石头水库流域多为山区且站点分布较散等现状，为保证测报系统在施工期和运行管理期均能够及时准确地发挥应有作用，本系统设计采用无线(局部)和 Inmarsat-C 卫星通信系统混合组网的方式。

盘石头水库通讯组网图见图 1-2。

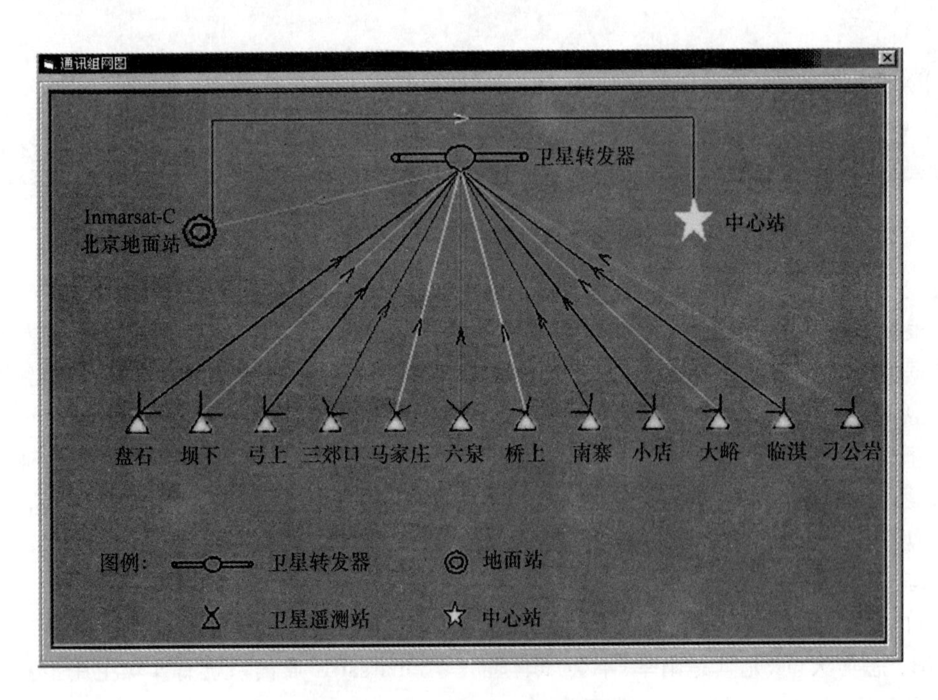

图 1-2　盘石头水库通讯组网图

1.3.6　系统应用软件功能设计

系统应用软件主要包含以下几种分功能模块。

1.3.6.1　水文遥测数据调取

此模块的功能是通过主机与前置机通信，从前置机内调取所收集的水文遥测数据。如前置机内有数据，则将数据发给主机，主机将数据存盘并在屏幕上显示，之后对接收的自报数据进行异常差错预处理，最后返回主菜单，如前置机无数据或通信失败，主机将放弃与前置机的通信，并在屏幕上给出提示，然后返回主菜单。操作人员应经常从前置机调取数据，避免因意外造成的数据丢失，以便更好地为后面数据处理做准备。

1.3.6.2 水文数据实时监测

此模块定时与前置机通信，调取水文数据并进行相应处理，然后在屏幕上实时显示各测站自某一起始时间的降雨量、水位、流量及其他水文参数。在单屏幕方式下，可以有以下几种监测方式的选择：

(1)分页显示所有测站的降雨量、水位、流量及其他水文参数。

(2)显示选择测站的降雨量、水位、流量及其他水文参数。

(3)显示选择测站的降雨过程线及直方图。

(4)显示选择测站的水位过程线图。

1.3.6.3 水文遥测数据查询

此模块的功能是查询收到的雨量、水位、流量等水文遥测数据。操作人员需依次输入起始年、月、日和终止年、月、日，并选择所需查询的测站序号，即可在屏幕上显示水文数据，还可将查询结果打印下来。

此外，本模块还可以查询某一测站的降雨日期。

1.3.6.4 水文数据人工置数

此模块的功能是直接在主机上输入各测站某年、月、日的降雨量、水位、流量等水文数据。它可作为水文自动测报系统分期实施时未安装测站有关数据录入的预备方案，亦可作为测站故障时人工干预、补插、补救数据的一种方法。在系统运行正常时，不应随意使用此项功能，可以通过设置权限来限制该操作，以免破坏数据。

1.3.6.5 水文数据人工维护

此模块的功能是对数据文件中雨量、水位、流量等水文数据进行任意修改、插入、删除等操作，以对水文数据进行全面维护，其中包括修改站号、时间、特征、数据、删除记录、添加记录等。此项功能也作为原始数据出错时人工干预的一种方法。在系统正常工作时，不要随意使用此项功能，可以通过设置权限来限制该操作，以免数据被破坏，影响系统的正常工作。

1.3.6.6 水文数据时段报表

此模块可以打印时段雨量报表和时段水位报表，还可以打印日降雨量基本报表，日水位基本报表。操作人员需按要求输入起始年、月、日、时、分和终止年、月、日、时、分以及时段数值时、分，时段值是可以任意设定的，并且在打印时段雨量报表和时段水位报表时，测站数据和顺序也可以任意选择。

1.3.6.7 水文数据时段图

此模块是用于显示各测站逐时降雨过程线图和直方图、水位过程线图。操作人员可输入年、月、日，然后选择显示某一测站几日的雨量逐时过程线和直方图、水位逐时过程线图。

此外，过程线图和直方图还可以用打印机打印下来。

1.3.6.8 系统测站规范报表

此模块用于打印系统各测站的雨量、水位、流量、库容等水文数据的年、月、日报表，操作人员需按要求依次输入年、月、日等。

1.3.6.9 系统综合规范报表

此模块用于打印系统全体测站的雨量、水位、流量、水量、库容等水文数据的日、月、年平均值(或累计值)报表。

1.3.6.10 系统水文参数设置

可设置的系统参数包括基础水位、总库容、总淤积量、坝顶高程、汛限水位，此外还可以对水位与流量、水位与库容关系曲线进行修改和添加。

1.3.7 系统的防雷设计

1.3.7.1 设计范围及设计原则

(1)设计范围：各水文遥测站点防雷与接地设计，所有通信设备防雷与接地设计，分、中心站机房的防雷与接地。

(2)设计原则：各水文遥测站点防雷与接地均按水电行业相关技术标准进行设计。各水文遥测站点的防雷接地、工作接地和保护接地合用一个接地系统，并满足上述规程的相关技术要求。

1.3.7.2 防雷装置的布置

(1)为防止直击雷，在通信设备顶端应安装避雷针，并附接地下线。通信设备及馈线的金属外皮应可靠地相连。

(2)作为防止直击雷的保护措施，各测站仪器室外屋顶四周均安装环形闭合避雷带，房顶的金属构架等与避雷带应可靠连接。在仪器室外围绕建筑物敷设水平闭合接地带，在仪器室内围绕房间敷设环形接地母线。各种金属管道、金属结构等以及工作接地、保护接地等均应以最短距离与环形接地母线可靠连接。屋顶接地带应设有不少于 4 根对称分布的连接实现互相连接。

(3)各种馈线应有金属外皮或金属屏蔽层，或敷设在金属管内。为防止雷电侵入，对引出引入的馈线，其金属外皮(或金属管)必须埋入地中敷设。

(4)各测站的屋顶避雷带均采用镀锌钢材。

1.3.7.3 接地装置的设置

(1)接地装置采用共用接地体，即将防雷接地、工作接地和保护接地等连成一个整体，构成一个接地网。各测站的总接地电阻不大于 4Ω。

(2)接地网施工后，应按要求测量接地电阻。若测量结果不能满足设计要求值，需采用补加接地网或使用降阻剂等措施，直至接地电阻达到设计要求。

1.4 盘石头水库水情自动测报系统的安装与防雷施工

1.4.1 中心站机房的施工

盘石头水库水情自动测报系统中心站设置于盘石头水库建设管理局办公区内。中心站机房为标准办公用房。面积约 18 m^2，室内安装有空调机 1 台，广域网接口一个，电话线接口一个，220V 电源接口 3 处，并连接有暖气设施。室内设施满足温度、噪音、通风、接地等要求。

1.4.2 遥测站设施安装

遥测站主要设备有卫星水情遥测仪、卫星天线、雨量计、水位测控仪、传感器、蓄电池、太阳能电池板。

为防止人为的误操作及灰尘进入仪器，雨量站中的卫星小站、二次仪表、数据采集处理器、充电控制器、蓄电池等仪器均放置在控制柜中。

1.4.2.1 雨量计安装

(1)雨量计安装在不受树木、房屋建筑等环境影响的场所。

(2)雨量计安装基础要确保稳定，选用混凝土砌筑墩台。

(3)雨量计安装时采用预埋螺栓，确保牢靠、不晃动，可长久保持水平状态。

(4)所选用的雨量计在安装前做试验率定，以确保仪器的完好。

(5)连接：卫星天线连接馈线采用 5Ω-3 同轴电缆，通过连接插头与卫星水情遥测仪控制柜的天线接口连接。

蓄电池输出端通过 4 孔航空插头与卫星水情遥测仪器控制柜的电源接口连接，蓄电池输入端接太阳能电池板的接线盒，连接电源采用 RVVP2×1 聚氯乙烯软护套线。雨量计连线采用 RVVP2×1 聚氯乙烯屏蔽软管套线，通过五孔航空插头与卫星水情遥测仪控制柜的雨量接口连接。

1.4.2.2 水位传感器的安装

1)水位传感器的连接

水位传感器采用贴坡安装，根据实际情况采用不同方式的安装，以达到准确测量的目的。

三郊口及弓上水库传感器信号线采用 DTU 线，信号线通过 CAN 总线接线端子进入站房中的二次仪表。其中二次仪表可储存 2 000 条记录，每条记录包括站号、时间、水位，交直流可自动切换。220 V 电源有电时，支持二次仪表工作并给蓄电池充电，停电时由蓄电池给二次仪表供电。

水位传感器采用 CAN 总线式结构，每根传感器的信号线与总线相连，并将连接部分做防水处理，将连接部分放入一段 PVC 管中，并将 PVC 管用胶灌注。

2)传感器在槽钢中的安装

因为传感器安装在水库的迎水面，易受水中漂浮物冲击，为防止自然及人为的损坏，所以传感器均安装在槽钢中，传感器顶部及测量部分均由不锈钢防护罩保护。以防止漂浮物碰撞或人为破坏。通过槽钢侧面的挂件、支撑件和螺丝将传感器固定在坝上。槽钢之间通过连件连成整体。

坝面垂直的(三郊口水库)、坝面倾斜的(弓上水库)水位传感器安装示意图见图 1-3、图 1-4。

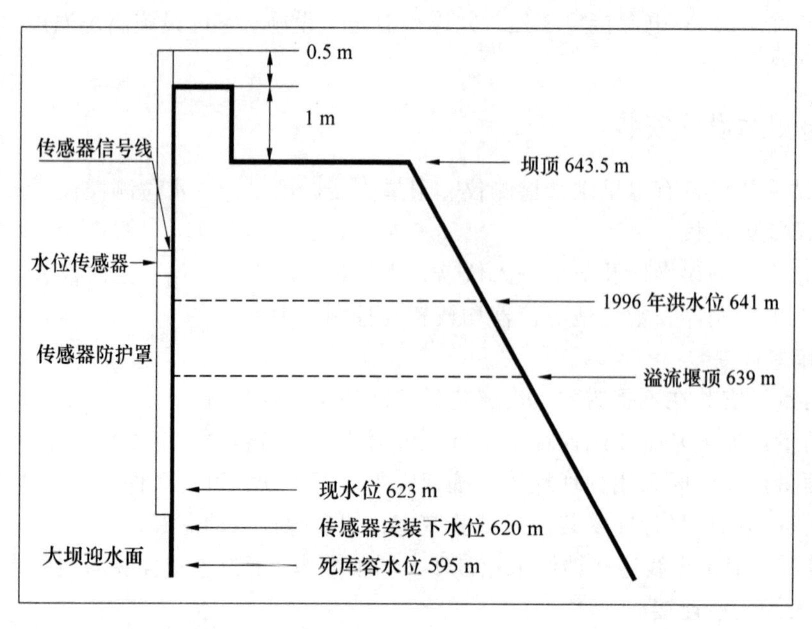

三郊口水库水位传感器安装说明：

三郊口水库水位变幅 25 m，因大坝迎水面为垂直面，所以水位传感器采用贴坝竖直安装的方式，将槽钢竖直安装在水库迎水面，槽钢上有连接支架，支架下部锚入坝体与坝体连接，传感器装在槽钢上，外部采用不锈钢保护罩保护。

图 1-3　坝面垂直的（三郊口水库）水位传感器安装示意图

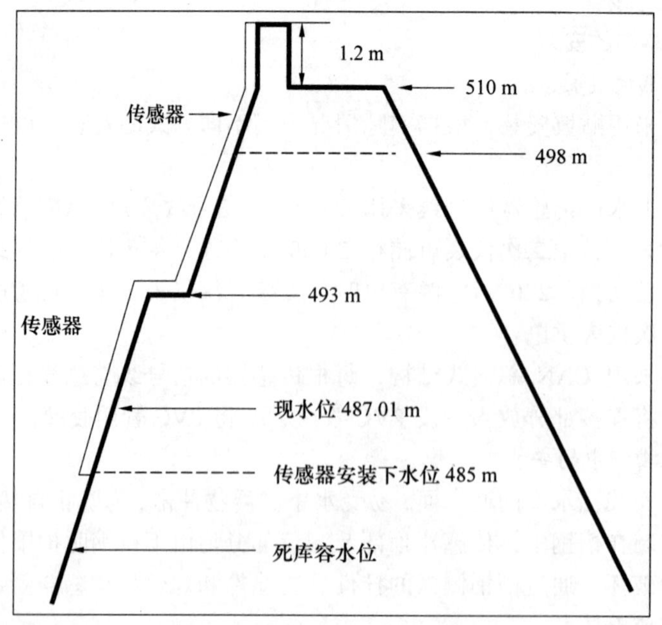

弓上水库水位传感器安装说明：

弓上水库大坝分上、下两段，水位变幅 26 m。传感器安装在槽钢中，槽钢通过支架贴壁安装于两段的坡面，因大坝两段间有一水平段（大坝中间过渡段），在该水平段上安装一根 $\phi 34$ 镀锌钢管作为穿线管，水位传感器信号线从钢管中穿过。

图 1-4　坝面倾斜的（弓上水库）水位传感器安装示意图

1.4.3 防雷施工

1.4.3.1 避雷针

(1)避雷针体长大于 2.5 m，顶端为 30° 锥角，材料为圆钢。

(2)针体下端要有接地引线，引线可用扁铁、圆钢等，直接引线与接地体连接。

(3)避雷针保护角为 45°，天线、机房等要在保护范围内。

1.4.3.2 接地体的选用与制作

(1)采用垂直埋入地下的铁管或圆钢、角钢，接地电阻小于 10Ω。

(2)土壤有腐蚀情况时，应使用镀铜或镀锌的材料。

(3)接地体最高点离地面不小于 1 m。

(4)接地体的间距为 2.5 m，每根接地体长 2.5 m。

(5)接地体的材料可用 50 mm × 50 mm × 5 mm 角铁或直径为 8 mm 的圆钢。

(6)接地体采用耙形结构。

1.4.3.3 接地体的施工

(1)根据当地实际情况，挖一条深 1.2 m、宽 0.5 m 的沟，长度可根据接地体的根数确定，然后将接地体打入地中，接地体顶部露出部分用 40 mm × 4 mm 镀锌扁钢焊接并与避雷针引线焊接。

(2)土质不好或块石过多的地方采用降阻剂，使地阻达到要求。

(3)鉴于遥测站地处山区和丘陵，土壤覆盖深度较浅，为此接地体可采用扁钢埋设，扁钢规格为 50 mm × 5 mm，埋设深度不小于 0.5 m。接地体与引入线焊接良好，土壤电阻率太大时采取局部换土或其他减小土壤电阻率的措施。

1.5 防汛调度信息管理系统

1.5.1 系统功能及要求

防汛调度信息管理系统软件使用 Windows 2000 为操作平台，采用 Deplhi6 为软件开发工具，数据库管理系统使用 SQL Server 2000 进行软件开发。系统软件是根据盘石头水库防汛调度信息管理系统需求而开发的。盘石头水库防汛调度信息管理系统设有 8 个水情测报站，共采用四种通讯方式，要求整个系统的反应速度在 20 分钟以内。

防汛调度信息管理系统具备以下功能：

(1)提供各类仪器设备的安装信息表。

(2)提供水库工程资料信息查询功能。

(3)采用多种方式进行数据采集。

(4)提供系统设备检测功能，可以随时进行采集终端的检测，并按要求给出其相应的结果。

(5)及时发出各种级别的故障报警。库水位低于死水位报警，超过汛期限制水位报警，库水位超过设计洪水位报警，库水位超过校核洪水位报警，库水位超过设计洪水位报警，库水位日最大降幅超过 0.25 m 报警。采用声、光、图像和报警消息等多种方式报警。

(6)对于人工观测点提供人工录入。大坝变形情况和巡视检测记录，录入记录需要进行审核确认后才能正式使用，提供办公自动化接口，可以提交录入记录，并在网上完成人工录入记录的审核。

(7)提供采集系统运行分析模型，提供系统畅通率、系统平均无故障天数等性能指标。

(8)完成过程线、相关线、分布图、浸润线、包络图和库容曲线等图形绘制。

(9)提供系统采集数据查询、工作状况查询和系统故障情况查询。

(10)打印日报表、月报表、年报表、计算表和人工巡回检测报表。

盘石头水库水情自动测报系统功能框架如图 1-5 所示。

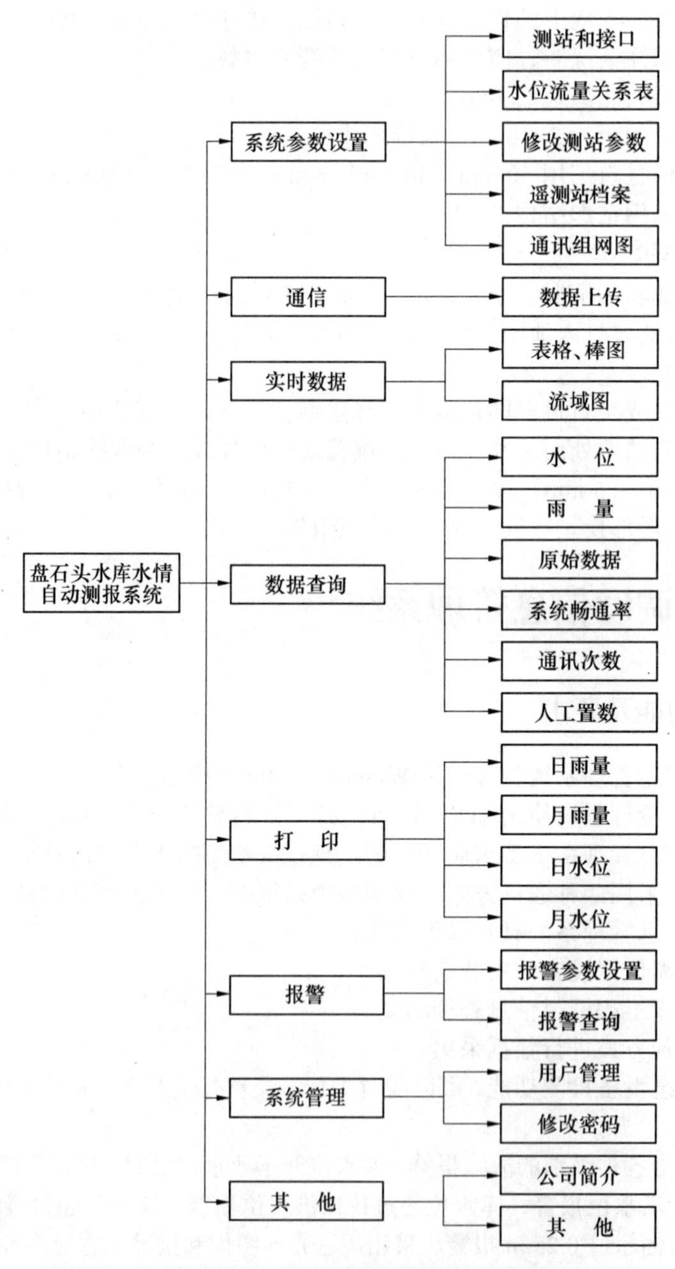

图 1-5　盘石头水库水情自动测报系统功能框架

1.5.2 雨水情信息管理系统

1.5.2.1 系统参数设置

对系统进行初始化设置，包括系统通讯接口设置，设备仪器使用参数设置，系统使用参数设置和基础数据录入等。

(1)测站和接口。包括系统测站信息，系统参数及串行通讯接口设置。通过对测站信息、系统参数和通讯接口的设置，可以建立测站的基础信息表，用户可以通过对该表的访问，获得系统测站的基本信息，在此基础上可以进行通讯端口的初始化和其相应的数据操作。对系统测站信息进行设置，包括测站名称、属性以及通讯端口配置。可以增加、修改和删除测站信息。测站信息包括站号、站名、属性(雨量、水位站点)、通信方式(卫星—卫星小站、超短波、GSM、二次仪表)、水位基值、权重、串行端口配置(INARSATT / 空)、雨量过滤参数、水位过滤参数、主站 DNID、从站 DNID 和尾水增量等。

测站和接口界面见图 1-6。

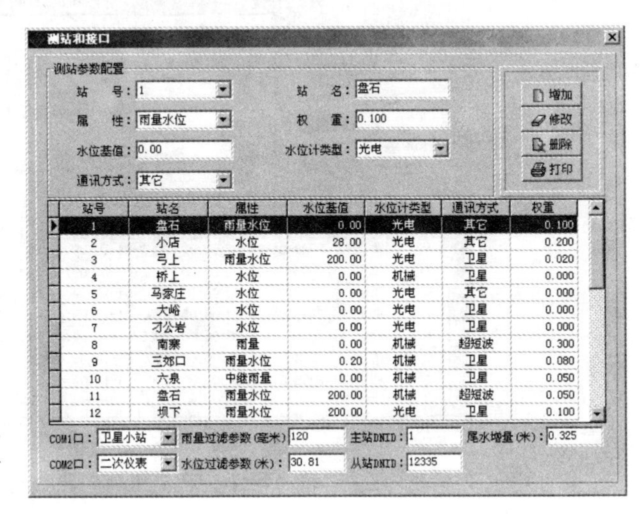

图 1-6 测站和接口界面

(2)水位流量关系表。输入水库水位流量对照表，通过该表可以绘制水位流量关系曲线。输入、修改、删除水库水位流量对照表，通过该表可以绘制水位流量关系曲线。

水位流量关系表界面见图 1-7。

(3)修改测站参数。修改测站数据采集的相关设置参数，包括定点报数间隔、雨量增量、水位增量、相邻站间隔(秒)、启动时间(分)、启动时间(秒)和发送状态。自动保存修改时间。修改测站的这些参数将直接影响测站数据采集的方式和自动报送数据。选择单个站点只修改单个站点的数据，否则将修改全部站点的数据，定点报数间隔为 1、3、6、12、24。

(4)遥测站档案。浏览编辑遥测站档案，测站档案包括站号、站名、看护人、电话、通讯地址、邮编和建站时间，可以单独测站打印，也可以全部打印。

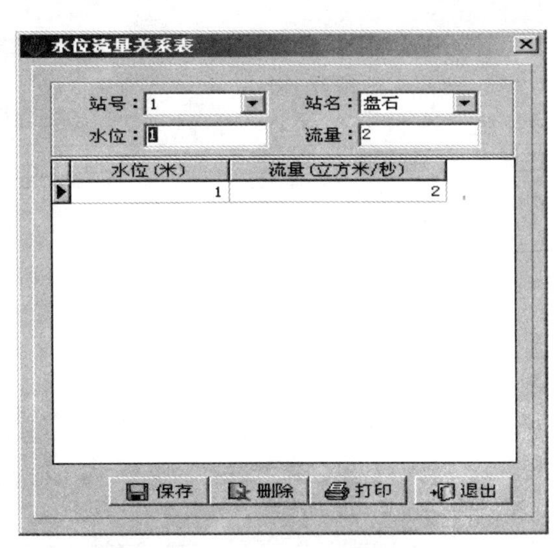

图 1-7 水位流量关系表界面

(5)通讯组网图。浏览系统通讯组网图(见图 1-2)。

1.5.2.2 通信

本模块是系统的核心模块，负责进行水位实时数据的采集入库，数据采集方式可以使用实时采集，定时采集和批量采集等多种方式进行。

(1)数据通信。通过 RTU 接收卫星传送得到盘石头水库流域水情数据。

(2)数据采集。接收盘石头水库基地的二次仪表采集数据(见图 1-8)。

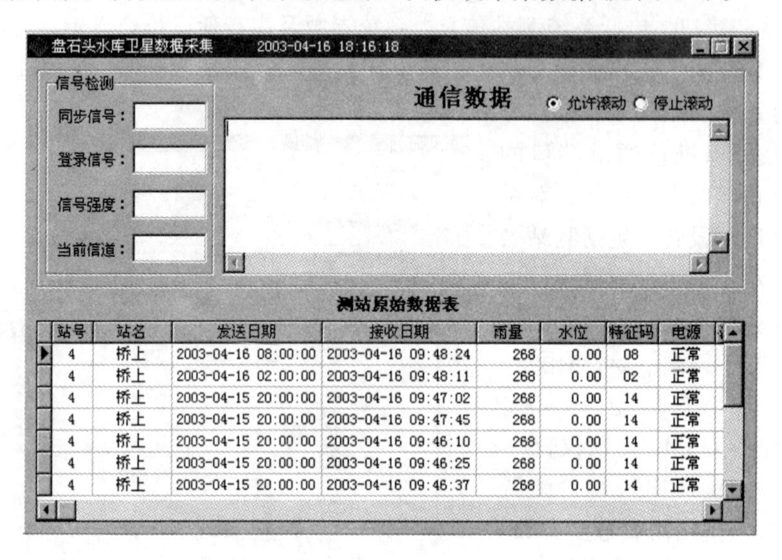

图 1-8 盘石头水库卫星数据采集界面

1.5.2.3 实时数据

(1)表格、棒图。查询各测站的 1 小时、3 小时、6 小时实时数据，可以表格和棒图的形式显示相应数据信息(见图 1-9)。

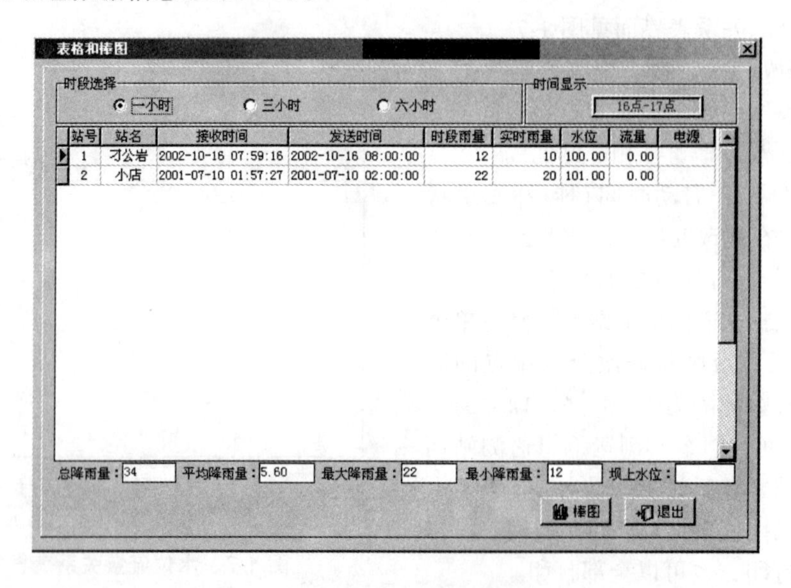

图 1-9 表格和棒图界面

（2）流域图。此功能可以查看各测站的 1 小时、3 小时、6 小时实时数据并且以图形形式实时的显示，如查看某站点信息，将鼠标移到相应处即可提示出该站点的水位和雨量。盘石头水库流域图界面见图 1-10。

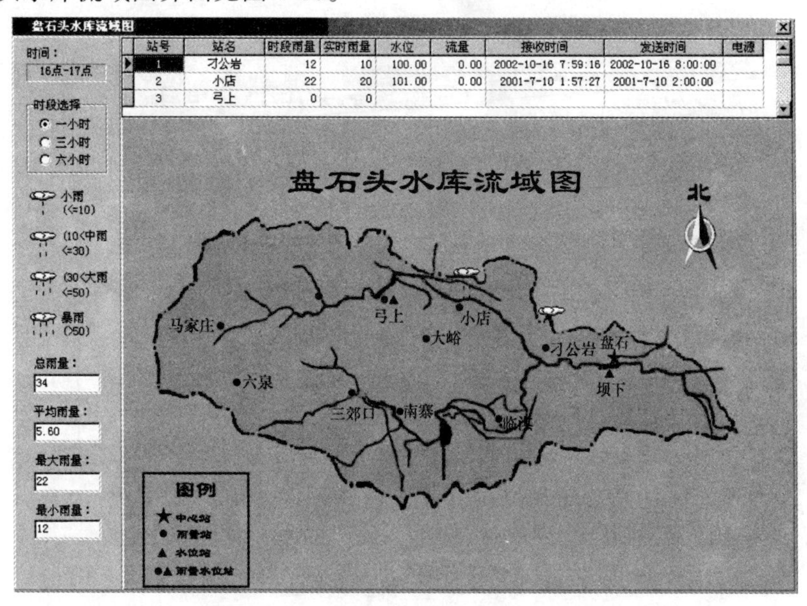

图 1-10　盘石头水库流域图界面

1.5.2.4　数据查询

数据查询是通过对实时采集回的数据进行相应的处理、整理及汇总，给出相应的信息的模块。

（1）雨量查询。此功能可以通过选择测站、开始日期和结束日期、时段（1 小时数据、3 小时数据、6 小时数据、日雨量、月雨量）等信息，查询出与此信息相符合条件的数据及棒图信息，并可打印出相应的浏览信息（见图 1-11）。

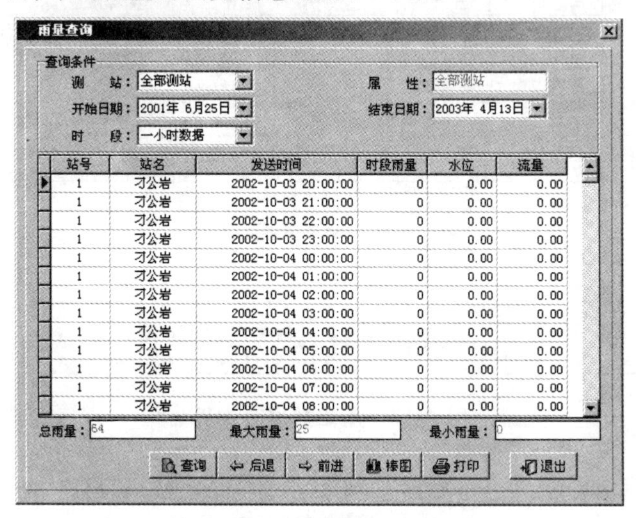

图 1-11　雨量查询界面

(2)水位查询。此功能可通过选择测站、开始日期和结束日期，查询出符合条件的数据，并计算出相应的最高水位、最低水位、平均水位、最大流量、最小流量、平均流量等相对应的信息，以表格及曲线形式表现出数据及趋势(见图 1-12)。

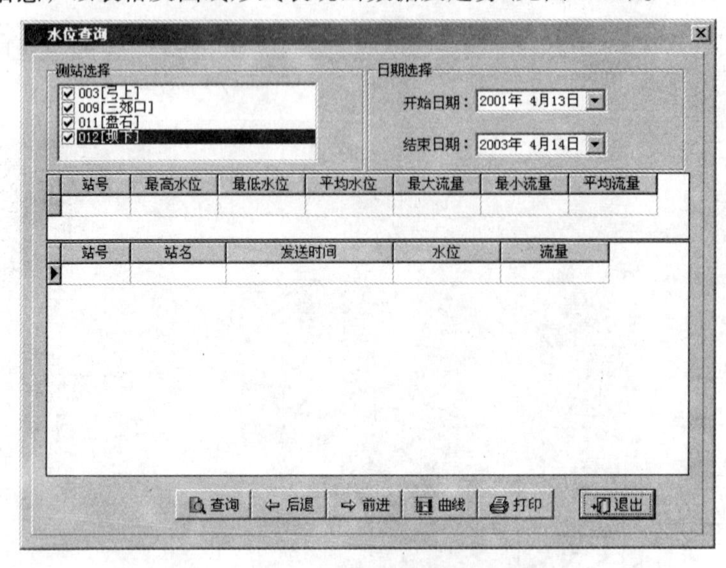

图 1-12　水位查询界面

(3)原始数据查询。此功能可通过选择测站、开始日期和结束日期后，查询出符合条件的原始数据及过滤数据，可以很清楚地查询原始数据及过滤数据的对照，并能打印出查询到的信息(见图 1-13)。

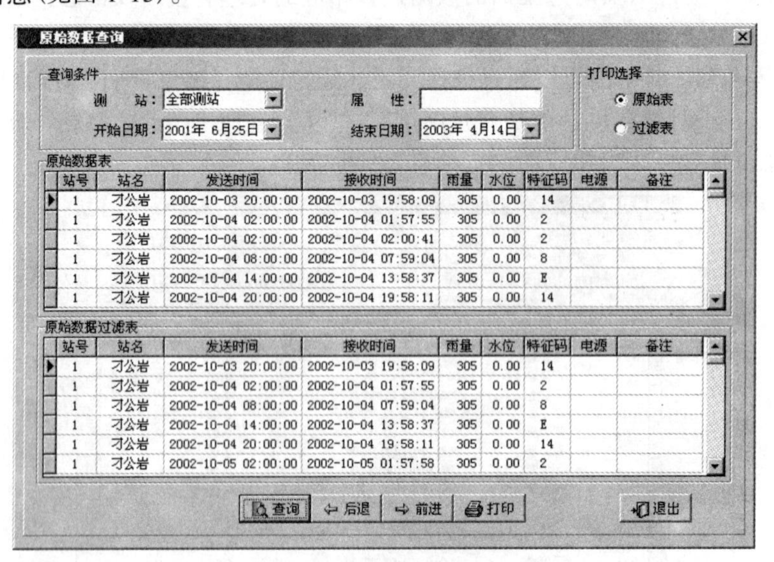

图 1-13　原始数据查询界面

(4)卫星系统畅通率。卫星系统畅通率是对系统稳定性进行评价的重要根据，可通过对畅通率的查询得出系统在一段时间内的运行状况(见图 1-14)。

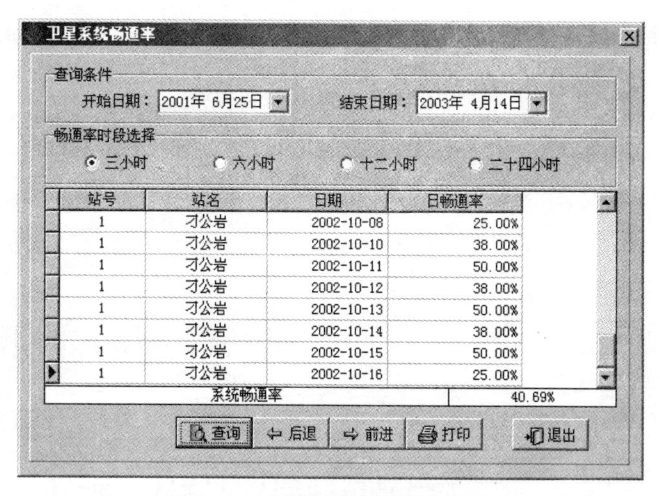

图 1-14　卫星系统畅通率界面

(5)通信次数。此功能可通过选择测站、开始日期和结束日期，查询出符合条件的日通信次数、月通信次数和年通信次数，并可通过打印命令打印出相应的报表(见图 1-15)。

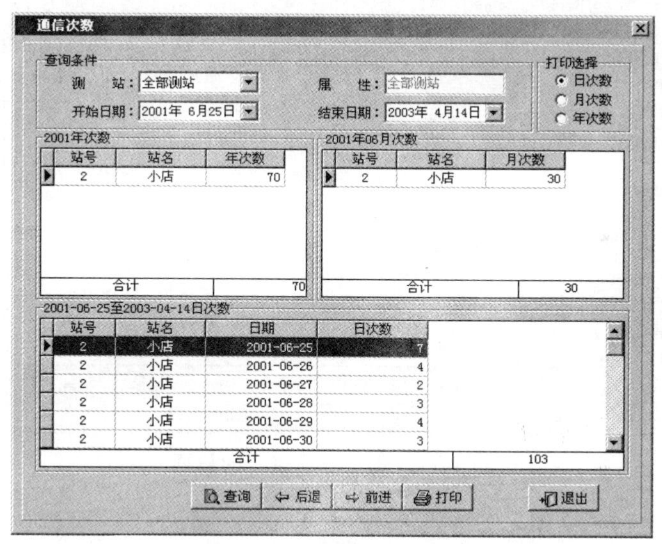

图 1-15　通信次数界面

(6)人工置数。此功能是系统在数据短缺或通信异常的情况下对数据的一种有效的补充，以保证数据的完整性。

1.5.2.5　打印

报表打印功能是通过对实时数据整理，日雨量、月雨量、日水位、月水位的统计打印(见图 1-16～图 1-18)。

(1)日雨量。可通过查询日期列出所有站点的日时段雨量，并统计出其平均值。

(2)月雨量。可通过查询月份列出所有站点的日雨量并统计出其平均值。

(3)日水位。通过查询日期列出各站点在整点时刻的水位值。

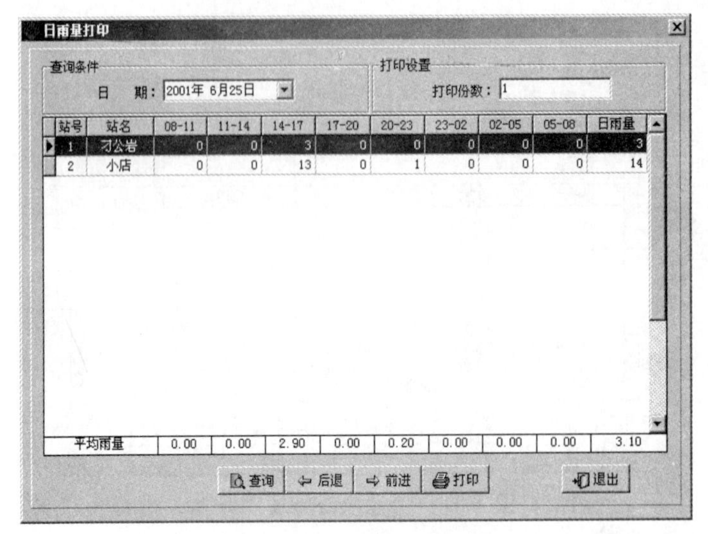

图 1-16　日雨量打印界面

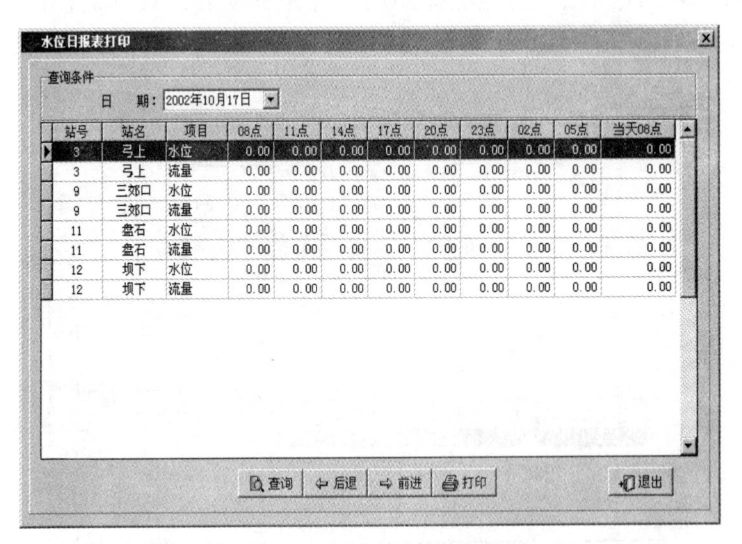

图 1-17　水位日报表打印界面

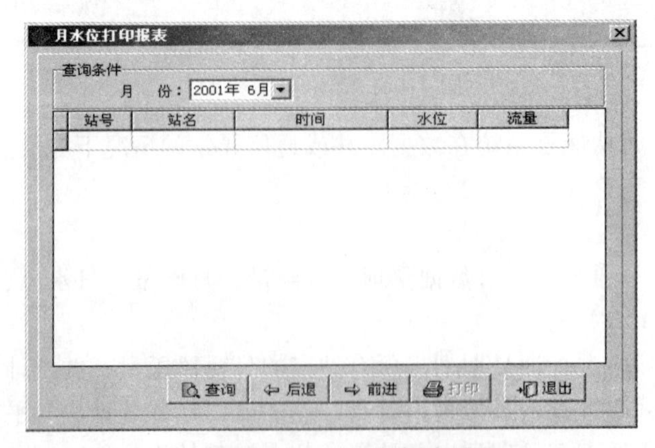

图 1-18　月水位打印报表界面

(4)月水位。通过查询月份列出各站点水位及流量值。

1.5.2.6 报警

(1)报警参数设置。是对水位雨量在超过某些限定条件时的一些报警设置及采取什么样的报警方式(见图 1-19)。

图 1-19 报警参数设置界面

(2)报警查询。可对已经报警的信息通过时间段进行查询。

1.5.2.7 系统管理

(1)用户管理。为保证系统的安全可靠使用，用户分为普通用户和系统管理员两种，其中系统管理员可以进行增加用户、删除用户以及给用户设置权限等操作，而普通用户则只能根据系统管理员设置的角色进行相应操作。用户管理界面见图 1-20。

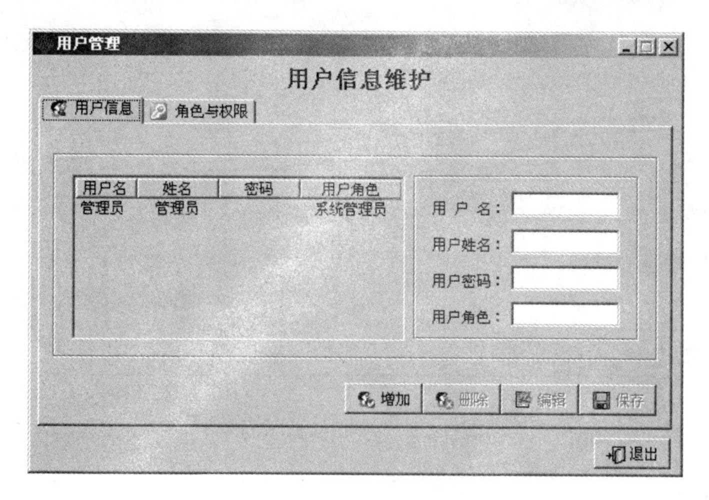

图 1-20 用户管理界面

(2)密码更改。修改用户密码，以保证本人的密码不被别人盗用(见图 1-21)。

1.5.3 洪水预报系统

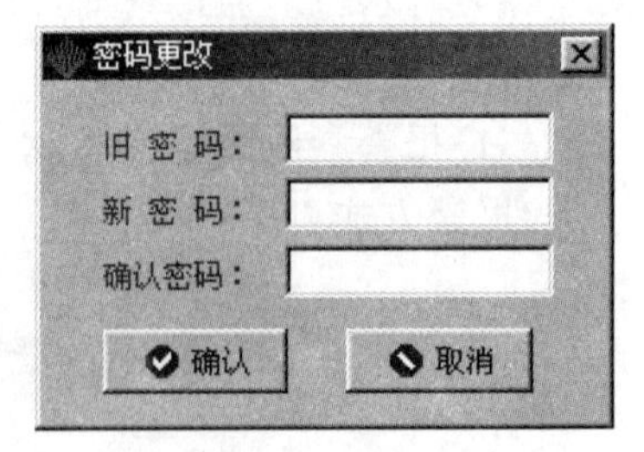

图 1-21 密码更改界面

根据盘石头水库的流域特点，洪水预报的模型选用新安江三水源模型。新安江模型是分散型结构，它把流域分成许多块单元流域，对每个单元流域作产汇流计算，得出单元流域的出口流量过程；再进行出口以下的河道洪水演算，求得流域出口的流量过程；把每个单元流域的出流过程相加，就求得了流域出口的总出流过程。考虑到盘石头水库上游有弓上、三郊口两个水库，故把整个流域划分为三个子流域，每个水库分别控制一个子流域，在每个子流域内按泰森多边形分块。为便于考虑降雨分布不均匀以及上下不同单元块洪水传播的影响，以一个雨量站为中心划一块。对于每一单元，应用三水源新安江模型做降雨、蒸发、土壤含水量、水源分配和消退、单元河网滞后演算以及河槽汇流等一系列分析计算。该系统主要由以下部分组成。

1.5.3.1 水库简介

水库简介采用滚动条的方式进行浏览，介绍水库的基本概况，也可点击下拉条对水库的基本情况进行浏览(见图 1-22)。

点击主菜单上【系统简介】下子菜单【水库简介】将进入界面。

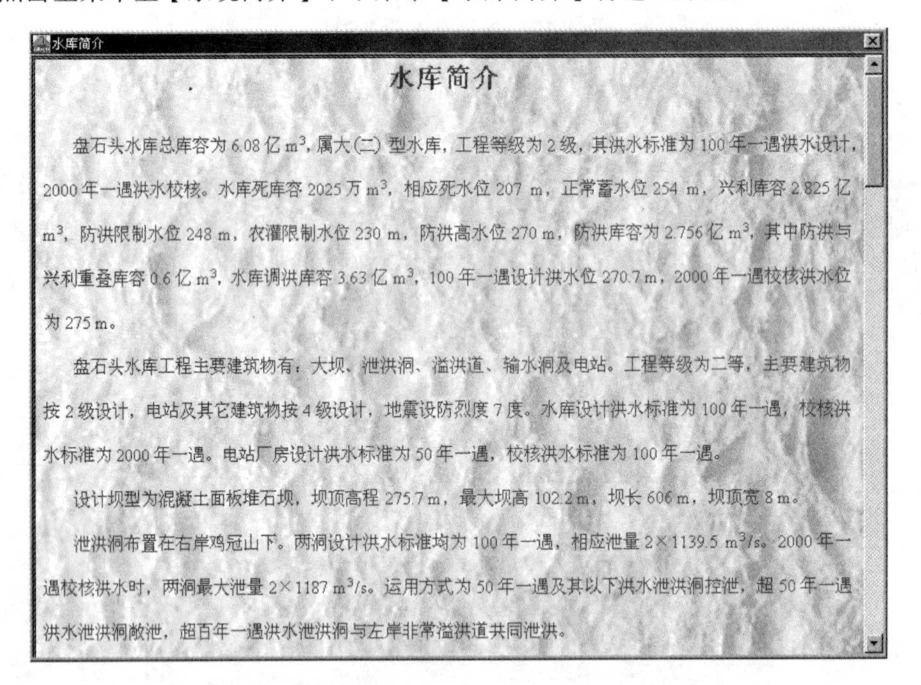

图 1-22 水库简介界面

1.5.3.2 流域概况

盘石头水库流域图反映了盘石头水库的整个流域内的一些主要水库及站点的分布情况(见图 1-1)。点击主菜单上【系统简介】下子菜单【流域概况】将进入界面。

1.5.3.3 计算机网络图示意

计算机网络图反映了盘石头水库内部计算机组网的一些基本情况(见图 1-23)。点击主菜单上【系统简介】下子菜单【计算机网络图】将进入界面。

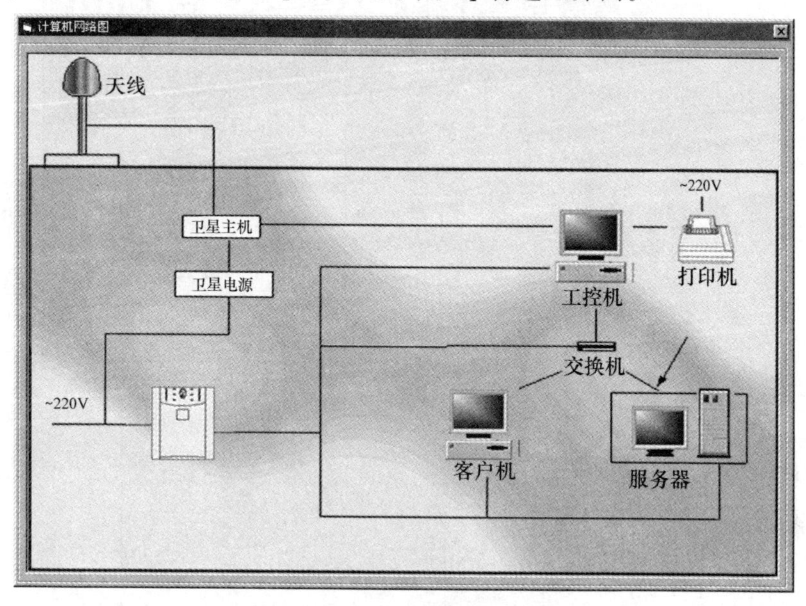

图 1-23 计算机网络图界面

1.5.3.4 通讯组网图

通讯组网图反映了北京地面站、中心站和各个雨量站与卫星系统布网情况(见图 1-2)。点击主菜单上【系统简介】下子菜单【通讯组网图】将进入界面。

1.5.3.5 模型参数

点击主菜单上【洪水预报】下子菜单【模型参数】,后将出现如图 1-24 的界面,输入正确的密码后可进入【模型参数】的界面,如图 1-25 所示(如果对密码进行修改,点击【更改密码】,进入如图 1-21 的界面。将正确的旧密码及新密码输入后点击【确认】按钮,可修改旧密码成新密码)。点击【读入参数】按钮,所有保留参数将自动添入相应的位置,如果对参数进行调整直接输入要调整后的数字,将所有参数调整完后,可点击【存盘退出】,如果不保留点击【取消】按钮。

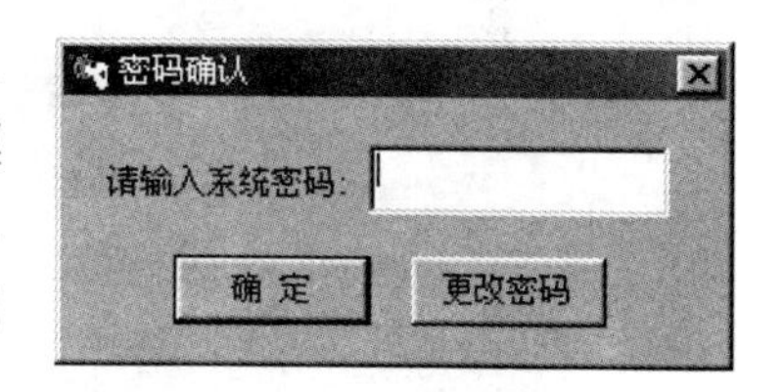

图 1-24 密码确认界面

1.5.3.6 洪水预报

点击主菜单上【洪水预报】下子菜单【模型计算】,将出现如图 1-26 的界面。

点击【日期】下拉按钮选择所要预报的【日期】及预报的【时间】,点击【确定】按钮,如果在所选时间内的数据完全,系统将自动绘制所预报的图形,如图 1-27 所示。在界面中可分别点击【三个单选框】观看其三个不同地点的【预报图形】;可通过点击【数据显示】按钮,实现数据与图形的切换显示;可点击【结果保存】按钮,所显示的数据将存储为历史数据;也可选择【打印】按钮将图形和数据一同打印出来。

模型参数

模型计算参数调整

开始调试参数

○ 弓上　○ 三郊口　◉ 盘石

参数	值	参数	值	参数	值
雨量站数N	6	流域面积AA	1095	自由水容量SM	80
最大河段数O	1	分布曲线指数B	.28	分布曲线指数EX	1.2
蒸发折减系数K	1.2	深层蒸发系数C	.12	马法参数KV	1
不透水面积IM	.01	地下消退系数CG	.25	马法参数XE	.45
张力水容量WM	160	壤中消退系数CI	.9	每日分段数DI	24
上层张力水UM	20	地下出流系数KG	.05	滞　时L	0
下层张力水LM	80	壤中出流系数KI	.9	河网消退系数CS	.7

读入参数　存盘退出　取 消

图 1-25　模型参数界面

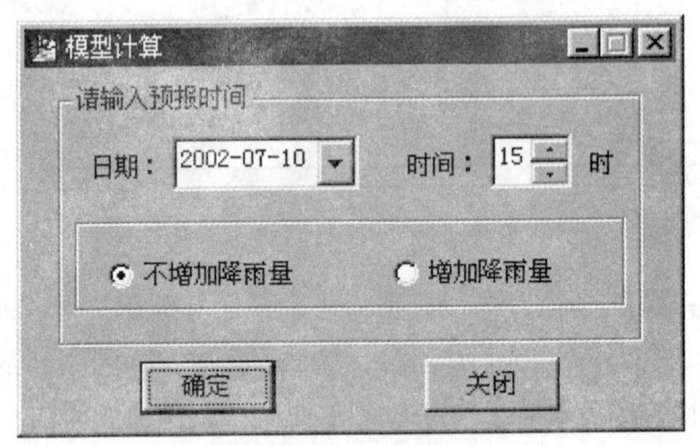

图 1-26　模型计算界面

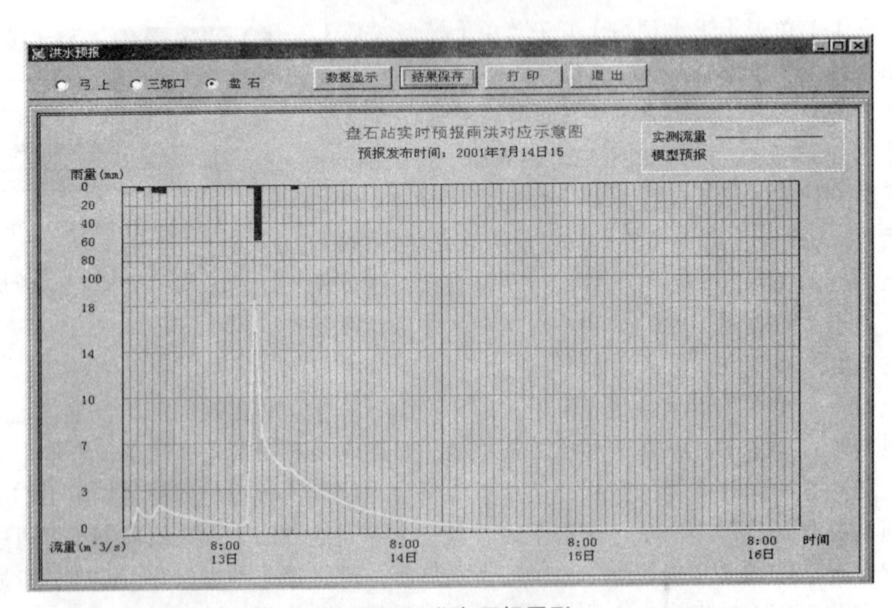

图 1-27　洪水预报图形

1.5.3.7 预报结果查询

点击主菜单上【洪水预报】下子菜单【预报结果查询】，将出现如图 1-28 的界面。

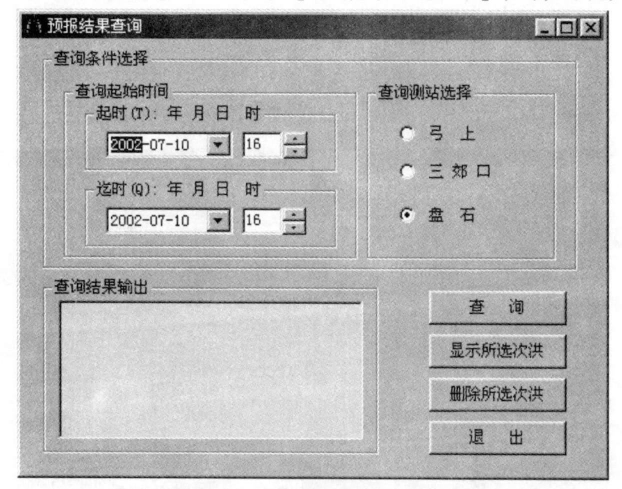

图 1-28 预报结果查询界面

在【查询条件选择】中选择要查询的【起止时间】及要查询的【测站】，选好后，点击【查询】按钮，则在【查询结果输出】中将显示在查询条件下的所有记录，可通过点击查询的结果，可对结果进行【显示】或【删除】操作。

1.5.3.8 水位实况显示

点击主菜单上【实况显示】下子菜单【水位实况显示】，将进入如图 1-29 的界面，进入界面后选择要显示的水位的【时间】，然后点击【显示】按钮，则在图面上将显示各点所对应的水位值。如果想查看图形将鼠标指向所要显示的名称上，便可看到几日内的水位变化情况图。

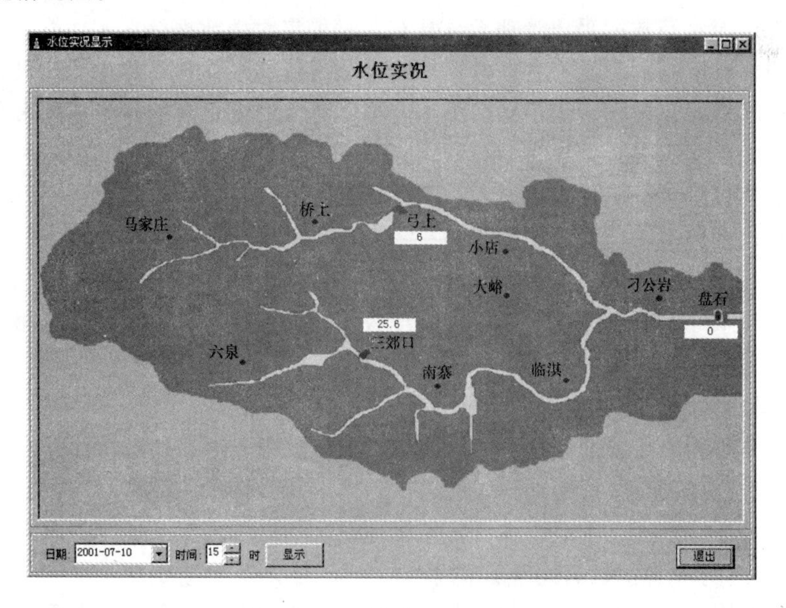

图 1-29 水位实况显示界面

1.5.3.9　雨量过程显示

点击主菜单上【实况显示】下子菜单【雨量显示】，将进入如图 1-30 的界面，进入界面后选择所要显示雨量的【时间段】，然后点击【显示】按钮，即可在界面上显示在此时间段内的【雨量值】，将鼠标移动到所要查看的站点处，将显示此站点所对应的雨量过程。单击【雨量柱状】按钮，则可显示全部站点在此时间段内雨量柱状图。

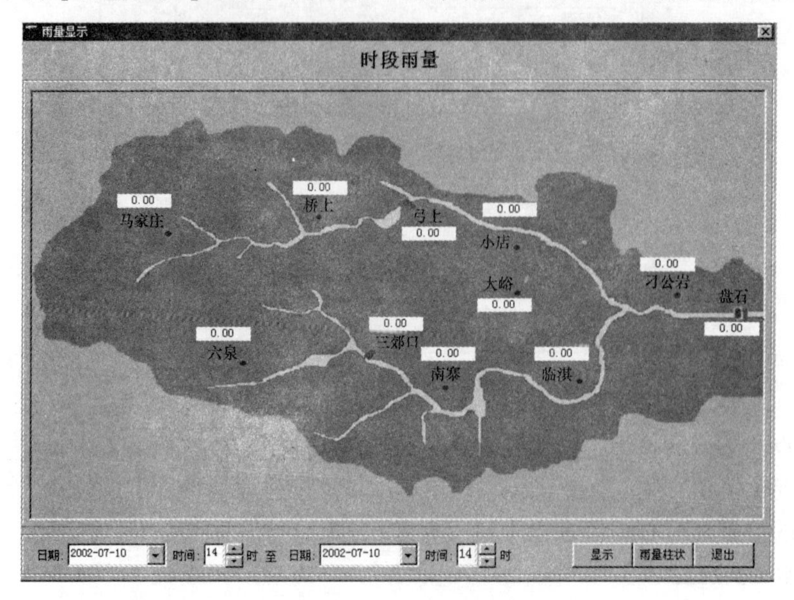

图 1-30　雨量显示界面

1.5.4　短期、中长期水情监测数据处理及预报

盘石头水库水情数据采集管理系统具有实时采集水情数据信息的功能。

水文预报有不同的分类方法，按预见期可分为短期水文预报和中长期水文预报。一般以汇流时间为界，凡预报的预见期小于或等于流域汇流时间的称为短期水文预报，否则称为中长期水文预报。

按预报的目的可分为：洪水预报——为防汛抗洪服务；枯水预报——为农业灌溉、水利发电和水环境保护服务；墒情预报——为农业抗旱服务；冰情预报——为防治和抗御冰凌洪水服务；水质预报——为防治水源污染、改善水环境服务；水库预报——为确保大坝安全和水库的兴利、防洪的合理调度或优化调度服务；施工洪水预报——为水利工程安全施工服务。

1.5.4.1　短期水情监测数据处理及预报

短期水情监测的数据处理主要为水库的防汛抗洪服务。通过水情数据采集系统和洪水预报系统对数据进行分析处理，做出汛情预警。同时将水情数据写入数据库，作为永久资料保存。详细内容见本节雨水情信息管理系统和洪水预报系统有关内容。

1.5.4.2　中长期水情监测数据处理及预报

中长期水情监测数据处理主要为水库的运行调度、水资源配置、水质监测、水环境监测等工作服务，其预见期可长达 1 年或更长。主要通过统计学的方法，对大量的历史水文资料、气象资料进行分析对比，建立预报对象与预报因子之间的统计关系来进行预报。

盘石头水库的水文预报，主要是通过水情自动测报系统将采集的雨水情数据按日期进行整理，描绘日、旬、月降雨、流量曲线；结合气象部门的气象信息观测数据，按照多元线性回归分析的方法进行计算，确定多年平均入库流量的预报。

1.6 水情自动测报系统数据发布与运行管理

1.6.1 向水库管理机构的数据发布

(1)施工期数据发布。通过水库建管局办公局域网向建管局各有关单位发布。发布形式以《水情简报》为主，主要对汛期的上游降雨情况、洪水预报分析结果进行通报。该简报也同时向施工监理部、各参建单位印发。

(2)正常运行期数据发布。对采集的周、旬、月、年度降雨、流量、气象资料及上游各水库的水位数据进行分析，预测来水情况，为水库的调度运行提供可靠的依据。

1.6.2 向水库上级及流域管理机构的数据发布

向上级主管部门的水情数据信息发布主要通过以下两种途径：

(1)通过电话、传真发布数据。

(2)通过互联网发布数据。

1.6.3 系统运行管理

(1)建立专人负责的系统管理组织。盘石头水库水情自动测报系统于 2001 年汛前建设完毕后，通过一年的试运行，基本符合设计和规范要求。2002 年，水库建管局邀请了河南省水利厅及河南省水文水资源局的有关专家对该系统进行了初步验收。通过验收后，为保证该系统的正常运行，水库建管局成立了水情组，由专人负责该系统的运行管理工作。

(2)建立管理制度。盘石头水库水情组成立后，首先制定了《运行管理规章制度和操作规程》、《值班巡视制度》、《汛期水情职守制度》、《岗位责任》等系统运行的各项管理工作制度，把管理工作做到制度化、规范化、科学化。

(3)加强技术培训。由于水情自动测报系统的管理涉及通信、计算机、水文、电子等专业，因此管理人员的业务技术素质需要全面。为此，水库建管局邀请了系统的设计、安装人员对管理人员进行了培训，使管理人员全面掌握系统的工作原理、硬件设备结构及工作原理、通信方式等技术。

1.6.4 系统维护

系统的维护工作主要包括以下几方面：

(1)日常维护。主要保持机房和环境的整洁，清理承雨器内的杂物，定期校核水位、雨量等数据的准确性。

(2)计算机系统维护。在各计算机安装病毒防火墙，并定期升级，确保系统的正常运行。及时备份相关数据，确保资料的完整。

(3)定期检查。在汛前和汛后对系统进行全面的检查、维护、测试，保证水库安全度汛。

(4)维修。与系统施工承包商、设备供货商保持密切联系，对系统出现的设备故障情况能够做到及时修理和更换，并对故障的部位、原因做出分析，记录存档，对下部系统的管理提供借鉴。

第2章 水库调度

水库调度是水库管理工作的重要组成部分，而北方水库的调度又是水库自身效益的重要来源和保证。本章首先介绍了目前我国北方水库在调度管理过程的现状和存在的问题，然后对水库调度理论进行了详尽分析，结合盘石头水库的具体实际，科学化、系统化地对盘石头水库的初期蓄水调度及正常蓄水调度的管理工作进行了阐述。

2.1 我国水库调度现状特点概述

2.1.1 我国水库水资源现状

根据2002年中国水资源公报资料，我国450座大型水库和2 640座中型水库年末蓄水总量为1 970亿 m^3，比年初蓄水量增加41亿 m^3，但黄河、海河、松辽河有较大幅度减少，北方平原地下水开采区年末浅层地下水储量比年初减少113亿 m^3。

2.1.2 目前北方水库调度管理的主要特点及存在问题

2.1.2.1 汛期的“蓄”、“放”之争

就水库的功能而言，绝大多数水库都兼有防洪和兴利的双重任务，对于大型水库来说，这两方面的任务都很重。从理论上讲，为了防洪，汛期水库最好是放空迎汛；而为了兴利，水库应该尽量多蓄水，才能多供水、多发电。根据我国北方地区年降水大部分集中于汛期，而汛期内降水又集中于几场暴雨的实际情况，水库如果不在汛期内抓住蓄水时机，增加蓄水量，到了汛后往往蓄不上水，达不到兴利要求。因此，长期以来，汛期内水库的水是放还是蓄，一直是水库调度中难以解决的矛盾。

现在的水库控制运用一直是根据汛期划分来进行的，从分析本地区雨洪的季节性变化规律入手，按照一定的防洪标准的要求，确定防洪限制水位。在汛期都把水库蓄水位控制在限制水位以下，汛末再逐步抬高水位，使得汛后达到正常高水位，蓄满兴利库容。

实际上，洪水有时来的早，有时来的晚，有时甚至是空汛，整个汛期根本没有洪水发生。但是，水库调度却是每年一个样，在固定的月日之前就把高于汛限水位的水放掉，在固定的汛末日期再开始蓄水。这样往往造成汛前无计划的大量用水，甚至弃水；而汛后又无水可蓄，引起下一年用水紧张。对于北方地区来说，大多数时候，水库在汛后都无法蓄到兴利水位。

以黑龙江省的统计为例，全省44座以灌溉为主的大中型水库，有66%从未蓄到兴利水位。吉林省的碱水水库（中型）在1966年到1979年的13年中，有6年汛期弃水3 024万 m^3，这6年的汛末（9月1日），水位均低于设计防洪限制水位；只有1972年到次年5月1日达到了正常高水位，其余年度均低于正常高水位。

京津地区 1980、1981 年连续两年干旱，使得京津地区水资源十分紧张，工农业生产和人民生活受到很大影响。为此，1981 年 8 月 11 日国务院特别召开了“京津用水紧急会议”决定引黄入津。之前，1978 年是一个丰水年，1980 年汛前的 4、5 月份，密云水库和官厅水库差不多存有 30 亿 m^3 的水，可是汛前短短的二三个月里就放掉了 10 亿 m^3 的水。由于汛期无汛，降水不多，两库来水很少，到 1981 年汛末，扣除死库容，两个水库可用水量仅有 1.4 亿 m^3。耗资巨大的引黄入津工程，从 1981 年 10 月到 1982 年 1 月，天津总共蓄到的水只有 5 亿 m^3，它还没有密云水库 1980 年汛前一个月放掉的水多。人们必然会说，如果 1980 年汛前不大量放水就好了。

1982 年 8 月上旬，漳、卫河出现特大暴雨，其暴雨强度在这一地区与“63・8”暴雨时相似，岳城水库一天内涨水 8 m 多高，8 日 3 日库内蓄水已达 4 亿 m^3，而岳城水库汛限水位以下库容只有 1.6 亿 m^3。由于华北地区连续几年缺雨少水，当时岳城水库的水一直舍不得放，而雨又一直在下，后来不得不放一些，但泄流的量也不大。到 8 月中旬，水库已经蓄水 6 亿多 m^3，这种超蓄运用是冒险，没有出事是侥幸，但 2 亿多 m^3 的水废弃入海实在可惜。

再例如，某个多年调节大型水库，原设计整个汛期 6～9 月汛期限制水位定为 76.40 m，兴利蓄水位是 78.60 m。1960 年 8 月初战胜了近百年一遇的大洪水，按原设计要求，在这次洪水后尽快将库水位控制在限制水位，但从 8 月中旬末到第二年供水前，入库径流很小，结果使得一个丰水年汛后的蓄水仍比设计兴利水位低 2 m。随后又连续三年枯水，兴利用水十分紧张。1964 年又为丰水年，由于前三年缺水严重，此时蓄水心切，过早地把库水位在 8 月中旬就抬高到 78.0 m，结果 8 月中旬发生一次洪水，虽然还不足五年一遇标准，但由于水位抬得过高，无错峰能力，使下游组合流量超过原设计十年一遇标准，造成了不应有的损失。

2.1.2.2 汛期弃水发电与防汛的矛盾

水电站要增加发电量，必须充分利用水库的水量。当暴雨洪水来临，水库泄水量超过了电站装机发电所需要的水量时，就要从水库的泄洪设施中排出，而不能为发电所利用，造成弃水。如果汛后水库蓄水太少，就无法充分利用水电站的发电设备来完成发电任务。因此，水库调度运用中如何在汛期充分利用水量减少弃水，适时提高蓄水位，增加发电效益，在枯水期充分利用水头增加电量，一直是水库控制运用中的一个重大问题。

2.1.2.3 工业、农业、生活用水的分配矛盾

随着工农业生产的迅速发展、人民生活水平的进一步提高，以及可持续发展观念的深入人心，在我国北方地区，未来的一段时间内对于水资源的需求必将日益增长。而现在北方水资源开发程度已很高，进一步开发的潜力已经不大。因此，这种需求的巨大压力必将转向水利工程管理方面来，要求提高水库调度水平，使现有有限的水资源得到最大可能的利用。否则，水库调度就无法适应国民经济新形势的发展。而北方现有的水库在水资源调度和管理中，存在着不按工农业、城市生活不同要求供水的问题，基本上是多水多用，少水少用，一年用完，不留或少留后备，使水库仅仅起到年调节和不完全年调节的作用，未能发挥北方水库应有的多年调节性能。

2.1.2.4 水事纠纷

水事纠纷是指因水资源配置、使用过程中发生的纠纷。

由于现在河流水库的建设多为多级开发，在管理上多为按区域管理，同一条河流上的水库分库划归不同地区管理调度。随着生产、生活水平的不断提高，水的需求量也日益增大，河道内、上游水库与下游水库之间的水量分配与调度也就成为不同地区生存、发展以及生态环境的焦点问题。

自20世纪90年代中后期开始，在争“水量”的同时，区域间水污染纠纷也逐渐显现，水质纠纷也成为新的趋势。应对这种变化，就应在资源水利思想指导下，从水资源配置角度来破解纠纷难题，提前做好规划并加强监管才能有效地规避纠纷。同时，鉴于“争水”业已成为区域水事纠纷的焦点，因此在调解处理纠纷中，既要依靠法律手段和行政手段，更要尊重事物的客观规律，从科学、合理地解决水资源分配问题入手，编制省际河流水量分配方案，为调处纠纷提供科学依据和技术支撑。

水库调度工作，就是要通过合理的蓄放水量控制水库水位，在确保防洪安全的情况下，充分发挥水库的兴利效益。水库里的水，什么时候蓄，什么时候放；库内水位什么时候高，什么时候低，都应该根据水库控制流域的暴雨洪水规律来进行决策。暴雨洪水规律了解得越透彻，掌握得越好，水库的防洪调度就越主动。同时，如何结合当地水库现状，做好工业、农业、生活、环境用水等水资源分配，是做好当地水库兴利调度的重要依据，也将成为当地区域经济发展的一个重要环节。

2.2 水库水资源的兴利配置与防洪调度运用

2.2.1 基本概念

水库水资源的概念可归纳为：水库中蓄存的，可满足水库兴利目标即满足设计用途所需要的所有水资源。水库水资源的兴利能力不仅取决于水库的建设任务和规模，还取决于水库所处河川径流在时间、空间上分布水量的变化。其兴利能力表现为水库内水资源的配置与调度。

2.2.1.1 特征水位与特征库容

(1) 死水位和死库容。死水位指水库正常应用情况下允许水库消落到最低的水位，死库容指死水位以下的库容。

(2) 正常蓄水位($Z_{蓄}$)和兴利库容($V_{兴}$)。正常蓄水位指水库正常运用情况下，为满足设计的兴利要求，在设计枯水年(或枯水段)开始供水时应蓄到的水位，又称设计兴利水位($Z_{兴}$)。

正常蓄水位与死水位间的库容即兴利库容。正常蓄水位到死水位间的水库深度称消落深度或工作深度。

(3) 防洪限制水位($Z_{限}$)。水库在汛期允许兴利蓄水的上限水位称防洪限制水位，可根据洪水特性和防洪要求确定。

(4) 防洪高水位($Z_{防}$)和防洪库容($V_{防}$)。当遇下游防护对象的设计洪水时，水库为控制下泄流量而拦蓄洪水，这时在坝前达到最高水位称为防洪高水位。该水位与防洪限制水位间的库容称为防洪库容。

当防洪限制水位低于正常蓄水位时，防洪库容与兴利库容的部分库容是重叠的，可兼做防洪与兴利之用，以减小专用防洪库容。重叠部分称共用库容或重叠库容($V_{共}$)，在汛期是防洪库容的一部分，在汛后则为兴利库容的一部分。

(5)设计洪水位($Z_{设洪}$)和拦洪库容($V_{拦}$)。水库遇设计洪水，在坝前达到的最高水位称设计洪水位。该水位与防洪限制水位间的库容称为拦洪库容。

(6)校核洪水位($Z_{校洪}$)和调洪库容($V_{调洪}$)。水库遇校核洪水，在坝前达到的最高水位称校核洪水位。该水位与防洪限制水位间的库容称为调洪库容。

(7)总库容($V_{总}$)和有效库容($V_{效}$)。

校核洪水位以下的全部库容称总库容，即

$$V_{总}=V_{死}+V_{兴}+V_{调洪}-V_{共} \tag{2-1}$$

校核洪水位与死水位之间的库容称有效库容，即

$$V_{效}=V_{总}-V_{死}=V_{兴}+V_{调洪}-V_{共} \tag{2-2}$$

显然，坝顶高程的确定，可在设计洪水位或校核洪水位以上，考虑风浪影响，并按设计规程另加相应的安全超高定出。

图 2-1 为水库特征水位和特征库容示意。

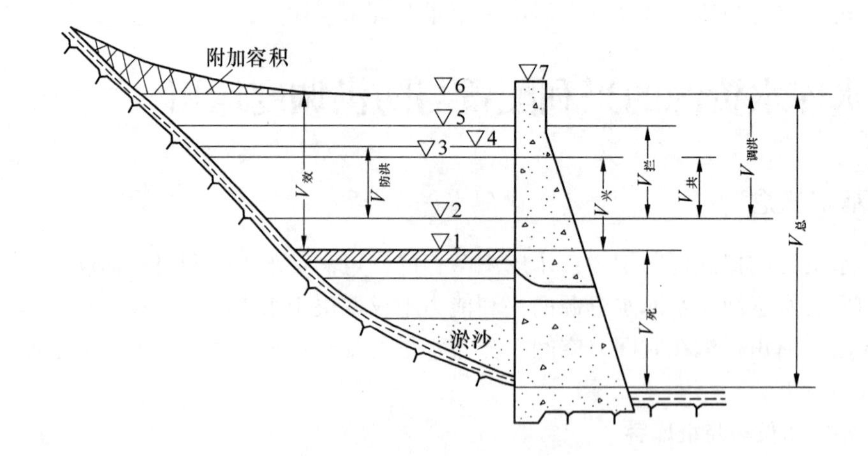

图 2-1　特征水库、特征库容示意

1—死水位；2—防洪限制水位；3—正常蓄水位；4—防洪高水位；
5—设计洪水位；6—校核洪水位；7—坝顶高程

2.2.1.2　水库兴利调节计算原理

水库兴利调节计算是指利用水库的调蓄作用，将河川径流洪水期(或丰水期)的多余水量蓄存起来，以提高枯水期(或枯水年)的供水量，或用于调峰发电，满足各兴利部门的用水要求所进行的计算，也就是水库蓄水量变化过程的计算。

水库从空库开始，当来水大于用水时水库蓄水，经过一段时间后蓄满，以后当来水小于用水时，水库开始放水，经过一段时间后放空。水库从放空—蓄满—放空的循环时

间称为调节周期。调节计算时，将整个调节周期划分为若干个计算时段，按时段进行水量平衡计算。水库的时段水量平衡方程是：在任何一时段内，进入水库的水量和流出水库的水量之差，等于水库在这一段内蓄水量的变化。对于某一时段Δt的水库水量平衡方程可用下式表示：

$$\Delta V=(Q_{入}-q_{出})\Delta t \tag{2-3}$$

式中 $Q_{入}$——计算时段Δt内的入库平均流量；

$q_{出}$——计算时段Δt内自水库取用或消耗的平均流量(包括各兴利部门的用水量、蒸发损失流量、渗漏损失流量及水库蓄满后产生的无益弃水流量等)；

ΔV——计算时段Δt内蓄水量的变化值，蓄水量增加为正，蓄水量减少为负。

2.2.1.3 兴利调节分类

1)按调节周期长短分

按调节周期长短可分为日调节、年调节和多年调节。

(1)日调节：河川径流在一昼夜间的变化基本上是均匀的，而某些部门的用水(如发电、灌溉)白天和夜晚差异甚大。有了水库就可以把当天负荷少时的多余水量蓄存起来，增加当天负荷增长时的发电水量，这种调节称为日调节。其调节周期为一天。

(2)年调节：河川径流在丰水期和枯水期的水量相差悬殊，而用水部门如发电、灌溉等在枯水期水量不足，丰水期水量过剩。这就要求在一年内进行天然径流的重新分配，这种分配称为年调节或季调节。其调节周期为一年。

(3)多年调节：河川径流的年际变化剧烈，枯水年份缺水，丰水年份余水。如将丰水年多余的水量蓄入库内，以补足枯水年水量的不足，这种调节称为多年调节。其调节长达几年。

相对于一定的河流来水而言，如果蓄水容积越大，其调节周期越长，调节径流的程度越完善。

2)按径流利用程度分

按径流利用程度分为完全年调节和不完全年调节。

(1)完全年调节：将设计年内全部来水量完全按用水要求重新分配而不发生弃水的径流调节。

(2)不完全年调节：仅能存蓄丰水期部分多余水量的径流调节。

完全年调节和不完全年调节的概念是相对的，对于同一水库而言，可能在一般年份能进行完全年调节；但遇丰水年就可能发生弃水，只能进行不完全调节。

对于北方水库而言，其兴利调节大多数为年调节和多年调节。

2.2.1.4 年调节水库兴利调节计算方法

年调节水库的兴利调节计算常用长系列法，即将水库坝址断面河流多年来水过程系列和灌溉设计保证率下的灌区用水过程系列，逐年按时历列表法进行逐时段(月或旬)的水量平衡计算，其具体方法有不计水量损失及计入水量损失两种。

通过长系列法求得的年调节水库兴利库容(即设计库容)，其设计保证率概念比较明确，成果比较可靠，如条件许可，应尽量采用长系列法进行计算。

2.2.2 水库防洪控制运用

在水库规划设计阶段确定的主要参数如正常蓄水位、设计洪水位、有效库容以及水库的调度方式和调度原则等是水库管理运用的主要依据。但是，在水库实际运用时，由于当年的具体情况和条件不同，例如各年的来水量、用水、蓄水以及自然条件(库区植被的变化等)的变化等，还必须在设计时所拟定调度图的基础上，编制汛期控制运用计划，同时还要编制好抗洪能力图表，以便水库管理部门根据实际情况进行有效的调度管理。

为了使已建水库在汛期能按照规定的各时期水位及防洪调度方式进行调度，确保水库安全，充分发挥水库对下游的防洪效益，每年汛前必须编制好水库汛期控制运用计划。

2.2.2.1 拟定防洪标准

防洪标准包括水工建筑物本身安全的防洪设计标准和下游防护对象的防洪标准，国家颁布的设计洪水规范中对各种水库的正常运用和非常运用洪水标准都规定了具体的量级，在编制水库汛期控制运用计划时亦应以此为依据。但是，每年在编制具体计划时，由于工程质量、泄洪能力和其他条件的限制，有时不能够按原规划设计时的标准运行，而需要根据当年的具体情况拟定本年度的防洪标准和相应的允许最高洪水位。防洪标准和相应的允许最高洪水位的拟定主要考虑以下因素：

(1)当年工程的具体情况和鉴定意见，如大坝发生异常现象，出现裂缝、渗漏、管涌或白蚁危害等，则应对原设计进行复核，对规定的最高洪水位予以降低。

(2)当年上、下游地区与河道堤防的防洪能力及防汛要求，如水库边缘的重要交通线路及工矿企业保证不淹的要求等。

(3)新建水库未经高水位考验时，汛期最高洪水位需加以限制。

2.2.2.2 拟定防洪调度方式

水库汛期防洪调度直接关系到水库安全及对下游防洪效益的发挥，并影响汛末蓄水，是水库管理中一项十分重要的工作。要搞好防洪调度，必须先拟定合理而又实际可行的防洪调度方式，包括泄流方式、泄流量及相应的泄洪闸门启闭规则等。

2.2.2.3 推求防洪限制水位

防洪限制水位又称为汛前水位，是汛期洪水到来之前，水库允许蓄水的最高水位。在调洪计算时，它是调洪的起始水位。但水库在汛期控制运用阶段，还必须根据当年的情况拟定防洪限制水位，主要从以下三个方面考虑。

(1)工程质量：如发现工程质量差的水库，应降低防洪限制水位运行，问题严重的水库要空库运行，这样可以保证防洪安全，尤其对有病险的新水库是十分必要的。通过降低水位运行和安全监测资料分析，无异常现象的逐步提高运用水位。

(2)水库防洪标准：对原设计防洪标准较低的水库，在汛期为了保证水库安全，应降低防洪限制水位，以便提高防洪标准。

(3)水文情况：如水库的库容较小，而上游河道枯季径流相对较大，在汛后短期内可以充满，则防洪限制水位可以定得低一些，既可使工程安全，又不致影响汛后用水。如汛期内供水有着明显的分期界限，则可以将汛期分为不同的阶段，分别计算各阶段洪量和留出不同的防洪库容，进而确定各阶段的防洪限制水位。这样分时控制，有利于逐步蓄水。

2.2.2.4 防洪与兴利结合的分析和处理方法

以上几个问题都是针对防洪的要求来讨论的，没有考虑与兴利的结合，由于每年河流洪水出现的规律不同，并对水库的防洪与兴利能否结合有一定的影响，故在编制水库汛期控制运用计划时，必须分析该河流洪水发生的规律，制定防洪与兴利结合的处理方案。

对于流域面积较小的山区河流，每年洪水出现不定期，汛期变动范围较大，而且历时短，陡涨陡落。在这种情况下，很难做到防洪与兴利结合使用，故防洪库容全部位于兴利库容之上。

对于流域面积较大的雨洪河流，洪水涨落比较平稳，每年洪水出现的日期比较稳定，汛前变动范围不大。在这种情况下，防洪库容与兴利库容有可能完全结合。对于一般中小河流或较大的多峰型雨洪河流，洪水涨落较快，但汛期变动范围不大，或者汛期变动范围虽较大但汛期洪水的出现具有较明显的前大后小的规律性，或者可以做出洪水短期预报。

2.2.2.5 汛期防洪调度图的编制和应用

水库汛期防洪调度的目的是根据当年的具体防洪要求和条件，制定和落实防洪调度方案和措施，保证防洪安全及较好地发挥水库的兴利效益。为此，每年要编制汛期的防洪调度图。防洪调度图反映了水库汛期各时刻蓄水位的高低和变化过程，以及各时刻为防洪安全而必须留出的防洪库容，是指导防洪调度工作的工具。

2.2.2.6 做好水文气象预报工作

做好水文气象预报工作，对于汛期的防洪调度十分重要，比如采用预泄或延泄措施，则要依据预报有无大洪水发生来确定；提前预泄或蓄水，也应根据预报的预见期，结合当时库水位及下游允许泄量来确定。在应用水文预报时，要估计到可能的误差，留有余地。洪水预报的精度，应规定其应用的范围，还应制定无预报方式及泄洪图表等。

汛期水库水位应按规定的防洪限制水位进行控制。为了减少弃水，可根据水情预报条件、洪水传播时间和泄洪能力大小，使库水位稍高于当时防洪限制水位，通过兴利用水逐渐消落，但要确有把握在下次洪水到来前将库水位消落到防洪限制水位，对于没有预报条件、洪水传播时间短和泄洪能力小的水库，不宜这样运行。

2.2.3 水库兴利控制运用

水库兴利控制运用的目的在于使水库库容与河川径流资源得到充分运用，在保证水库及上下游城市和乡村安全、保证河道的健康生态条件的前提下，充分发挥兴利效益。水库管理部门在每年年初或每年用水季节以前，必须结合当年工程状况和水库蓄水量，灌区内种植计划和水库、塘堰的蓄水情况，进行来水、用水量平衡计算，拟定出水库兴利控制运用计划，经上级主管部门审核批准后作为当年水库用水管理的依据。

为做好水库兴利控制运用计划，须事先做好基本资料的收集工作，主要包括：水库历年逐月来水量资料，灌区历年用水资料，灌溉面积增减，作物组成变更，以及本年度计划灌溉面积和作物组成，并按计划面积将历年用水量进行换算，求得一个统一的灌溉供水量系列；水库集水面积内和灌区内各站历年降水量，蒸发量资料及当年长期气象、水文预报资料；水库的水位与面积、水位与库容关系曲线；各种特征库容及相应水位；水库蒸发、渗漏损失资料。

2.2.3.1 水库年度供水计划的编制

编制年度供水计划主要是算好来水、蓄水、用水 3 笔账，通过水量平衡计算，拟订水库供水方案。由于河川径流量变化多端，灌溉用水量也历年不同，在编制年度供水计划时，对当年水库可能的来水量、灌区降水量、用水量及其分配情况尚未确切掌握，只能根据长期预报进行估算。由于各水库预报条件不同，故编制方法也有所区别。目前常用的方法有两种：根据定量的长期气象及水文预报资料估算来、用水过程，编制年度供水计划和利用代表年与长期定性预报相结合的方法。其中前一种方法较为常用，该办法主要从以下 4 个方面进行估算编制：

(1)水库来水量的估算。

(2)水库供水量的估算。

(3)水库兴利水位过程线的计算和绘制。

(4)水库兴利水位过程线的应用。

2.2.3.2 水库兴利调度图的绘制和应用

水库工作情况与来水密切相关，而天然河川径流量变化每年不一，用水部门的用水量也每年不一，只根据过去有限的水文资料不可能完全掌握未来的水文变化。而由于目前科学技术水平所限 ，还不能准确地预报未来的中长期入流过程，这就给水库的经济运行带来了不利的影响。要达到合理解决天然来水与用水部门需水之间的矛盾，发挥水库兴利效益的目的，应采取有效方法来合理管理和指导水库工作，即做好水库的调度工作。

为了进行水库调度，必须利用径流的历时特性资料和统计特性资料，按水库运行调度的一定准则，预先编制出由一组控制水库工作的蓄水指示线(调度线)组成的水库调度图。如当年有长期气象预报资料，估算出当年的来水、用水量，在水库已有蓄水量的情况下，通过调节计算绘制的水库兴利水位过程线，就是当年的兴利调度线。在缺乏长期水文、气象预报资料或水文、气象预报精度尚不能满足要求的条件下，最常用的方法是绘制统计调度图来进行水库的兴利调度。

水库兴利统计调度图，简称调度图，是指导年或多年调节水库运用的工具。是根据过去的径流系列能反映未来水文情势的假定，利用历史径流资料或统计特性资料绘制成的。它包含有防破坏线、限制供水线、防洪调度线等 3 条指示线和正常供水区、减小供水区、加大供水区、调洪区等 4 个指示区的曲线图。根据图上各个时期的蓄水量或库水位决定水库的供、蓄水量，使各种年份供水都能得到保证。

2.2.3.3 简易供水计划的编制

编制水库年度供水计划和水库兴利调度图都必须绘制水库兴利水位过程线，但目前许多中小水库由于资料不全、人力不足等原因，按前面所讲的方法进行兴利调节计算会有一定的困难。在实际生产过程中，可采用分次编制供水计划、水库水量预分和编制水库抗旱能力图表等方法来解决兴利控制的问题。

1) 分次编制水库供水计划

具体做法：在每次开闸放水前，先调查工业、生活用水总量，灌区旱情和生态需水量，分析水源形势，包括库存水量和更小的水库、塘堰蓄水量，然后再决定这次放水的总量，按照保证生活、工业、灌溉、环保的顺序合理调配水资源。

优点：分次供水计划的时间短，对各种用水情况(如生活用水、工业用水、旱情、灌溉农田、水库和塘堰蓄水等)掌握比较准确，供水及时，分配合理，对供水量计算比较准确，可以节约用水。

2) 水库水量预分

具体做法：每年在关键用水季节前，将库内实存水量按各用水单位的受益面积进行水量指标预分。各用水单位根据预分的水量指标用水，节约归己，超用照扣，同时可与其他蓄水地进行相互调剂。

优点：实行水量预分，方法简便易行，可以收到节约用水、计划用水的效果。

3) 绘制抗旱能力图表

具体做法：算清几笔大账，即随时根据库内水位高低、蓄水量的多少，计算出可以用于供水、灌溉、发电的水量，也可以计算在水库现有蓄水的情况下，如果不下雨，可保证生活用水多少天，保证工业生产用水多少天，可灌溉多少田，抗旱多少天(即水库的抗旱能力)。根据水库的蓄水情况和抗旱能力，就可以考虑是现在开闸放水有利，还是晚些开闸好；是多放些水好，还是把有限的库存数量留着抗大旱好。

优点：有利于实行计划用水。

2.2.3.4 综合利用水库水资源的配置与调度

水库在建成后可能担负的任务包括防洪、发电、供水、灌溉、航运、给水、养殖、旅游、卫生、水质改善、淤积滞蓄和控制、生态环境保护等。凡担负两种以上任务的水库均属综合利用水库，综合利用水库各用水部门之间有各自的用水要求，有相互适应的一面，也有相互矛盾的一面。如何协调它们之间的矛盾，调整它们之间的关系，达到水库综合利用效益最大，就是综合利用水库调度的目的。因此，水库在综合利用调度中应遵循综合利用、综合治理的原则。尽可能达到一库多用，一水多利，充分发挥水库工程的综合效益。

2.3 盘石头水库水资源蓄水调度实例

淇河盘石头水库是1993年经国务院批复的《海河流域综合规划》中确定的以防洪供水为主的大型综合利用水库，是《海河流域综合规划》中漳卫河防洪体系的组成部分。

2.3.1 盘石头水库防洪调度规划

2.3.1.1 不同频率洪水及典型过程

1) 盘石头水库简介

盘石头水库属于大(二)型水利工程，永久建筑物级别为2级，正常运用洪水标准采用 100 年一遇；非常运用洪水标准采用 2 000 年一遇。根据水库移民、征地、施工以及海河流域规划等各种要求，采用的洪水频率标准为 P=20%、10%、5%、2%、1%、0.05%共六种。

2)设计洪水过程

漳卫河流域补充规划采用“63・8”典型，而对水库安全较为不利的是“56・8”典型。因此，计算时常遇洪水部分采用“63・8”典型，并用“56・8”典型作对比计算，以确定防洪高水位；P=1%、P=0.05%两种频率，采用“56・8”典型。

3)洪水地区组成

漳卫河流域补充规划采用同频率组成拟定洪水地区组成，其组成如下：

(1)淇、楚同频率，包括：①淇门、楚旺、新村同频率，共产主义渠(以下简称共渠)淇门以上相应简称淇、楚、新同频率；②淇门、楚旺、共渠淇门以上同频率，淇河新村以上相应简称淇、楚、共同频率。

(2)安、汤、楚同频率：安阳河、汤河和卫河楚旺以上同频率。

对盘石头水库防洪高水位起主要作用的是淇、楚、新同频率。

2.3.1.2 洪水调度原则及防洪运用方式

1)防洪调度原则

水库的洪水调度方式与流域洪水特性、洪水的时空分布、下游河道安全泄量以及整个防洪工程体系的洪水安排有关。

根据海河流域规划确定的卫河中游防洪标准、防洪除涝任务及本流域的洪水特性、下游河道安全泄量，确定防洪调度原则如下：

(1)水库有改善卫河洼地平原排涝的任务，故对本水库的要求是：库水位低于 5 年一遇洪水位时，进行控泄，使卫河老观嘴断面三年一遇流量小于河道除涝能力 700 m^3 / s。

(2)根据《海河流域规划》提出的建库后坡洼防洪标准提高一级的要求，对 10 年一遇以下洪水，原则上只使用良相坡、共西行洪道，其他滞洪区不进洪，以此决定 10 年一遇以下洪水的控泄流量。

(3)水库运用与流域汇流特点相适应，避免水库泄洪与干流洪峰遭遇，当库水位高于 10 年一遇洪水位、低于防洪高水位时，如在退水段，宜维持库水位暂不腾库，待洪水消退时再腾空水库，以提高水库的防洪效益。

(4)按照海河流域防洪规划的要求，水库配合河道及坡洼治理使得 50 年一遇以下各种频率洪水发生时，老观嘴下泄流量不大于 2 000 m^3 / s；楚旺下泄流量应满足：10 年一遇洪水不大于 2 000 m^3 / s，20 年一遇洪水不大于 2 200 m^3 / s，50 年一遇洪水不大于 2 500 m^3 / s。

(5)洪水调度时要把盘石头水库、水库至楚旺之间各主要支流以及卫河中游滞洪区作为一个防洪系统来对待。

2)水库洪水调节方式

水库洪水调节方式取决于水库的任务及洪水特性。

(1)水库防洪任务。按照海河流域规划中漳卫河防洪规划确定盘石头水库防洪任务是：配合坡洼治理及河道整治，使得 50 年一遇及其以下各级洪水发生时，楚旺下泄流量应小于允许泄量(N=10 年，$Q_{允}$≤2 000 m^3 / s；N=20 年，$Q_{楚旺}$≤2 200 m^3 / s；N=30 年、

N=50 年，$Q_{楚旺} \leqslant 2\ 500\ m^3/s$）。

(2) 卫河淇门以上洪水特性。卫河淇门以上 5 天洪量占卫河楚旺以上 5 天洪量的 87%。卫河淇门以上洪水来自共渠淇门以上（集水面积 5 529 km²）、淇河新村以上（集水面积 2 080 km²）与卫河平原三部分。新村以上洪水急猛，洪峰高，实测首大项 5 590 m³/s，次大项 3 380 m³/s，汇流历时 9～12 小时；共渠淇门以上洪水，集水面积较大，支流如梳齿状分散汇入，由于处在平原的干流河道窄小，排水不畅，使洪水过程坦化而形成峰低量大的洪水过程。共渠黄土岗实测最大洪峰为 1 209 m³/s，仅为新村实测最大洪峰值的 23%。共渠黄土岗洪峰常比淇河新村洪峰滞后 24～36 小时。

卫河平原集水面积 840 km²，干流坡缓槽小，过程平缓，实测最大洪峰仅 260 m³/s，洪峰也较淇河新村洪峰滞后 30～50 小时。卫河淇门以上几场大洪水淇河新村、共渠黄土岗的洪峰及其发生时间见表 2-1。

表 2-1　新村、黄土岗洪峰对比表

年份	淇河新村				共渠黄土岗			
	月	日	时:分	Q_{max} (m³/s)	月	日	时	Q_{max} (m³/s)
1956	8	4	1:30	3 380	8	5	16	878
1963	8	8	13:00	5 590	8	9	14	1 290
1975	8	6	23:30	2 150	8	10	20	225
1976	7	20	1:00	1 000	7	21	2	890
1982	8	2	15:30	2 130	8	5	16	538
1996	8	4	7:36	2 680	8	7	2	560

由表 2-1 可见，两种洪水过程的峰型以及汇流历时的差异，对有效控制淇河洪水是有益的。

通常，入库洪水过程经过调蓄，洪峰流量减小且洪峰滞后。到退水段，出库流量大于入库流量，水库蓄水量逐渐腾出，水库水位随之下降，直到防洪限制水位。由于盘石头水库下游的共渠淇门以上洪水过程滞后，如果盘石头水库也只是根据水位分级控泄、孤立运行，水库蓄过的洪水在退水段泄出来与洪峰滞后的干流洪水叠加，又使下游滞洪区加重滞洪量，增加了灾情，影响了防洪效果。因此，拟定防洪调度运用方式时应尽量避免水库在腾库过程中增加下游的防洪负担。

2.3.2　盘石头水库初期蓄水调度

2.3.2.1　初期蓄水的兴利目标

水库初期蓄水拟定的兴利目标为：工业及城镇用水 3 m³/s，保证率 97%；灌溉面积 0.53 万 hm²。

2.3.2.2　初期蓄水控制运用方法

初期蓄水度汛：如水位超过 230 m，按照入库流量下泄，但两泄洪洞规模较大，如果入库流量较小，用泄洪洞泄洪时，闸门开度小，不利于操作且水流条件不理想，因此主要采用分级控制。

(1) $Q<45\ m^3/s$ 时，输水洞 2 号支洞锥阀控泄。

(2) $45\ m^3/s<Q<300\ m^3/s$ 时，采用 1 号泄洪洞间歇开启方式下泄。即先关闭泄洪洞让洪水暂时蓄在库内，蓄到一定程度(如升高 1～2 m)，再开闸控泄 300 m^3/s，使水位保持在 230 m。间歇开启时允许水位有一定变幅，但水位不超过 232 m，具体开启度见表 2-2。

表 2-2 盘石头水库泄洪洞水位、开度、泄量关系

(单位：水位，m；流量，m^3/s)

开度	0.2	0.4	0.6	0.8	1.00
水位	流量	流量	流量	流量	流量
215	0	0	0	0	0
225	115	145	210	265	350
230	148	190	280	350	500
235	165	220	330	430	620
245	210	280	415	560	820
255	242	330	480	660	965
265	270	370	555	755	1 095

2.3.2.3 初期蓄水及试运行要求

2005 年底盘石头水库主体工程将基本完工，大坝、溢洪道、泄洪洞、水电站均能够正常运行；2006 年将作为初期蓄水试运行年。在此期间，原则上应按照规划要求运行，不降低标准，此时库容已经超过 1 亿 m^3，设计标准为 100 年一遇，校核标准为 2 000 年一遇，兴利效益逐步提高。2005 年底初蓄水位达到 240 m，2006 年蓄水位达 248 m。试运行期间应加强观测，如发现异常，水库只能按照自然滞洪运行。水库经过较高水位(254 m)考验后，方可按照正常调度方式运行。

2.3.3 水库正常运行期调度运用方式

2.3.3.1 正常运行调度控制指标

盘石头水库规划的兴利目标为城镇和工业供水 13 500 万 m^3/年，供水保证率达到 95%，灌溉面积 30 万亩(补水灌溉 50 万亩)，农灌面积保证率大于 50%；水库死水位 208 m，农田灌溉限制水位 230 m，汛期限制水位 248 m，正常蓄水位 254 m。

1) 正常供水

输水洞设计流量为：城镇和工业用水通过工农渠供水流量为 4.28 m^3/s，工农渠农业灌溉供水流量 5.35 m^3/s，1 号支洞设计流量采用 9.63 m^3/s。

其他灌溉区灌溉流量 26.7 m^3/s。考虑到琵琶寺水库可以起到调节作用，琵琶寺水库灌区 5 万亩可提前充库，这样对充分利用灌溉水量发电更有利，因而灌溉流量可减少到 21.4 m^3/s，2 号支洞设计流量采用 21.4 m^3/s。

输水洞主洞设计流量采用 31.03 m^3/s。

2) 正常运行期防洪调度方式

水库起调水位为 248 m。

(1) 当暴雨中心在盘石头水库上游时：

H<253.93 m，水库控泄 100 m^3 / s。

253.93 m<H<257.78 m，控泄 400 m^3 / s。

257.78 m<H<270 m，控泄 800 m^3 / s。

H>270 m，泄洪洞敞泄。

H>270.7 m，敞泄。

当 257.9 m<H<270 m 且在退水段时，控制出流等于入流。

当良相坡滞洪区水位低于 65.5 m 时，开始腾库，腾库时控制出流流量为 800 m^3 / s。

(2) 当暴雨中心不在盘石头水库上游，且 H<265 m 时，若黄土岗洪峰流量大于 1 200 m^3 / s 时(共渠淇门流量>1 800 m^3 / s) 水库闭闸错峰。

(3) 大洪水水库泄洪方式。当发生常遇洪水 (N≤100 年一遇洪水) 时，只用泄洪洞泄洪。其中 N≤50 年一遇洪水时，只使用 1 号泄洪洞控泄，N>50 年一遇洪水时，1 号、2 号泄洪洞同时敞泄；当发生大于 100 年一遇洪水时，两泄洪洞全开，同时溢洪道开始泄洪，因此溢洪道只在发生大于 100 年一遇的洪水时才使用。

(4) 小洪水水库泄洪方式。对盘石头水库防洪运行方式中 3～5 年一遇洪水控泄 100 m^3 / s 的运用方式按照既满足淇楚平原的排涝要求，又要避免小流量时使用泄洪洞的要求，主要采用以下两种途径进行合理调度。

①利用水情自动测报系统，事前获得卫河防洪体系内的水情信息进行合理的调度。若干流流量小于 400 m^3 / s 时，可控泄 300 m^3 / s。干流洪水较大，而水库水位低于 253.98 m 时，可以通过灌溉洞及电站发电下泄 30 m^3 / s。

②利用槽库容的间歇泄流方式。利用盘石头水库至老观嘴 110 km 的槽库容，采用 1 号泄洪洞起泄流量 300 m^3 / s 间断泄流方式，当水位在 248～254 m 时，一个时段(2 小时) 控泄 300 m^3 / s，关闭两个时段；再控泄一个时段，关闭两个时段。间断控泄的效果经过验证，盘石头水库至老观嘴洪水传播时间为 30 小时，演算至卫河老观嘴的流量过程与原来控泄 100 m^3 / s 基本一致。

2.3.3.2 下游环境用水设计

通过对盘石头水库下游枯水期的水量分析，兴建水库以后，坝址至大赉店段枯水期水量有所改善，大赉店以下及进入卫河水量基本不受影响。但为了保证下游环境用水，在水库正常运行过程中，水库下泄流量不小于 0.5 m^3 / s。结合盘石头水库径流特征，在枯水年，若库水位低于 230 m 时，水库下泄流量不小于 0.25 m^3 / s。

第3章　水工建筑物安全监测管理

本章主要介绍盘石头水库安全监测项目的设计、施工及监测管理的有关内容，重点阐述盘石头水库施工期监测项目的实施过程管理及监测资料的分析结论，反映了盘石头水库各水工建筑物和监测设施稳定的运行状态，并对施工期的安全监测管理工作进行初步总结、探讨。

3.1　工程安全监测概述

3.1.1　工程安全监测目的

混凝土面板堆石坝是一种安全可靠的坝型。工程安全监测的目的主要是评估大坝在施工和运行期的工作实态，对大坝运行状态进行预测，为保证工程安全，改进和提高设计、施工和管理的技术水平提供科学依据。

由于混凝土面板堆石坝的设计迄今为止仍以经验性为主，而监测成果可以视为直接的经验源泉，受到国内外同行专家的广泛重视。当前面板坝的发展已进入以坝高增大（超过200 m）和坝型、坝料拓展为标志的新阶段，从而也促进了混凝土面板堆石坝安全监测技术的发展，相应要求提高和发展新的监测技术，加快监测成果的转化过程。

随着工程由施工、蓄水而转入正常运行，工程的管理体制也随之转化。监测工作的机制也有这种转化过程，要注意其交叉和衔接，以保证监测工作的连续性。

3.1.2　盘石头水库工程安全监测概述

盘石头水库为大型综合利用水利枢纽工程，枢纽建筑物布置、结构以及地质条件复杂。根据其工程特点，安全观测对于钢筋混凝土面板堆石坝，重点加强坝体、坝基和面板的位移变形渗流观测；泄洪洞进行围岩变形、衬砌结构的应力应变、外水压力，以及进、出水口开挖边坡的变形与稳定观测；输水洞进行衬砌结构的应力应变和外水压力观测；左岸垭口非常溢洪道进行结构变形和基础渗流观测。安全观测具有指导施工、监控运行、校核设计和为科研积累资料的重要目的和功能。通过定期观测、了解建筑物在施工和运行期的工作状态，对工程运行实态进行分析评价，以确保工程的安全运行。

盘石头水库工程安全观测工作开始于2001年，随着水工建筑物的施工而实施。两条泄洪洞、输水洞完成的观测项目有围岩收敛变形、岩体变形、锚杆应力、钢筋应力、混凝土应变和外水压力等。大坝已经实施的项目有内部变形和坝基地下水观测，随着二期面板施工后将开展的项目有大坝面板钢筋应力、温度、周边缝、结构缝以及面板挠曲、脱空等，大坝表面变形观测和水库上、下游水位观测等。

随着水库蓄水，安全观测工作主要包括自动化数据测读和分析，及时了解掌握水库各水工建筑物的工作性态，确保水库工程的安全运行。

3.2 盘石头水库工程安全观测设计简述

3.2.1 设计原则

盘石头水库工程安全观测设计原则包括：

(1)观测仪器设备的选择与布置力求能够较全面地反映工程建筑物工作状况,观测项目应满足监控建筑物施工和运行的安全、指导施工和管理的要求。观测仪器设备测点位置要具有代表性。

(2)根据本工程特点，选择对建筑物安全有控制性影响的项目和部位进行重点观测，采用不同观测手段互为校核和补充，以保证成果的可靠性。

(3)按规范规定并根据工程建筑物布置、结构形式及地形、地质条件等，在满足工程安全观测需要的前提下，其观测项目和仪器设备的布置力求少而精，并尽量减少施工干扰。

(4)用于施工期临时观测和运行期永久观测的项目或仪器设备应综合统筹布置,以保证不同阶段观测成果的连续性。

(5)设置观测仪器设备必须满足精度、可靠性和耐久性要求，并便于观测、管理和工程自动化观测系统的整体配套实施。

3.2.2 安全观测实施的项目

3.2.2.1 钢筋混凝土面板堆石坝

钢筋混凝土面板堆石坝安全观测的项目有：

(1)坝体表面变形观测。

(2)坝体内部水平、竖向位移观测。

(3)面板周边缝、垂直缝、坝顶水平缝观测。

(4)面板挠曲变形、脱空观测。

(5)面板钢筋应力、温度观测。

(6)坝体、坝基及两岸绕坝渗流观测。

3.2.2.2 1号、2号泄洪洞

两条泄洪洞安全观测项目有：

(1)围岩变形观测。

(2)锚杆应力观测。

(3)混凝土衬砌结构应力、应变观测。

(4)外水压力观测。

(5)进水口开挖边坡变形与稳定观测。

(6)水力学观测。

3.2.2.3 输水洞

输水洞安全观测项目有：

(1)混凝土衬砌结构应力、应变观测。

(2)外水压力观测。

3.2.2.4 溢洪道

溢洪道安全观测项目有：

(1)表面变形观测。

(2)结构缝位移变形观测。

(3)基础渗流观测。

3.2.3 安全观测的布置

1号、2号泄洪洞在进、出口洞段按典型地质条件和水力学条件各选取了1个综合断面，共计4个综合断面，每个断面按顶拱、边墙和底板3个不同位置分别布置多点位移计、锚杆应力计、钢筋计、应变计3支(套)和无应力计1支，外水压力的观测布置在隧洞地下水发育洞段，每个泄洪洞4支孔隙水压力计。另外，在导流洞进口边坡安装了多点位移计和锚索测力计以观测边坡稳定。

输水洞在闸室段布置了钢筋计、应变计和无应力计断面，在圆形压力钢管段布置了钢筋计、应变计和无应力计断面。5支外水压力观测仪器分别布置在两个支洞内。

混凝土面板堆石坝布置了3个观测横断面，坝体变形观测选取了205 m、228 m和251 m高程埋设变形观测仪器，其中竖向位移观测设11点，水平位移观测设6点，面板变形和挠曲变形在两岸岩石陡峭段各布置一个断面，中间宽阔河谷段布置一个断面。地下水渗流压力观测也是大坝观测的重点，大坝趾板后埋设了9支孔隙水压力计以观测大坝防渗体的渗漏，坝基底部孔隙水压力计的埋设按3个横断面埋设，中间布置6支孔隙水压力计组成一个主要观测断面，两岸陡坎段布置了2个观测横断面。对于贯穿趾板的断层带增加了4支钻孔埋设的孔隙水压力计。

表面变形观测：在坝体下游两岸边坡上设置基准点，在坝体和溢洪道上、下游侧两岸边坡上设置工作基点，水平位移采用三角网(前方交会)法测量，竖向位移采用水准法测量。水平位移观测：可采用三角网前方交会观测工作基点和测点的水平位移，应用全站仪和全圆测回法。盘石头水库工程表面变形观测，基准点、工作基点均要求设置在稳定边坡上，在满足通视条件下，其位置可据实际地形、地质条件进行适当的调整。并至少应在坝体防渗面板施工前进行设置，使其基墩具有一定的稳定期，同时有利于保证观测精度。基准点、工作基点和测点观测墩的结构必须坚固可靠，并应采取适当措施防止地表水冲刷、护坡挤压和人为碰撞等，同时应尽可能做到美观、实用。在坝体表面测点观测墩顶部设置钢管标基座；在基点、溢洪道和边坡表面测点观测墩顶部设置强制对中基座。

3.2.4 安全监测采用的主要设备

盘石头水库安全观测设备按仪器类型汇总见表3-1。

表 3-1　主要观测仪器设备

序号	仪器设备名称	单位	数量	型　号	备　注
1	控制基点	个	27		
2	水平竖向位移测点	个	40		包括坝面观测房顶测点
3	水管式沉降仪	套	3	SG-1 型	14 个测点
4	电位器式水平位移计	套	2	NDCY-1 型	6 测点
5	三向测缝计	套	9	TSJ 型	
6	单向测缝计	支	53	TSJ 型	
7	应变计	组	24	GK4200 型	
8	无应力计	支	10		
9	钢筋应力计	支	49	GK4911 型	
10	孔隙水压力计	支	46	GK4500S 型	
11	电测温度计	支	12	GK3700 型	
12	电平仪(测倾仪)	台	16	GK6700 型	
13	多点位移计	套	12	A-6 型	
14	锚杆应力计	支	12	GK4911 型	
15	测压管	个	13		
16	量水堰	个	1		不锈钢堰板
17	水尺	个	6		高程标记
18	水准仪	套	1	DNA03 型	
19	全站仪	套	1	TCA2003 型	
20	水工比例电桥	台	2	SQ-2 型	
21	频率计	台	1	GK403 型	
22	三向测缝计读数仪	台	1		
23	电平仪二次仪表	台	1		
24	电测水位计	台	2		量程：100 m；50 m
25	平尺水位计	台	1		量程：120 m
26	电缆	km	27		传感器电缆
27	电缆保护管	km	10		

注：上表中不包括施工期临时观测仪器设备。

3.3　盘石头水库工程安全观测项目的施工与管理

3.3.1　仪器的组装、检验和率定

3.3.1.1　仪器的检验

观测仪器运到现场后必须检验，具体检验的内容有以下几个：

(1) 出厂时仪器检测证书、参数、合格证等是否齐全，仪器数量与发货清单是否一致。

(2)外观检查。查看仪器外部有无损伤痕迹、锈斑等。

(3)用万用表测量仪器有无断线。

(4)用兆欧表测仪器本身的绝缘是否达到出厂值。

(5)用二次仪表测试仪器测值是否正常。

3.3.1.2 仪器的率定

盘石头水库安全观测所使用的仪器主要有钢弦式和电位器式两种类型的仪器。

钢弦式仪器有多点位移计、锚杆应力计、钢筋计、锚索测力计、孔隙水压力计、应变计等。

电位器式仪器有水平位移计和测缝计。

率定的方法是：利用对于特制的率定装置对传感器给定几个等级差的位移量(物理量)，相应地接收仪表读数。每个循环给定的位移量(物理量)和读数应不少于5级，对每个传感器的率定一般进行三个循环。填写率定记录表，作为原始资料保存。率定求得灵敏系数、直线性、重复性等达到规定标准的仪器，方可使用。

由于现场条件的限制，没有对仪器进行温度标定。温度对仪器读数的影响以仪器厂家给定的温度系数为准。

各仪器的防水试验由压力罐给定压力，测定浸泡后的绝缘度，绝缘电阻大于50 MΩ为防水性能合格。水压从零开始，分级加压和退压。

3.3.1.3 仪器与电缆连接

仪器与电缆的连接按要求进行，做好仪器电缆长度的裁剪、线头的搭接、接头的密封包扎和防水处理。

仪器编号与观测图纸要保持一致。仪器电缆端头同时用热缩管和铝制扎头做好2种标签。多芯线电缆也应分别编号。

3.3.2 观测断面和测点定位放样

根据设计图纸，观测人员会同工程测量人员在施工现场用工程测量方法确定观测断面和测点的位置，记录测点的高程和平面坐标，做好安装位置标记并详细填写安装记录表格。

3.3.3 重点观测仪器安装埋设的土建施工

观测工程的土建工程主要包括仪器安装埋设土建施工、电缆走线工程的土建施工、观测站及保护设施的土建施工。

3.3.3.1 造孔

泄洪洞内及导流洞进口边坡安装的多点位移计、锚杆测力计和孔隙水压力计需要造孔，造孔按要求放样，施工中随时校核孔位、孔向和孔径等。

3.3.3.2 观测房的修建

大坝变形观测仪器如水管式沉降仪、水平位移计的安装需要修建观测房，以保护测读装置和仪器仪表，所以埋设前应在相应高程修建观测房，在分区填筑时要修建临时观测房以保证观测仪器的安全和有效，保证临时观测的正常进行。

3.3.4 重点观测仪器安装埋设和观测

3.3.4.1 水管式沉降仪安装埋设与观测

坑式埋法的工序：修建观测房—挖坑槽—整平基床—安装各测头和连接管路—回填—碾压—正常施工。为了保证坑槽底部平整且保证设计提出的均匀坡度，槽底部回填细料，并用水准测量控制坡度。沉降仪各测头用浆砌块石墩调节测点高程，测头包裹用混凝土墩，从各测头中引出连通管路到观测房的测读装置上。坑槽中回填垫层料40 cm并压实（静碾），当测头上部回填超过 1.5 m，管路上部超过 1.0 m 时，即可填筑坝料并恢复正常施工。

首次观测时，应先排尽管路中的水和气，排气和充水完毕后，观测量测管的稳定数值，其判定标准是每 20 分钟读数不变。盘石头水库工程沉降观测用的水管式沉降仪采用南京水利科学研究院研制的新型自动控制和数字测量的装置，时间控制和数据采集都能实现自动控制，操作简单可靠，测读精确。

3.3.4.2 水平位移计的安装埋设与观测

水平位移计的埋设和水管式沉降仪埋设类似，采用坑槽埋设。盘石头水库工程采用南京水利科学研究院岩土所对引张线水平位移计改进后的 NDCY-1 型电测水平位移计。该仪器采用特制的关节轴承和拉压连杆结构，在坝体连续变形 26 cm / 3 m 的沉降下，仍能正常工作，整体最大误差小于 1.3 mm / 3 m，满足土石坝水平位移观测的要求。选用的大量程的电位器式传感器，位移量程可达 200～300 mm，分辨率 0.015 mm，精度小于 0.2%FS。电测水平位移计可人工测读，也可实现远距离自动化观测。NDCY-1 型水平位移计可以分段埋设，在坝体填筑过程中，可边施工边观测。克服了引张线式水平位移计必须全线埋设完成后才能观测，造成施工期漏测的缺陷。

测读方法是采用 3 位半数字电压表测量位移计中电位器输出的电压。

3.3.4.3 孔隙水压力计的安装埋设与观测

盘石头水库工程采用美国基康公司生产的 GK4500S 钢弦式孔隙水压力计，埋设方法分两种，即大坝基岩面上埋设和隧洞内水平浅孔内埋设。

大坝基岩面上孔隙水压力计采用坑槽式埋设。即在设计位置凿一积水坑，要求深度 40 cm，在坑槽底部铺上 20～30 cm 厚的砂，把浸泡在水中的仪器取出放入砂中，仪器电缆线绕一圈后，向外引出，再盖上 20～30 cm 厚的砂，浇水使砂饱和，在回填位置分层回填石料，分层夯实。电缆线从已挖好的电缆沟槽引到临时测站。电缆线呈“S”形向前铺设。

水平浅孔内埋设主要是地下洞室埋设孔隙水压力计的方法。孔深为 1.0 m，在孔内回填细砂，将孔隙水压力计埋在细砂中，并用盖板将孔口封住，然后用水泥砂浆封堵。

在大坝左右岸发育贯穿趾板的断层 F12，为测量断层及断层破碎带地下水的情况，设计采用深孔埋设孔隙水压力计观测其地下水发育。根据设计深度钻孔，孔径 110 mm，钻孔位置由现场设计和地质工作人员指定。钻孔完毕后，先向孔内填入中粗砂至孔隙水压力计埋设高程，然后放入孔隙水压力计至埋设位置，经检测合格后，在孔隙水压力计观测段内填入中粗砂，并使观测段饱和，再填入 20 cm 细砂，先回填膨润土，最后在剩余孔段内用水泥砂浆封堵。

观测仪器采用 GK403 测读仪器的模度数和温度。

3.3.4.4　多点位移计安装埋设与观测

多点位移计用于观测沿钻孔轴向的位移，传感器的连接方式采用传递杆连接，外部用管封闭保护。传感器安装在孔口，孔内最深的测点应位于不动岩层中，具体安装埋设方法如下：

(1)按设计要求的孔径、孔向和孔深钻孔。钻孔轴线弯曲度应不大于钻孔半径。孔向偏差应小于3°，孔深应比最深测点多1 m左右，孔口保持平直。

(2)钻孔结束应冲洗干净，并检查钻孔通畅情况。

(3)按照设计的测点深度，将锚头、位移传递杆和护管与传感器严格按厂家使用说明书进行组装。检验合格后运往现场，调好传感器工作点。

(4)孔周边安装牢固的隔离架，确保安装和注浆的可靠，将传递杆捆扎在一起。并捆扎好灌浆管和排气管，必要时捆扎2支排气管。

(5)组装后的多点位移计，经检验合格后，送入孔内，入孔应缓慢。

(6)多点位移计入孔后，固定传感器装置，引出观测电缆、排气管和灌浆管。用水泥砂浆密封孔口。

(7)孔口水泥砂浆固化后，开始封孔灌浆。排气管出浆后继续灌浆10分钟，然后闭浆，以确保最深测点锚头处浆液饱满。

(8)浆液固化24小时后，打开传感器装置盖，再确认传感器工作点位置，观测初始值，做好孔口保护和电缆走线。

3.3.4.5　钢筋计

钢筋计主要用于观测洞内衬砌钢筋混凝土中钢筋应力。安装埋设时，将钢筋按要求的尺寸裁截，然后将钢筋计对接或焊接在钢筋上，并保证钢筋计与钢筋在同一轴线上。对接时，采用预先焊在钢筋上钢接头连接，钢接头是根据钢筋计端头的螺纹配制的。焊接时，可采用对焊或熔槽焊，焊接时浇水冷却，使仪器温度不超过60 ℃。

钢筋计对接埋设时，与仪器两端连接带螺纹的钢接头应焊接在钢筋上。钢筋计与焊有接头的钢筋对接扭紧后，代替被测钢筋绑扎在观测部位(绑扎长度比有关规范要求略长些)。对焊的钢筋计安装时，将观测部位的钢筋按照钢筋计对焊长度裁开，然后将与钢筋计两端连接的钢筋对焊在相应位置的钢筋上，检测合格后，方可浇筑混凝土，仪器周围人工振捣密实。混凝土浇筑24小时后为基准值。

3.3.4.6　锚杆应力计安装埋设

锚杆应力计用于观测锚杆应力。装上应力计的锚杆成为观测锚杆。观测锚杆的安装埋设要求，应根据观测设计的安装时机进行埋设，具体步骤如下：

(1)根据设计要求造孔。钻孔直径应大于锚杆应力计最大直径。钻孔方位应符合设计要求，孔弯应小于钻孔半径。钻孔冲洗干净，并严防油污。

(2)按照观测设计的要求裁截锚杆长度。选用螺纹连接的锚杆应力计，需要在裁截的锚杆上先焊接螺纹接头，然后再与锚杆应力计用螺纹连接，接头与锚杆应保持同轴。

(3)观测锚杆的组装。将锚杆应力计按设计深度与裁截的锚杆对接，同时装好排气管。需要对接的锚杆应力计，应在水冷却下进行对焊，锚杆应力计与锚杆保持同轴。

(4)组装检测合格后，将组装的观测锚杆缓慢地送入钻孔内。安装时应确保锚杆应力计不产生弯曲，电缆和排气管不受损坏，锚杆根部应与孔口平齐。

(5)锚杆应力计入孔后，引出电缆和排气管，装好灌浆管，用水泥砂浆封闭孔口。

(6)安装检测合格后，进行灌浆埋设。一般水泥砂浆配合比宜为：灰砂比为 1∶1～1∶2，水灰比为 0.38～0.40。灌浆时，应在设计规定的压力下进行，灌至孔内停止吸浆时，继续灌 10 分钟即可结束。砂浆固化后，观测基准值。

3.3.4.7 应变计和无应力计

应变计主要用于混凝土内的应变观测。

根据设计要求，确定应变计埋设位置，埋设仪器角度误差应不超过 1°，位置误差不超过 2 cm。埋设仪器周围混凝土回填时，要小心填筑，剔除混凝土中粒径 8 cm 以上的大块骨料，人工分层振捣密实。下料应距仪器 1.5 m 以上，振捣时振捣器与仪器距离大于振捣半径，不小于 1 m。埋设时应保持仪器的正确方位和方向，及时检测，发现问题要及时处理甚至更换仪器。埋设后要立即做好标记，以防人为损坏，并要专人守护。

无应力计用于校核应变计温度影响。埋设时，应变计固定安装于无应力计桶中，用细骨料充填，固定于设计位置，混凝土振捣时注意保护。

3.3.4.8 锚索测力计

锚索测力计用于观测锚索受力状态。通过配合进口边坡加固锚索的施工，观测进口边坡锚索受力情况变化，从而监测边坡变化情况。锚索测力计的安装和锚索的张拉同时进行，张拉前对测力计的位置进行校验，合格后预紧和张拉。张拉程序和锚索的张拉程序相同。锚索测力计安装就位后，要准确测得初始值和环境温度。基准值确定后，分级加荷张拉，逐级进行张拉观测。一般每级荷载测读一次，最后一级荷载进行稳定观测，每 5 分钟测一次，连续 3 次读数误差小于 1%FS 为稳定。张拉荷载稳定后及时测读锁定荷载。张拉结束后，进行锁定后的稳定观测。

3.3.4.9 测缝计的安装埋设

三向测缝计的安装步骤如下：

(1)制备测缝计安装基面，使趾板和面板在同一平面上，用模板在安装面上预留好安装螺孔。

(2)将测缝计的两个固定支座分别放在趾板和面板的确定位置，从固定板螺孔中穿出地脚螺杆至趾板和面板内，浇注环氧水泥砂浆固定地脚连杆。

(3)制备三向测缝计保护体，在黄土铺盖中埋设的三向测缝计需要加强对仪器的保护，一般浇筑混凝土形成仪器的保护体。

(4)安装位移计并调整其量程，检查技术性能满足设计要求。

(5)盖上保护体的保护罩，将传输电缆放在电缆沟内，保护体内充填粉煤灰，并封堵保护体分缝。

(6)记录安装的工作过程，测记各位移计的起始读数，测量初始值。

单向测缝计是测量面板与面板间缝的开合度，安装方法类似。

3.3.5 仪器观测基准值的确定

各种观测仪器的计算皆为相对计算，仪器安装埋设后开始工作前的观测值即为基准值。

3.3.5.1 应变计基准值的确定

单向应变计按埋设点温度达到稳定时的测值为基准值。

3.3.5.2 钢筋计基准值的确定

钢筋计的基准值一般取混凝土浇筑 24 小时后的测值,钢筋和钢筋计能够跟随其周围材料变形时的测值为基准值。

锚杆应力计的基准值与之类似，为砂浆固化后的测值。

3.3.5.3 孔隙水压力计基准值的确定

孔隙水压力计以其埋设后的测值为基准值。深孔埋设的孔隙水压力计基准值应考虑其压力变化，采用浸泡后和安装的测值为基准值。

3.3.5.4 位移计基准值的确定

位移计安装埋设后，在传感器和测点固定后开始测基准值。采用砂浆固定的锚头如多点位移计和水平位移计，埋设灌浆或浇筑测头后 24 小时以上的测值可作为基准值。

3.3.5.5 测缝计基准值的确定

测缝计基准值的确定和位移计相同，一般以传感器固定后的测值为基准值。

3.3.6 观测频率

观测频率按《土石坝安全监测技术规范》(SL60—94)中的规定进行，各项目测次见表 3-2。

表 3-2 项目观测频率

序号	项目或名称	测次(次／月)	备　注
1	表面变形	4	
2	内部变形	4～10	
3	混凝土面板变形	3～6	面板挠曲和脱空
4	面板接缝位移	4～10	
5	面板钢筋应力	4	或按需要
6	面板温度	4～10	或按需要
7	渗流量	4～10	或按需要
8	坝基和溢洪道基础渗流压力	4～10	
9	周边缝面板下渗流压力	4～10	
10	绕坝和溢洪道两岸渗流	4～10	或按需要
11	上、下游水位	逐日量	或按需要

常规观测和特殊观测按实际情况调整。

3.3.7 仪器安装埋设后的管理工作

3.3.7.1 仪器安装埋设记录

仪器安装埋设资料可作为备查资料保存。

3.3.7.2 仪器安装埋设后的管理

建立仪器档案，档案的内容包括整个过程中仪器的一切记录，包括：名称、生产厂家、出厂编号、规格、型号、附件名称、合格证书、使用说明书、出厂率定资料、测点编号及现场检验率定资料、安装埋设考证图表、问题及处理情况，以及验收的签字表格和现场安装照片。

建立仪器维护管理制度和观测制度。

3.3.8 观测资料的整理

3.3.8.1 观测物理量的计算

振弦式仪器包括应变计(无应力计)、钢筋计(锚杆应力计)、孔隙水压力计、多点位移计、锚索测力计等，均可按下式计算：

$$A=K(f_t^2-f_0^2)+G(t_t-t_0) \tag{3-1}$$

式中 A——计算的物理量；

K——传感器仪器系数(厂家给定)；

f_0^2——基准模度数(由仪器直接测定)；

f_t^2——t时刻模度数(由仪器直接测定)；

G——温度修正系数(厂家给定)；

t_0——基准温度(由仪器直接测定)；

t_t——t时刻测定的温度(由仪器直接测定)。

电位器式仪器包括水平位移计、测缝计，用数字电表测出电压的变化，换算出位移量。按下式换算：

$$d_t=C(V_t-C'V_0)/V_0 \tag{3-2}$$

$$\Delta d=d_t-d_0$$

式中 C、C'——位移计常数(由厂家给定)；

V_0——工作电压；

V_t——实测电压；

d_0——t_0时位移计的量，mm；

d_t——t时位移计的量，mm；

Δd——实际位移量，mm。

3.3.8.2 观测物理量的整理

根据《土石坝安全监测技术规范》(SL60—94)要求，观测资料整理和分析工作简述如下：

(1)按要求对观测数据进行正确性、准确性检验。每次观测完成后，在现场注意作业方法，不能漏测、错测，数据记录准确、清晰、齐全。

(2)观测物理量的计算。观测数据每天按时处理，输入计算机数据库，并进行物理量计算。

(3)绘制观测物理量的过程曲线。

(4)在过程曲线图上，初步考察物理量的变化规律。发现异常，应立即分析异常量产生的原因，提出专项文字说明。

3.3.8.3 观测简报

每月对所观测数据进行分析，主要分析物理量随时间、空间变化的规律，物理量特征值的变化规律，分析各物理量之间的相关关系的变化规律，从分析中获得各观测物理量的变化稳定性、趋向性及其工程安全的关系。

3.4 施工期观测成果分析

盘石头水库工程安全观测安装埋设工作开始于 2001 年元月，先后完成了 2 号泄洪洞(兼导流洞)、输水洞、1 号泄洪洞的施工期围岩收敛变形观测和永久观测仪器的安装和埋设等工作。大坝观测仪器的安装和埋设工作正在进行中。观测成果按各建筑物进行分析，所有观测结果资料统计截止日期为 2003 年 9 月 30 日。

3.4.1 输水洞工程

3.4.1.1 围岩收敛观测结果

输水洞收敛变形观测(包括主洞和 2 号支洞、2 号发电洞)共安装了 10 个收敛观测断面，输水洞地质情况：洞顶为∈12 灰岩夹页岩，洞底为∈10 灰岩，围岩分类主要为Ⅲ类。收敛观测围岩变形量较小，其中 F12 断层附近岩体破碎，地下水发育，桩号 0+75 收敛观测断面观测结果为水平向测线测值收敛量 5.43 mm，顶拱下沉量 4.03 mm，底板隆起量 1.55 mm。该断面观测变形量和围岩的变形规律说明，围岩稳定，围岩自稳时间短。其他观测断面数据变化均较小，顶拱下沉量和底板隆起量均不大，说明围岩稳定性较好。

3.4.1.2 安全观测仪器当前值

输水洞安全观测项目为：混凝土应力、应变观测和外水压力，分两个观测综合断面布设，0+063(闸室段)和 0+205(圆形有压洞段)，外水压力分 5 个断面埋设孔隙水压力计观测。

(1)应变计和无应力计当前值见表 3-3。

表 3-3 应变计和无应力计当前值一览表

仪器编号	安装部位	观测天数	当前值(με)	最大值(με)	最大应力应变(με)
S5-1	0+061.5 顶部	689	93.47	148.62	86.58
S5-2	0+061.5 侧壁	688	25.07	76.82	– 168.18
S5-3	0+061.5 底板	696	150.22	210.32	110.12
N5-1	0+061.5 侧壁	693	77.81	123.48	
S6-1	0+205.5 顶部	696	41.40	91.49	
S6-2	0+205.5 侧壁	701	67.82	103.38	– 36.06
N6-1	0+205.5 侧壁	701	100.21	135.46	

(2)钢筋应力计当前值见表 3-4。

表 3-4　钢筋应力计当前值一览表

仪器编号	安装部位	观测天数	当前值(kN)	最大值(kN)	最大应力值(MPa)
R5-1	0+061.0 顶部	690	21.47	33.93	55.10
R5-2	0+061.0 侧壁	701	– 10.82	– 17.27	– 28.04
R5-3	0+061.0 底板	696	3.92	20.38	33.09
R6-1	0+205.0 顶部	700	20.22	27.43	44.54
R6-2	0+205.0 侧壁	701	– 11.79	– 18.09	– 29.37

(3)孔隙水压力计当前值见表 3-5。

表 3-5　孔隙水压力计当前值一览表

仪器编号	安装部位	观测天数	当前值(kPa)	最大值(kPa)	最高 / 低温度(℃)
P5-1	0+118.0 侧壁	693	1.33	41.79	30.7 / 9.9
P5-2	0+126.0 侧壁	696	8.33	14.21	32.2 / 11.8
P6-1	0+305.7 侧壁	738	0	2.88	32.5 / 12.1
P6-2	0+381.4 侧壁	648	6.30	31.34	23.4 / 9.1
P6-3	0+101.2 侧壁	641	4.91	10.48	22.6 / 9.9

3.4.1.3　仪器运行情况及结论

输水洞仪器运行正常，观测成果数值显示各物理量变化较小。从安装（2001 年 10 月）后到 2003 年 9 月底开始观测的数据过程曲线可以看出，各仪器物理量的主要变化规律是：钢筋计应力和混凝土应变在每年的 1 月份各物理量相对值较高，每年的 8 月份测值相对较低，曲线形态规律特征显著，并与建筑物内部温度曲线对应呈相反形态，说明建筑物主要受气候影响大，随季节周期性变化，其他原因影响较小。输水洞通水后，由于水压力负荷小，未对洞室各观测物理量造成明显影响。

第 5 综合断面即 0+061(闸室段)：钢筋计顶部(R5-1)为受拉状态，应力变化在 30～50 MPa；边墙部位呈压状态，应力变化为 0～– 20 MPa；底板应力变化为 0～20 MPa。应变计测值，有着与之相同的规律，扣除温度等混凝土自身因素造成的自由体积变形因素，应力引起的混凝土应变很小，顶部和边墙基本无应变，测值在 0 左右波动，底板应变较小，在 60～80 με 变化。

第 6 综合断面即 0+205(圆形有压洞段)：各仪器测值总体变化规律和第 5 综合观测断面相似。钢筋计顶部(R6-1)应力变化在 20～45 MPa，左“边墙”钢筋计受压，应力变化在– 5～– 25 MPa。应变变化为顶部数值较小并且稳定，边墙压应变存在增大趋势，2003 年保持在–30 με。

外水压力观测表明，地下水受地表降水影响，每年丰水期 5 月到 8 月水位变化频繁，变化幅度受降雨过程影响，其增长期和降落期时间不等。说明测值受降水影响明显，围岩垂直渗漏通道相对发育。孔隙水压力计 P6-1(0+305)洞段出现的变化规律反映了地下水渗漏的滞后性，说明该洞段受外水压力影响较小。

输水洞观测仪器运行正常，其数值基本反映了洞室混凝土应力和应变的变化规律，洞室稳定，无异常情况出现。

观测结果显示，输水洞运行正常，能满足蓄水要求。

3.4.2 1号泄洪洞工程

3.4.2.1 围岩收敛观测结果

1号泄洪洞共安装了11个收敛观测断面，在观测实施过程中，每天以观测日报的形式向施工单位通报各断面围岩变形的观测成果，充分发挥了观测及时反馈的作用。围岩收敛变形观测计算数据统计见表3-6。

表3-6 收敛变形观测计算数据统计

序号	断面号	A点绝对位移值(mm)	B点绝对位移值(mm)	C点绝对位移值(mm)
1	SLDH046	3.39	1.64	0.25
2	SLXH090	3.17	2.09	1.19
3	SLXH141	5.02	1.24	1.15
4	SLXH183	1.32	1.04	1.21
5	SLXH233	2.76	0.52	1.55
6	SLXH264	1.80	3.08	0.96
7	SLXH317	2.89	0.57	0.71
8	SLXH366	3.95	2.00	2.33
9	SLXH390	3.73	1.78	1.83
10	SLXH422	0.06	3.08	1.37
11	SLXH437	5.36	0.64	2.21

注：A点位移值为顶拱下沉量。

综合以上数据分析，围岩收敛变形值较小，顶拱下沉量也相对较小，1次支护及时，围岩自稳时间短。1号泄洪洞开挖施工工序充分体现了“新奥法”施工特点，即“开挖–测量–支护–测量”，监测结果表明围岩稳定。

3.4.2.2 安全观测仪器当前值统计

(1)多点位移计的当前值见表3-7。

(2)钢筋应力计当前值见表3-8。

(3)锚杆应力计当前值见表3-9。

(4)应变计和无应力计当前值见表3-10。

(5)孔隙水压力计当前值见表3-11。

表 3-7　多点位移计的当前值一览表

仪器编号	出厂编号	安装部位	观测天数	当前值(mm)	最小值(mm)	最大值(mm)
BX1-1	20021060	0+132.0 洞顶	412	0.65	－0.14	1.11
	2002982			0.21	－0.05	0.23
	20021007			1.15	0.00	1.34
	2002984			0.41	0.00	0.61
BX1-2	20021270	0+132.0 左侧墙	412	0.39	－0.14	0.57
	20021277			0.11	－0.13	0.12
	20021002			0.59	0.00	0.78
	20021006			0.29	0.00	0.48
BX1-3	2002977	0+132.0 洞底	485	0.11	－0.12	0.23
	2002987			0.42	0.00	0.44
	20021004			－0.04	0.00	0.25
	2002969			0.17	0.00	0.21
BX2-1	2002978	0+370.0 洞顶	458	0.17	－0.33	0.32
	20021010			0.11	－0.15	0.13
	2002971			0.38	－0.07	0.39
	2002988			0.10	－0.20	0.18
BX2-2	2002980	0+370.0 左侧墙	455	0.09	－0.15	0.76
	2002961			－0.20	－0.20	0.23
	2002958			0.00	－0.08	0.32
	2002989			0.13	0.00	0.23
BX2-3	2002983	0+370.0 洞底	510	0.25	－0.12	0.61
	2002970			1.15	－0.08	1.15
	2002950			0.30	－0.09	0.39
	2002979			－0.04	－0.09	0.10

表 3-8　钢筋应力计当前值一览表

仪器编号	安装部位	观测天数	当前值(kN)	应力值(MPa)	最大值(kN)	最大应力(MPa)
R1-1	0+131.5 顶拱	411	20.05	52.75	35.34	92.97
R1-2	0+131.5 洞壁	412	－1.69	－2.74	13.70	22.25
R1-3	0+131.5 底板	449	2.50	3.11	27.80	34.56
R2-1	0+369.5 顶拱	444	3.01	11.83	11.21	44.05
R2-2	0+369.5 洞壁	445	7.13	14.52	18.31	37.30
R2-3	0+369.5 底板	510	－6.90	－14.05	－9.83	－20.03

表 3-9　锚杆应力计当前值一览表

仪器编号	安装部位	观测天数	当前值(kN)	应力值(MPa)	最大值(kN)	最大应力(MPa)
M1-1	0+131.5 顶拱	428	22.91	46.67	36.43	74.21
M1-2	0+131.5 洞腰	433	6.05	12.33	8.99	18.31
M1-3	0+131.5 底板	485	12.01	24.47	23.26	47.59
M2-1	0+369.5 顶拱	466	4.42	9.00	8.47	17.25
M2-2	0+369.5 洞腰	466	3.64	7.42	9.26	18.86
M2-3	0+369.5 底板	508	22.08	44.98	61.69	125.67

表 3-10　应变计和无应力计当前值一览表

测点编号	安装部位	观测天数	当前值(με)	应力应变(με)	最大值(με)	最大应力应变(με)
S1-1	0+132.5 顶拱	410	122.11	39.21	201.57	71.91
S1-2	0+132.5 洞腰	411	75.08	– 7.82	145.75	32.33
S1-3	0+132.5 底板	449	134.43	51.54	220.08	171.98
N1-1	0+132.5 洞腰	411	82.90	—	132.27	—
S2-1	0+370.5 顶拱	444	165.71	99.69	253.39	145.51
S2-2	0+370.5 洞腰	444	105.69	39.66	170.96	81.16
S2-3	0+370.5 底板	511	60.48	– 5.55	– 162.33	95.72
N2-1	0+370.5 洞腰	444	66.03	—	109.68	—

表 3-11　孔隙水压力计当前值一览表

仪器编号	安装部位	观测天数	当前值(kPa)	最大值(kPa)
P1-1	0+132.0 洞腰	412	0.35	5.97
P1-2	0+210.0 洞腰	412	0.03	3.52
P2-1	0+370.0 洞腰	452	0.67	3.12
P2-2	0+284.0 洞腰	452	0.44	3.23

3.4.2.3　1 号泄洪洞仪器运行情况

1 号泄洪洞仪器运行正常，从仪器观测时间过程曲线变化趋势分析，各观测物理量相对变化较小，其中岩体变形量较小，混凝土应力、应变和仪器观测温度变化对应。

第 1 综合观测断面(0+131)仪器情况如下：

(1)多点位移计。3 套多点位移计各点测值均很小，最大测值为 1.3 mm 左右，最小值在 0 值附近。各点绝对位移均小，说明岩体稳定，3 套多点位移计各测点最大值均是在年最低温度时出现。

(2)锚杆应力计。该断面顶部、边墙和底板锚杆应力计值分别为 46.67、12.33、24.47

MPa，锚杆应力计呈周期规律性变化。

(3)钢筋计。当前值按顶部、边墙和底板钢筋计显示的值为 52.75、–2.74、3.11 MPa，总体变化趋势呈周期规律性变化，每年气温低的 1 月份值最大，每年的 7 月底显示最小值。钢筋计安装位置为该断面布置钢筋的内层钢筋上，采取绑焊对接方式，钢筋计应力变化受气温影响而波动。

(4)混凝土应变计。对比无应力计分析，各部位的混凝土应力应变计测值较小，小于 50 με，说明扣除温度等因素引起的混凝土自身因素的影响，混凝土由于外力引起的应变较小，混凝土衬砌没有受外力影响。从分析结果看，混凝土衬砌顶部和底板受拉、边墙受压，应力测值均较小。

综合分析第 1 综合观测断面，围岩对衬砌作用力小，衬砌只受温度等自身因素的影响。衬砌在每年的低温时段受力加大，整体受力情况是底板和顶部受拉，侧墙受压。

第 2 综合观测断面(0+370)仪器情况如下：

(1)多点位移计。3 套多点位移计各点测值均很小，最大测值为 1.0 mm 左右，最小值在 0 值附近。各点绝对位移均小，说明岩体稳定，3 套多点位移计各测点最大值均是在年度最低温度时出现。

(2)锚杆应力计。该断面顶部、边墙和底板锚杆应力计值分别为 9.00、7.42、44.98 MPa，侧墙部位的混凝土衬砌浇筑时锚杆受压，后回复到正常受拉状态，锚杆应力计呈时间周期规律性变化，每年低温时段拉应力变化到最大值，后逐步回升，锚杆受拉到每年的气温较高时段(7 月底)。规律比较明显。

(3)钢筋计。当前值按顶部、边墙和底板钢筋计显示的值为 11.83、14.52、–14.05 MPa，总体变化趋势呈周期规律性变化，每年气温低的 1 月份值最大，每年的 7 月底显示最小值。钢筋计安装位置为该断面布置钢筋的内层钢筋上，钢筋计应力变化受气温影响而波动。

(4)混凝土应变计。对比无应力计分析，各部位的混凝土应力应变计值较小，说明扣除温度等因素引起的混凝土自身因素的影响，混凝土由于外力引起的应变较小，混凝土衬砌受外力影响小，并且其应变连续变小，反映了混凝土徐变的结果。从分析结果看，混凝土衬砌顶部和侧墙受拉、底板受压，应变值均较小。

综合分析第 2 综合观测断面，岩体对衬砌作用力小，衬砌只受温度等自身因素的影响。衬砌在每年的低温时段受力加大，整体是顶部和侧墙受拉应力，底板受压力作用。

外水压力：1 号泄洪洞外水压力观测分 4 个断面，仪器埋设位置在洞左侧墙中部，钻孔埋设。通过观测反映，外水压力均很小，均小于 4 kPa，变化特征随时间规律性波动，每年 1 月份左右(枯水期)出现极大值，每年 7 月份(丰水期)出现极小值。说明该洞段外水压力受自然降雨直接影响较小，岩体垂直渗漏通道不发育。目前，由于水库未蓄水，外水压力和自然降雨存在对应关系，存在滞后时间(大概滞后半年)。

1 号泄洪洞观测仪器运行正常，其数值基本反映了洞室混凝土应力和应变的变化规律，洞室稳定，无异常情况出现。

观测结果显示，1 号泄洪洞运行正常。

3.4.3　2 号泄洪洞(兼导流洞)工程

3.4.3.1　收敛观测结果的说明

导流洞围岩收敛变形观测一共埋设了 21 个收敛断面。一次开挖埋设的 3 个点观测的断面收敛变形观测结果统计见表 3-12。

表 3-12　收敛变形观测结果统计

序号	断面编号	AB 线		AC 线		BC 线	
		基线长(mm)	累计变形(mm)	基线长(mm)	累计变形(mm)	基线长(mm)	累计变形(mm)
1	SldlB140	8 400	6.63	8 175	4.87	10 825	4.27
2	SldlB148	8 075	6.03	7 550	4.61	10 925	5.03
3	SldlB197	7 725	3.84	7 450	3.85	10 600	4.25
4	SldlB253	7 625	4.22	7 075	3.67	9 950	4.50
5	SldlB545	7 100	1.66	7 275	2.56	9 750	2.00
6	SldlB297	6 875	3.76	7 100	3.63	9 500	3.31
7	SldlB342	7 600	4.37	7 800	4.10	10 225	4.36
8	SldlB522	7 900	2.61	7 075	2.49	10 675	2.18
9	SldlB392	7 725	5.60	7 375	6.20	10 225	6.43
10	SldlB422	6 900	7.47	7 125	6.79	9 625	8.28
11	SldlB485	8 125	3.11	7 600	4.39	10 500	3.35

注：B 点为左侧边墙测点，C 点为右侧边墙测点，A 点为顶拱测点。

各测点绝对位移值见表 3-13。

表 3-13　各测点绝对位移值

序号	断面号	A 点绝对位移值(mm)	B 点绝对位移值(mm)	C 点绝对位移值(mm)
1	SldlB140	6.04	3.11	1.16
2	SldlB148	4.95	3.53	1.70
3	SldlB197	3.30	2.10	2.14
4	SldlB253	0.87	0.75	0
5	SldlB545	1.31	2.18	0.80
6	SldlB297	3.60	1.67	1.64
7	SldlB342	3.84	2.27	2.09
8	SldlB522	1.54	0.16	2.01
9	SldlB392	5.18	2.60	3.83
10	SldlB422	0.78	2.50	7.51
11	SldlB485	2.26	5.20	1.10

注：A 点位移值为顶拱下沉量。

二次开挖后，进行的收敛变形观测资料分析结果见表 3-14，各测点绝对位移值见表 3-15。

表 3-14　收敛变形观测资料分析结果

序号	断面编号	AB 线		AC 线		BC 线	
		基线长(mm)	累计变形值(mm)	基线长(mm)	累计变形值(mm)	基线长(mm)	累计变形值(mm)
1	SldlB248	10 100	6.12	5 750	8.33	5 200	9.00
2	SldlB292	9 525	2.36	5 475	1.74	5 075	1.50
3	SldlB325	9 275	– 0.04	5 200	– 0.09	4 825	– 0.23
4	SldlB335	10 125	3.30	5 150	3.57	6 075	3.41
5	SldlB362	9 475	1.96	5 350	1.35	4 775	1.45
6	SldlB365	9 475	– 0.18	4 900	0.37	5 725	0.15
7	SldlB448	10 100	6.16	5 750	3.75	5 200	3.99
8	SldlB452	9 300	3.21	5 400	1.45	4 700	2.00

注：A 点为左侧边墙测点，B 点为右侧边墙测点，C 点为底板测点。

表 3-15　各测点绝对位移值

序号	断面号	A 点绝对位移值(mm)	B 点绝对位移值(mm)	C 点绝对位移值(mm)
1	SldlB248	1.47	6.86	5.95
2	SldlB292	2.08	1.29	0.45
3	SldlB325	0.14	– 0.22	– 0.08
4	SldlB335	2.95	1.20	2.37
5	SldlB362	0.52	0.83	1.37
6	SldlB365	0.11	0.21	– 0.22
7	SldlB448	2.69	1.06	5.62
8	SldlB452	1.13	0.33	3.01

注：C 点为底板隆起量。

从观测数据分析，顶拱下沉量最大为桩号 0+140 断面 6.04 mm，边墙变化最大为桩号 0+442 断面的左右边墙为 2.50、7.51 mm。底板隆起量最大为 5.95 mm。从围岩收敛观测资料分析，围岩相对变形量较小，顶拱沉降量小，地板隆起量小。

地质情况表明，岩体为层状岩石，岩体强度较大，完整，地下水作用弱，围岩稳定性强。观测结果与之一致。

3.4.3.2　安全观测仪器当前值

导流洞安全观测一共埋设了 2 个综合断面和 4 个孔隙水压力计。各仪器的观测当前值统计如下：

(1)多点位移计的当前值见表 3-16。

表 3-16　多点位移计的当前值一览表

仪器编号	出厂编号	安装部位	观测天数	当前值(mm)	最小值(mm)	最大值(mm)
BX02-1	2001100	出口边坡 210	872	－0.01	－0.25	0.12
	2001104			0.01	－0.17	0.17
	2001107			－0.87	－0.87	0.00
	2001105			－0.85	－0.89	0.05
BX02-2	2001109	出口边坡 208	872	0.32	0.00	0.37
	2001110			0.25	－0.09	0.32
	2001111			—	0.00	0.14
	2001106			－0.05	－0.09	0.17
BX3-1	2001285	0+205.0 洞顶	713	1.07	0.00	2.24
	2001279			－0.08	－0.23	0.15
	2001299			0.39	－0.08	0.59
	2001286			0.23	－0.04	0.35
BX3-2	2001305	0+205.0 洞腰	713	0.17	0.00	0.29
	2001284			0.15	－0.06	0.15
	2001283			0.32	－0.05	0.32
	2001291			0.07	－0.07	0.07
BX3-3	2001304	0+205.0 洞底	679	0.28	0.00	0.38
	2001298			0.17	－0.25	0.22
	2001290			0.28	－0.18	0.31
	2001301			0.10	－0.22	0.16
BX4-1	2001281	0+515.0 洞顶	774	－0.25	－0.35	0.71
	2001280			0.71	－0.04	0.76
	2001292			0.13	－0.01	0.16
	2001300			－0.50	－0.64	0.01
BX4-2	2001289	0+515.0 洞腰	774	－0.89	－1.06	0.00
	2001288			－0.11	－0.21	0.00
	2001302			0.15	－0.08	0.22
	2001287			0.19	0.00	0.27
BX4-3	2001297	0+515.0 洞底	710	0.33	－0.05	0.35
	2001322			0.12	－0.30	0.17
	2001296			0.08	－0.15	0.12
	2001294			0.33	－0.02	0.33

(2)锚索测力计当前值见表3-17。

表3-17　锚索测力计当前值一览表

仪器编号	出厂编号	安装部位	观测天数	初始荷载(kN)	当前荷载(kN)	最大荷载(kN)
DP-1	2001180	进口洞顶 210 m高程	872	870.94	1 003.38	1 060.58
DP-2	2001181	进口洞顶 208 m高程	872	680.45	639.65	692.87

(3)钢筋应力计当前值见表3-18。

表3-18　钢筋应力计当前值一览表

仪器编号	安装部位	观测天数	当前值(kN)	应力值(MPa)	最大值(kN)	最大应力值(MPa)
R3-1	0+204.5 顶拱	709	5.80	15.26	20.78	54.67
R3-2	0+204.5 洞壁	710	– 14.48	– 14.23	– 18.17	– 17.85
R3-3	0+204.5 底板	678	– 13.46	– 27.42	– 17.73	– 36.12
R4-1	0+514.5 顶拱	774	– 2.76	– 4.49	27.13	44.06
R4-2	0+514.5 洞壁	774	– 8.34	– 17.00	18.02	36.71
R4-3	0+514.5 底板	710	27.35	34.00	67.76	84.25

(4)锚杆应力计当前值见表3-19。

表3-19　锚杆应力计当前值一览表

仪器编号	出厂编号	安装部位	观测天数	当前值(kN)	应力值(MPa)	最大值(kN)	最大应力值(MPa)
M3-1	20010275	0+204.5 顶拱	713	8.04	16.39	22.78	46.41
M3-2	20010268	0+204.5 洞腰	713	6.85	13.95	9.76	19.88
M3-3	20010270	0+204.5 底板	679	8.71	17.74	19.62	34.47
M4-1	20010278	0+514.5 顶拱	774	14.62	29.77	48.13	98.05
M4-2	20010274	0+514.5 洞腰	774	– 4.47	– 9.10	4.84	9.86
M4-3	20010277	0+514.5 底板	710	– 0.87	– 1.78	12.12	24.69

(5)应变计和无应力计当前值见表3-20。

表 3-20 应变计和无应力计当前值一览表

仪器编号	安装部位	观测天数	当前值(με)	应力应变(με)	最大值(με)	最大应力应变(με)
S3-1	0+205.5 顶拱	709	96.32	34.51	167.43	47.32
S3-2	0+205.5 洞腰	710	92.23	30.42	145.50	40.43
S3-3	0+205.5 底板	677	36.83	– 24.98	151.22	– 72.13
N3-1	0+205.5 洞腰	710	61.81	—	114.67	—
S4-1	0+515.5 顶拱	774	– 59.80	– 81.73	– 165.18	– 277.06
S4-2	0+515.5 洞腰	774	62.33	40.40	110.21	59.88
S4-3	0+515.5 底板	710	60.15	38.22	156.05	63.30
N4-1	0+515.5 洞腰	774	21.93	—	138.50	—

(6)孔隙水压力计当前值见表 3-21。

表 3-21 孔隙水压力计当前值一览表

仪器编号	出厂编号	安装部位	观测天数	当前值(kPa)	最大值(kPa)
P3-1	1288	0+205.0 洞腰	713	2.92	5.78
P3-2	46	0+411.0 洞腰	710	– 0.02	2.14
P4-1	57	0+515.0 洞腰	774	20.21	26.07
P4-2	51	0+542.0 洞腰	738	9.74	17.49

3.4.3.3 2 号泄洪洞(兼导流洞)仪器运行情况

2 号泄洪洞(兼导流洞)仪器运行正常，从对各仪器观测时间过程曲线变化及趋势分析中可以看出，其岩体变形量较小，混凝土应力、应变和仪器观测温度变化对应。

第 3 综合观测断面(0+205)仪器情况如下：

(1)多点位移计。3 套多点位移计各点测值均很小，最大测值为 2.0 mm 左右，最小值在 0.4 mm 附近。各测点绝对位移均小，岩体稳定。BX3-2 变化趋势有上升趋势，目前测值较小。

(2)锚杆应力计。该断面顶部、边墙和底板锚杆应力计值分别为 16.39、13.95、17.74 MPa，锚杆应力计呈周期规律性变化明显，且 2003 年的测值较 2002 年测值大。

(3)钢筋计。当前值按顶部、边墙和底板钢筋计显示的值为 15.26、–14.23、– 27.42 MPa，数值显示该洞段内层钢筋受力规律为，顶部钢筋受拉应力，边墙和底板受力为压应力。总体变化趋势呈周期规律性变化，每年气温低的 1 月份值最大，每年的 7 月底显示最小值。钢筋计安装位置为该断面布置钢筋的外侧钢筋上，采取绑焊对接方式，钢筋计应力变化受气温影响而波动较大。

(4)混凝土应变计。对比无应力计分析，各部位的混凝土应力应变计测值较小，小于40 με，说明扣除温度等因素引起的混凝土自身因素的影响，混凝土由于外力引起的应变较小，混凝土衬砌没有受外力影响。从分析结果看，混凝土衬砌顶部和边墙呈受拉、底板受压，应力测值均较小。

综合分析第3综合观测断面，岩体对衬砌作用力小，衬砌混凝土只受气温等自身因素的影响。衬砌在每年的低温时段受力加大，整体是顶部和侧墙部位受拉，底板受压。导流洞通水后，对衬砌混凝土没有产生明显影响。

第4综合观测断面(0+515)仪器情况如下：

(1)多点位移计。3套多点位移计各点测值均很小，从过程曲线可以看出，最大测值为0.8 mm左右。各点绝对位移均小，说明岩体稳定，3套多点位移计各测点最大值均是在年最低温度出现。0+515断面为断层发育洞段，在处理洞顶塌方灌浆过程中，位移计BX4-1出现突变。

(2)锚杆应力计。该断面顶部、边墙和底板锚杆应力计值为29.77、–9.10、–1.78 MPa，侧墙部位的混凝土衬砌浇筑时锚杆受压，后回复到正常受拉状态，锚杆应力计呈时间周期规律性变化，每年低温时段拉应力变化到最大值，后逐步回升，锚杆受拉到每年的气温较高时段7月底。断层带回填灌浆对顶部锚杆测力计产生影响明显，突变在灌浆结束后逐渐回复。

(3)钢筋计。当前值按顶部、边墙和底板钢筋计显示的值为– 4.49、–17.00 MPa和34.00 MPa，总体变化趋势呈周期规律性变化，每年气温低的1月份值最大，每年的7月底显示最小值。钢筋计安装位置为该断面布置钢筋的外侧钢筋上，采取绑焊对接方式，钢筋计应力变化受气温影响而波动。其中钢筋计R4-2为长期受压状态，压应力较小。

(4)混凝土应变计。对比无应力计分析，各部位的混凝土应力应变计测值较小，说明扣除温度等因素引起的混凝土自身因素的影响，混凝土由于外力引起的应变较小，混凝土衬砌没有受外力影响，并且其应变连续变小，基本反映了混凝土徐变的结果。从分析结果看，混凝土衬砌顶部和底板呈受拉、侧墙受压，应力测值均较小。其变化规律和该断面其他仪器变化规律相同。

综合分析第4综合观测断面，岩体对衬砌作用力小，衬砌混凝土只受温度等自身因素的影响。衬砌在每年的低温时段受力加大，整体是顶部和底板受拉应力，侧墙受压应力作用。

外水压力：1号泄洪洞外水压力观测分4个断面，仪器埋设位置在洞左侧墙中部，钻孔埋设。从观测看，外水压力均较小，曲线变化特征随时间规律性波动，其中，压力计P3-1、P3-2每年1月份左右(枯水期)出现极大值，每年7月份(丰水期)出现极小值。说明该洞段外水压力受自然降雨直接影响较小，岩体垂直渗漏通道不发育，目前由于水库未蓄水，所以外水压力和自然降雨存在对应关系，存在滞后性效应，大概滞后时间为半年；压力计P4-1、P4-2安装部位岩体有地下水渗漏，受外界自然降水影响较大，8月中下旬的较多降水均对应出现最大值。

进口边坡稳定观测：进口边坡共安装了2套多点位移计和2套锚索测力计进行边坡

稳定观测，主要对导流洞和龙抬头段的岩体进行观测，由于龙抬头的爆破施工对仪器观测电缆线的破坏，爆破时对该处岩体的影响未被测试，到2号泄洪洞进水塔的施工后，观测恢复，锚索测力计的测值分别由原来的840、670 kN变化为1 000、650 kN，说明锚索的施工对该处的岩体稳定有影响。锚索测力计 DP-1 的值还在继续变化，并有增大趋势。

2 号泄洪洞(兼导流洞)观测仪器运行正常，其数值基本反映了洞室混凝土应力和应变的变化规律，洞室稳定，无异常情况出现。

观测结果显示，2号泄洪洞运行正常，能满足蓄水要求。

3.4.4 大坝工程观测

混凝土面板堆石坝及非常溢洪道工程观测内容主要包括表面变形、内部变形、渗流、面板钢筋应力及库水位观测。本工程坝体高、坝基两岸陡峻，坝体变形和渗流条件复杂。安全监测通过对工程建筑物施工过程进行必要观测，了解其工作状况，以保证正常施工，评价施工质量。观测仪器设备的安装埋设随土建施工进行，为避免或减少仪器埋设过程中的施工干扰，应严格按有关要求的规定，保证观测仪器设备埋设时间和施工质量，并特别注意对已埋设仪器设备和电缆线路等的保护。

混凝土面板堆石坝及非常溢洪道工程观测已经实施的项目主要包括坝体渗流观测和坝体内部变形观测。

3.4.4.1 大坝垂直位移量观测

大坝内部沉降变形观测已经安装两层水管式沉降仪进行观测，其中第一层(205 m 高程)5个沉降观测点自3月20日开始测读至9月30日，累计沉降量见表3-22。

表 3-22 水管式沉降仪(205 m 高程)沉降量统计

测点编号	测点坝轴距	测点高程(m)	观测沉降量(mm)	总计沉降量(mm)
TC1-1	坝上 0+90	207.35	25.3	43.1
TC1-2	坝上 0+60	207.43	158.8	176.6
TC1-3	坝上 0+28	207.25	283.9	301.7
TC1-4	坝上 0+00	207.16	274.3	292.5
TC1-5	坝下 0– 35	207.25	240.3	258.1

第二层1～3观测点自6月18日开始测读至9月30日，第4测点自9月11日开始观测，累计沉降量见表3-23。

表 3-23 水管式沉降仪(228 m 高程)沉降量统计

测点编号	测点坝轴距	测点高程(m)	观测沉降量(mm)	总计沉降量(mm)
TC2-1	坝上 0+60	229.95	57.5	150.6
TC2-2	坝上 0+28	229.98	57.8	193.2
TC2-3	坝上 0+00	229.92	42.6	158.1

3.4.4.2 观测房的沉降量

观测房的沉降观测在表面变形观测网未建立之前，在观测房顶布设 3 个测点，使用 LEICA DNA03 型水准仪测量，建立临时水准点，按照三等水准测量要求测量。205 m 高程观测房自 4 月 19 日至 9 月 30 日的测量结果表明，观测房沉降量为 17.8 mm。

228 m 高程临时观测房由于填筑的需要，第一个观测房位置是坝后桩号 0–16，后来移动的位置桩号为 0– 45。观测房的沉降量较 205 m 高程观测房沉降量大，自 6 月 12 日至 9 月 3 日沉降量 122.5 mm，9 月 11 日至 29 日第二个临时观测房沉降 69.9 mm。

3.4.4.3 观测资料分析

利用水管式沉降仪观测到的沉降量不是大坝堆石体全部的沉降量,大坝填筑过程中,安装仪器测量前的沉降量不能测量到,所谓的总变形量也是相对地表示大坝总体沉降量,并由于大坝堆石体的变形还在随着填筑高度的加大而变化，统计沉降量数据，为计算堆石体变形模量等其他参数准备数据。

我们选择了三个时期的填筑断面和观测数据来分析施工过程中坝体堆石体的沉降量，以此来简单说明堆石体的沉降规律。

205 m 高程水管式沉降仪测量的沉降量，即在上覆荷重作用下，自河床基岩面以上到观测高程堆石体的变形量(大坝基础基岩面相对稳定)。自 2003 年 3 月 20 日至 9 月 30 日 180~205 m 高程堆石体的沉降统计见表 3-24。

表 3-24　施工过程中 180 m 至 205 m 高程堆石体的沉降统计　（单位：mm）

观测时间(年-月-日)	测点					
	TC1-1 (0+90)	TC1-2 (0+60)	TC1-3 (0+28)	TC1-4 (0+00)	TC1-5 (0– 35)	观测房 (0– 117)
2003-07-17	30.5	135.0	217.2	187.2	104.0	4.03
2003-08-27	37.2	163.7	272.7	240.2	178.0	12.7
2003-09-30	43.7	176.6	301.7	292.5	258.1	17.8

228 m 高程水管式沉降仪测出的沉降量，是指观测系统埋设并观测后，自河床基岩面以上到观测高程堆石体观测沉降量(见表 3-25)，其中包括第一层沉降仪后来测出的沉降量。

表 3-25　施工过程中 228 m 高程堆石体的沉降统计　（单位：mm）

观测时间(年-月-日)	测点				
	TC2-1 (0+60)	TC2-2 (0+28)	TC2-3 (0+00)	TC2-4 (0– 35)	临时观测房
2003-07-17	67.5	80.4	47	—	27.9
2003-08-27	131.1	166.2	114.2	—	97.3
2003-09-30	150.6	193.2	158.1	82.7	69.9

堆石体自 205 m 高程到 228 m 高程的沉降值自 2003 年 6 月 20 日至 9 月 30 日的观测沉降统计见表 3-26。

表 3-26　施工过程中 205 m 到 228 m 高程堆石体的沉降统计　（单位：mm）

观测时间（年-月-日）	测点				
	TC2-1（0+60）	TC2-2（0+28）	TC2-3（0+00）	TC2-4（0–35）	临时观测房
2003-07-17	19.4	19.9	5.4	—	—
2003-08-27	54.4	50.2	19.5	—	9.7
2003-09-30	60.1	48.2	11.2	2.7	11.7

自坝基到 228 m 高程堆石坝料的沉降参考值见表 3-27。

表 3-27　施工过程中 180 m 到 205 m 高程堆石体的沉降统计　（单位：mm）

观测时间（年-月-日）	测点					
	（0+90）	（0+60）	（0+28）	（0+00）	（0–35）	观测房（0–117）
2003-07-17	30.5	154.5	237.1	192.6	119.0	4.03
2003-08-27	37.2	218.1	322.9	259.8	187.7	12.7
2003-09-30	43.7	237.6	349.9	303.7	269.8	17.8

坝体总沉降值是未包括堆石体自身重量引起的沉降值。

沉降量观测结果表明，随着上覆荷重的增加沉降量增大。各个测点的位移量的差值对应了上覆堆石体自重应力不同和应力的分布规律。由于填筑条带的不断改变，各测点的沉降速率变化也相应改变，变形规律不是完全相同的。

按施工过程中填筑后堆石体抽检的试验中测取的堆石填筑密度计算重力引起的垂直压缩模量，上覆厚度为对应日期测量实测值，下伏堆石体厚度按实际平均值计算，计算公式如下：

$$E_v=(\gamma Hd)/S \tag{3-3}$$

式中　E_v——重力压缩模量，MPa；

γ——堆石填筑密度；

H——测点上覆堆石体厚度；

d——测点下伏堆石体厚度；

S——实测沉降量。

按以上公式和统计数据，计算的重力引起的垂直压缩模量结果统计见表 3-28、表 3-29。

表 3-28　205 m 高程水管式沉降仪垂直压缩模量计算值统计

压缩模量 日期及统计数据		测点及沉降量					
		TC1-1（0+90）	TC1-2（0+60）	TC1-3（0+28）	TC1-4（0+00）	TC1-5（0–35）	观测房（0–117）
2003-07-17	上覆厚度（m）	6	22	29	25	14	1
	沉降量（cm）	30.9	135	217.2	187.2	104.0	4.03
	压缩模量（MPa）	107.8	90.4	74.1	74.1	77.1	136.5
2003-08-27	上覆厚度（m）	8	32	40	32	22	1
	沉降量（cm）	37.2	163.7	272.7	240.2	178.0	12.7
	压缩模量（MPa）	119.4	108.5	81.4	73.9	70.8	86.6
2003-09-30	上覆厚度（m）	8	32	38	38	32	2
	沉降量（cm）	43.7	176.6	301.7	292.5	258.1	17.8
	压缩模量（MPa）	101.6	97.4	69.9	70.2	71.0	77.2

表 3-29　228 m 高程水管式沉降仪垂直压缩模量计算值统计

压缩模量 日期及统计数据		测点及沉降量				
		TC2-1 (0+60)	TC2-2 (0+28)	TC2-3 (0+00)	TC2-4 (0– 35)	临　时 观测房
2003-07-17	上覆厚度(m)	5.5	5.5	3.5	0	
	沉降量(cm)	67.5	80.4	47	—	
	压缩模量(MPa)	86.8	72.9	79.4		
2003-08-27	上覆厚度(m)	9	12	7.5	0	
	沉降量(cm)	131.1	166.2	114.2	—	
	压缩模量(MPa)	73.2	76.9	70.0		
2003-09-30	上覆厚度(m)	10	14	10.5	6	8
	沉降量(cm)	150.6	193.2	158.1	82.7	69.9
	压缩模量(MPa)	70.8	77.2	70.8	79.7	122.0

从重力压缩模量的计算结果可以看出，堆石体的压缩模量计算值在上游测点和下游观测房测点值较大，主要是受上覆重量和边界条件的影响，主要堆石体和次堆石区差别不明显。由于沉降观测值测读条件的限制，计算的模量值相比较类似工程偏大，说明填筑施工过程符合设计要求，碾压各工序质量控制符合规范要求。

3.4.4.4　大坝水平位移观测

大坝水平位移观测仪器采用电位器式水平位移计，228 m 高程已经埋设 3 个测点，自 6 月 14 日观测至 9 月 2 日，观测值统计见表 3-30。

表 3-30　228 m 高程水平位移计观测值统计

测点编号	测点坝轴距	测点高程(m)	水平位移计值(mm)	累计位移量(mm)
ID1-1	坝上 0+60	228.95	–6.43	27.37
ID1-2	坝上 0+28	228.95	2.02	20.91
ID1-3	坝上 0+00	228.95	6.91	22.89
观测房	坝下 0– 16	228.95		29.80

9 月 3 日，挪动临时观测房后，到 9 月 30 日位移计观测值统计见表 3-31。

表 3-31　228 m 高程水平位移计观测值统计

测点编号	测点坝轴距	测点高程(m)	水平位移计值(mm)	累计位移量(mm)
ID1-1	坝上 0+60	228.95	– 4.29	14.09
ID1-2	坝上 0+28	228.95	7.90	9.76
ID1-3	坝上 0+00	228.95	12.07	17.64
ID1-4	坝下 0– 35	228.95	–1.66	4.07
观测房	坝下 0– 48	228.95		2.40

临时观测房位移观测值见表 3-32(向下游位移为正值，向左岸位移为正值)。

表 3-32　228 m 高程临时观测房位移观测值

观测时间 (年-月-日)	累计位移 x(mm)	本次位移 x(mm)	累计位移 y(mm)	本次位移 y(mm)
2003-06-12	0	0	0	0
2003-07-03	13.5	13.5	−3.0	−3.0
2003-07-17	−1.2	−14.7	−14.8	−11.8
2003-07-28	0.4	1.6	−19.1	−4.3
2003-08-10	3.6	3.2	−19.4	−0.3
2003-08-27	−0.8	−4.4	6.4	25.8
2003-09-02	−7.7	−6.9	29.8	23.4
2003-09-21	8.7	8.7	−2.5	−2.5
2003-09-29	6.7	−2.0	2.4	4.9

观测结果表明，水平位移量和坝体填筑顺序相关，并受填筑施工干扰较大。在 8 月份前填筑防洪临时挡水断面时，大坝整体向上游位移。8 月份填筑重点为下游次堆石区，大坝整体向下游位移量在 5 cm 左右。现位移速率下降，趋势变缓，主要是与填筑速度降低等有关。

3.4.4.5　孔隙水压力观测

大坝已埋设各孔隙水压力计的观测值统计见表 3-33。

表 3-33　大坝孔隙水压力计观测值统计

仪器编号	出厂编号	安装部位	观测天数	当前值(kPa)	最大值(kPa)
PD-4	64963	坝上 0+141.00	117	47.65	59.41
PD-5	64951	坝上 0+141.00	124	52.80	64.50
PD-6	64968	坝上 0+141.00	131	54.59	65.90
PD-7	64970	坝上 0+141.00	145	57.91	81.66
PD-8	64958	坝上 0+141.00	158	51.30	62.80
PD-9	64962	坝上 0+464.30	136	4.23	21.10
PD1-1	64967	坝上 0+080.35	247	2.64	4.68
PD1-2	64959	坝上 0+042.00	251	− 1.25	5.96
PD2-1	64940	坝上 0+118.00	472	10.31	21.80
PD2-2	64952	坝上 0+090.00	539	6.45	18.64
PD2-3	64953	坝上 0+042.00	539	13.12	25.28
PD2-4	64954	0+000.00	539	14.20	26.38
PD2-5	64955	坝下 0+050.00	534	25.48	37.75
PD2-6	64956	坝下 0+102.00	534	21.46	33.77
PD3-1	64491	坝上 0+046.71	216	0.19	6.12
PD4-1	5346	增加孔(右岸)	180	90.40	186.33
PD4-2	5360	增加孔(左岸)	188	26.26	127.83

对孔隙水压力计观测发现，大坝内孔隙水压力目前受施工洒水、降雨影响较大，各测点对照比较可知：左、右岸断层影响带埋设的仪器 PD4-1、PD4-2 测量值较大，且变动和降雨过程一致，说明断层及其影响带和地表水力联系通道较短。沿周边缝布设的孔隙水压力计和坝体内部孔隙水压力计变化一致。

2003 年 8 月底，由于长期降雨引起下游河水位上涨，下游水位达到 180.40 m 左右，大坝坝基内水位全面上涨，通过 9 月份一个多月时间的观测，大坝坝体内部水位、下游水位和自然降水影响明显，坝基上和趾板后(水平段)埋设的渗压计水位一致，无水势差，但回落过程有稍微滞后，也可能是误差引起。

3.4.4.6 面板钢筋应力观测

面板钢筋计观测值见表 3-34。

表 3-34 面板钢筋计观测值

仪器编号	出厂编号	安装部位	观测天数	当前值(kPa)	应力值(kPa)	最高温度(℃)
RD2-1	20022635	坝上 0+133.0	128	–4.74	–12.46	47.8

观测结果表明，钢筋计的变化较小，应力值变化较小。

3.4.4.7 面板混凝土内部温度观测

面板混凝土内部温度观测见表 3-35。

表 3-35 面板混凝土内部温度观测

仪器编号	出厂编号	埋设位置	观测天数	当前温度(℃)	最高温度(℃)
T'	2003347	坝上 0+118.5 桩号 0+168.5	119	24.6	50.7
T-1	2003350	坝上 0+133.0 桩号 0+334.5	149	23.7	41.1

面板混凝土内部温度观测结合气温测量是为了比较在气温较高的季节里(6 月)，混凝土浇筑过程中面板内部、外部的温差，以保证面板浇筑的施工质量。

3.5 鸡冠山高边坡危岩安全监测

3.5.1 鸡冠山危岩概况

盘石头水库坝址区属于低山侵蚀地貌，右岸鸡冠山山体单薄。上部发育近直立的陡壁为灰岩，三面临河，呈西北向展布，高出坝体 150～250 m，悬崖峭壁危岩耸立，摇摇欲坠。基座即两洞进、出口属右岸单薄山体，岩层性质相对软弱。

中国科学院地质与地球物理研究所地质工程中心和贵阳勘测设计研究院曾就此问

题进行过专题研究和调查，两家分别提出了《河南省淇河盘石头水库右岸导流洞、泄洪洞进出口及鸡冠山高边坡变形与稳定性问题研究》(2000 年 3 月)、《河南省淇河盘石头水库工程鸡冠山高边坡危岩体地质勘察及稳定性研究专题报告》(2002 年 4 月)。这两份报告充分论述和计算了大坝右岸鸡冠山高边坡危岩体的变形和破坏特征，研究报告的主要内容如下：

(1) 鸡冠山上硬下软的地层岩性是自然情形下鸡冠山基座及其上部灰岩边坡变形的物质基础和根本原因。在水库运营期间，由于地质条件的改变或其他不可预见因素的影响，危岩体浸水压缩变形增加与崩塌，并以倾倒和圆弧形剪切滑动为主要破坏模式。所以，底部基座先行破坏是整体岩体失稳的直接原因。

(2) 建议对陡壁上各主要危岩体及整体鸡冠山边坡区进行系统的、长期的工程观测，以便随时了解边坡及危岩体的稳定状态和变形发展趋势，为预测和防治边坡失稳提供可靠依据。

3.5.2 鸡冠山地层岩性和地质构造

组成鸡冠山高边坡区的地层主要为寒武系中统 ($\in 2$) 及寒武系下统 ($\in 1$) 地层，二者岩性组合特征具有明显的不同。

寒武系中统地层分布高程一般在 300 m 以上，主要由 $\in_2^{18}$～$\in_2^{26}$ 层组成，在岩性特征上除 $\in_2^{19}$ 为薄层状灰岩外，其余各层均为厚至中厚层灰岩、鲕状灰岩或豹皮灰岩，岩体新鲜坚硬，质地均匀，在地形上形成高耸山峰。

寒武系下统地层分布在 300 m 高程以下，其岩性组合特征则主要以页岩及页岩夹灰岩为主，岩性软硬相间、风化破碎，多形成缓坡地形，局部见小陡壁，总体上属于软弱岩类。其中与鸡冠山高边坡稳定关系密切的主要为 $\in_2^{17}$～$\in_2^{10}$ 层，并构成了鸡冠山高边坡陡崖的基座。

盘石头水库坝址位于马鞍山背斜东翼。区内构造形态以断裂为主，一般为 NE 向高角度正断层，发育间距最密处 5～10 m。岩层产状平缓，受构造等因素影响岩层产生了不同程度褶曲，岩层产状也相应有所起伏变化。

区内断层常以近平行的组合形态出现，走向一般为 N20°～50°E，横切河谷，倾向 NW 或 SE，倾角 50°～90°，断层规模一般均不大，但影响范围内节理、裂隙较发育，岩体破碎，风化较严重。

边坡区岩体中裂隙比较发育，裂隙以构造裂隙为主，卸荷裂隙、风化裂隙也是形成卸荷危岩体的主要原因。

3.5.3 边坡危岩分布范围及其特征

贵阳勘测设计研究院对危岩体做了详细调查，将其分布位置、规模及边界条件特征进行了描述，并利用有限元法对岩体进行了稳定计算，具体成果见表 3-36。

从以上分析可以看出，需监测的危岩体包括处于变形破坏阶段的危岩体，处于极限平衡状态的危岩体和水平位移较大的，有失稳可能的危岩体三部分，为 T1、T4、T5、T11、T12、T13、T14、T17、T18、T19、T20、T22 共 12 块。

表 3-36 危岩体分布位置、边界条件及稳定分析情况

编号	工程部位	分布高程(m)	危岩体规模宽×高×厚(m×m×m)	边界条件	破坏模式	稳定安全系数(K)	备注
T1	导流洞进口右上部	308～333	10×25×5	后缘为卸荷张开裂缝，宽 10～20 cm，上宽下窄，裂面平直	沿切割面剪切座滑	1.009	危岩体呈上大下小的柱状体
T2	导流洞进口右上部	308～328	6×20×4	后缘为卸荷张开裂缝，宽 5～10 cm，充填少	倾倒	1.214	危岩体呈上大下小的楔形体
T3	导流洞进口上部	308～315	8×7×4	后缘裂缝，宽 10～20 cm	座滑	2.016	危岩体高度不大，横断面呈三角形
T4	导流洞进口左上部陡坡脚	312～362	7×50×6	NW 向裂隙构成危岩体后缘，裂隙宽 10～20 cm，无填充	倾倒或座滑	1.469	危岩体高大，呈长柱状，基脚软岩强烈风化
T5	导流洞进口左侧陡坡脚	313～343	10×20×10	受组合裂隙切割，卸荷张开 3～20 cm，填充黏土或碎石	顺坡滑移	0.980	危岩体呈楔形状，边坡临空出露
T6	导流洞进口左侧陡坡脚	310～340	5×25×4	后缘为张开裂缝，宽度 5～10 cm，充填	倾倒或座滑	1.427	危岩体呈柱状
T7	1 号泄洪洞进口左上部坡脚	309～325	200	后缘为卸荷张开裂缝，宽 1～5 cm，裂面平直	倾倒	1.371	危岩体被组合裂隙切割成柱状体
T8	1 号泄洪洞进口左上部坡脚	325～336	5×10×4	后缘为卸荷张开裂缝，下部为阶梯状缓倾裂隙，岩体破碎	倾倒或剪切滑移	2.484	危岩体呈上大下小形状，基础破碎
T9	1 号泄洪洞进口左上部坡脚	310～320	18×20×25	后缘为卸荷张开裂缝，上宽下窄，无填充	倾倒或座滑	2.120	危岩体呈柱状位于山脊处，三面临空
T10	大坝右坝头轴线上游 90 m 处	302～320	8×13×3	后缘为卸荷张开裂隙，宽 5～20 cm	倾倒或座滑	1.110	危岩体呈柱状位，表面有岩块叠置，多松动
T11	大坝右坝头轴线上游 60 m 处	302～320	5×23×5	后缘为卸荷张开裂隙，宽 20～30 cm。裂面上陡下缓状	倾倒或剪切滑移	1.371	危岩体呈楔形状，其前部有一与母岩分离的孤立岩柱
T12	大坝右坝头轴线上游 50 m 处	307～328	4×22×4	后缘为卸荷张开裂隙，宽 50～80 cm。下部软岩被风化剥蚀，呈倒坡状	倾倒或座滑	0.971	危岩体呈倒柱状，下部倒悬

续表 3-36

编号	工程部位	分布高程(m)	危岩体规模 宽×高×厚	边界条件	破坏模式	稳定安全系数(*K*)	备注
T13	大坝右坝头轴线上游15 m处	303～325	60	后缘为卸荷张开裂隙，宽 5～20 cm	倾倒或座滑	1.431	危岩体呈柱状，三面临空
T14	大坝右坝头轴线上游5 m处	302～333	8×26×7	后缘为卸荷张开裂隙,宽3～5 cm。下部岩体被风化剥蚀呈倒悬状	倾倒或座滑	0.889	危岩体呈柱状，下部倒悬
T15	大坝右坝头轴线下游25 m处	308～325	12×24×5	后缘为卸荷张开裂隙，宽 10～50 cm	倾倒	1.187	危岩体呈柱状体
T16	大坝右坝头轴线下游60 m处，冲沟下游	331～341	3×10×3	后缘为卸荷张开裂隙，宽 10～20 cm。裂面下部呈阶梯状	倾倒或剪切滑移	3.659	危岩体呈柱状，孤悬于崖顶
T17	大坝右坝头轴线下游70 m处	318～333	4×10×4	后缘为卸荷张开裂隙,宽1～5 cm。裂面下部呈阶梯状。三面临空	倾倒	1.007	位于两冲沟之间山脊突出部，危岩体呈斜柱状
T18	大坝右坝头轴线下游90 m处，陡崖脚中下部	310～320	4×12×4	后缘为卸荷张开裂隙,宽3～5 cm。另有一缓倾裂隙断续延伸	倾倒或剪切滑移	1.001	危岩体呈楔形体状
T19	大坝右坝头轴线下游105 m陡崖脚处	304～345	7×32×5	由两组裂隙组合切割而成，后缘卸荷裂隙张开，宽 3～10 cm，下部岩体被风化剥蚀，呈倒坡状	倾倒或座滑	0.931	危岩体呈柱状，其下部裂隙因溶蚀扩大成溶洞，无填充
T20	大坝右坝头轴线下游130 m陡崖脚处	303～358	10×55×8	位于陡崖突出部，三面临空，后缘卸荷张开裂缝，宽 5～10 cm，下部缓倾裂隙断续延伸，呈倒坡状	倾倒或剪切滑移	0.982	危岩体呈楔形体和柱状，可分为三个柱状体
T21	大坝右坝头轴线下游160 m冲沟上游陡崖脚处	308～333	5×25×5	后缘裂隙张开裂缝,宽20～40 cm,碎石填充，下部岩体风化呈倒坡状	倾倒或剪切滑移	1.248	危岩体呈柱状
T22	导流洞出口边坡顶部	285～310	10×40×5	位于陡崖突出部，后缘裂隙张开裂缝，宽 15～30 cm，下部两组裂隙组合切割	倾倒或座滑	0.981	危岩体呈斜柱状，下部岩体被风化剥蚀呈倒悬状

3.5.4 监测方案

3.5.4.1 监测目的

依照地质调查结论和蓄水后库水位的影响范围，危岩体或泄洪建筑物的进、出口边坡因长期浸泡导致基座松软，危岩体将发生倾倒或底部岩石发生剪切破坏，进而影响水库的安全运行。所以监控高边坡危岩体和下部岩体变形为此次监测设计的重点。通过长期监测(自动化观测)可以达到以下目的：

(1)随时了解边坡及危岩体的稳定状态和变形发展趋势，为预测和防治边坡失稳提供可靠依据。

(2)及时发现高边坡危险块体，保证水工建筑物的安全运行。

(3)监控基座(泄洪洞进、出口边坡)的变形变化趋势，预防破坏性崩塌，及时采取措施进行治理，并为治理设计提供原型观测数据。

(4)监控岩体变形对进水塔的影响。

3.5.4.2 监测对象

监测对象为高边坡危岩体中的处于极限平衡状态块体和危险块体。

3.5.4.3 监测方法

采用的监测方法主要有：

(1)危岩体大范围重新地质调查。在贵阳勘测设计研究院和中国科学院地质与地球物理研究所工作的基础之上，重新对高边坡的危岩体进行地质调查，对危险块体进行安全评估和力学分析，从工程地质角度划定不稳定块体或区域，选择潜在不稳定块体进行监测。

(2)埋设测缝计对经分析确定为不稳定的岩体进行观测。选取最危险的 12 个不稳定体后缘卸荷裂缝安装大量程测缝计(300 mm)，观测裂缝的变化情况，以预测不稳定块体的位移趋势。

将仪器通过自动化设备进行自动化测试，自动分析观测数据并自动报警。通过对长期观测数据的分析，评价危岩体和基座的稳定性。

3.5.4.4 监测仪器布置

选 T1、T4、T5、T7、T11、T12、T13、T14、T17、T18、T19、T20、T22 等最危险危岩体或对大坝及泄洪系统等主要建筑物来说比较重要的岩体顶部及上下游侧，埋设 24 支测缝计，测缝计量程 5 cm。测缝计需要保护，防止不稳定块石等外界因素的冲击破坏，并要设立防雷击系统。为将仪器观测电缆埋设至 278 m 高程的公路旁，以便于今后变形观测数据收集及巡视。

通过上述监测仪器布置，能够达到监控主要危险块体的位移情况，进口塔的位移、倾斜变化，水库蓄水以后基座岩石的深层变形情况等的目的。可以对上述变化情况通过自动化系统实现自动观测、自动报警，使之成为完整的危岩体监测预警系统，为将来水库运行提供及时观测资料和采取工程措施的重要依据。

3.6 盘石头水库安全监测自动化系统

3.6.1 国内外监控自动化系统的发展状况

3.6.1.1 计算机监控系统的特点和发展

在电子计算机出现后不久，人们就在工业自动化领域找到了它的用武之地。起初，主要用途是做数值计算。然而，计算机的特长不仅仅是数值计算，它还有极强的逻辑判断和其他处理能力。因而，在文字和其他信息的数字化技术逐步成熟之后，计算机的应用逐步扩展到信息的处理和各种事物处理领域。近年来，随着这些过程信息的数字化技术逐步发展成熟，计算机的应用领域又扩展到了工业过程及生产制造领域，这就是人们常说的计算机控制系统，或更广泛地说，是计算机工业自动化系统。

一般来说，工业自动化包含两个主要内容。第一是测量，即及时准确地了解工业过程的现状；第二是控制，即使工业过程按照人们要求的状态运行，出现偏差及时校正。

如果以计算机工业自动化系统的功能进行分类，则可分为两大类：以测量功能为主的计算机工业自动化系统常被称为计算机数据采集系统，而以控制功能为主的计算机工业自动化系统则被称为计算机控制系统。为了方便，人们往往将计算机数据采集系统和计算机控制系统统称为计算机控制系统。现就对其发展过程及发展趋势做一个简要的介绍。

无论是哪种计算机控制系统，就其系统体系结构本身，都可分为集中控制系统（CCS）和分布控制系统（DCS）两种，DCS 就是一种以分散的数据采集、控制和集中的监视管理为主要结构特征的计算机控制系统。

集中控制系统的主要特点是由单一的计算机完成控制系统的所有功能和对所有被控对象实施控制。其功能主要包括过程数据输入输出（PIO）、对控制回路的闭环控制、实时数据库的管理、实时数据的处理与保存、历史数据库的管理、历史数据处理与保存、人机界面的处理（HMI），报警与日志记录、报表以及系统本身的监督管理等。从 1959 年 3 月在美国得克萨斯州 Texaco 炼油厂投入运行的第一套计算机控制系统始，一直到 20 世纪 70 年代中期，各个计算机控制系统均为这种集中式的体系结构。集中式控制系统的优点是结构简单、清晰，集中式的数据库很容易管理，并容易保证数据一致性。但其缺点也很多，主要有以下几种：

(1)各种功能集中在一台计算机中，使得软件系统相当庞大，各种功能要由很多实时任务去完成，而任务数量的增加导致系统开销增大，计算机运行效率下降。

(2)由于集中式系统需要庞大而复杂的软件体系，使得系统软件可靠性下降，实际运行情况表明，集中式系统在现场运行时出现的故障有 70%以上是由于设计不良或存在缺陷软件造成的。因此，尽管很多集中式系统为了保证硬件可靠性而精心设计了双重冗余与备份，仍然避免不了故障的出现，甚至加了冗余的系统故障率反而高于没有冗余的系统，究其原因，均是软件引起的问题。

(3)系统的可扩性差。限于计算机硬件的配置与能力，一个系统在建立时基本就已确定了其最终能力。如果能预见到其规模的扩充，只有预留计算机的处理能力，这将造成投资上的很大浪费。

(4)集中式的系统将所有的功能、所有的处理集中在一台计算机上，大大增加了计算机失效或故障对整个系统造成的危害性，所有实时信息、闭环控制、历史数据和处理功能集于一身，一旦出现问题，造成的后果都是全局性的。

显然，这种结构对计算机本身的要求极高，首先它必须有足够的处理能力和极高的可靠性，以保证功能的实现和系统的安全。集中系统的好处是系统的整体性、协调性好，由于是集中的方式，所有现场状态集中在一个计算机中处理。因此，中央计算机可以根据全面情况进行控制计算和判别，在控制方式、控制时机的选择上可以进行统一的调度和安排。但是，随着计算机应用的不断深入，系统功能越来越复杂，系统规模也越来越庞大，集中式控制系统已越来越无法满足应用需求了。

鉴于集中式控制系统存在的种种问题，人们开始针对这些问题寻求解决方案，其中有几点思路是非常具有建设性的，事实上，这也成了日后 DCS 设计的基本原则：

(1)针对过程量的输入、输出及控制过于集中的问题，设想使用多台计算机分担过程量的输入、输出和控制等功能，各台计算机处于平等地位，在运行中互相之间不存在依赖关系。这样每台计算机的失效只会影响到自己所处理的那一部分功能，不至于造成整个系统的失控。

(2)用不同的计算机去实现不同的功能，使每台计算机的处理尽量单一化，以提高每台计算机的运行效率，而且单一化的处理在软件结构上容易做得简单，提高了软件的可靠性。

(3)用计算机网络解决系统的扩充与升级的问题，与计算机的内部总线相比，计算机网络具有设备相对简单、可靠、可扩性强、初期投资较小的特点，只要选型得当，一个网络的架构可以具有极大的伸缩性，从而使系统的规模可以在很大范围内实现扩充并不增加额外的费用，换句话说，就是系统的成本可以随着规模的扩充基本上呈线性增长的趋势。

事实上，被控制过程本身具有层次性和可分割性，上述设想符合被控制过程自身的内在规律，因此在 1975 年由 Hneywell 公司率先推出基于上述设想的 DCS 后，很快得到了广泛的承认和普遍的应用，其后有许多家公司如美国的 Foxboro、日本的横河(Yokogawa)、Westinghouse、Fisher Rosement、Leeds & Norhrup(现在属于英国 MCS)、Taylor(现在属于瑞士 ABB)、Moore、德国的 Siemens、加拿大的 Bailey 等纷纷推出各自的 DCS。经过短短的二十几年，目前 DCS 已成为计算机控制系统的主流产品。

3.6.1.2 分布式计算机监控系统(DCS)的结构、特点和发展

DCS 分布式控制系统，是在集中式控制系统的基础上发展、演变而来的，为闭环系统。

DCS 一般要由四个基本部分组成，即系统网络、现场 I / O 控制站、操作员站和工程师站。在 DCS 中，现场 I / O 控制站、操作员站和工程师站都是由独立的计算机构成的，它们分别完成数据采集、控制，监视、报警、记录，系统组态、系统管理等功能，这些完成特定功能的计算机都被称为“节点”，而所有这些节点又都通过系统网络连接

在一起，成为一完整统一的系统。DCS系统包括有分布式计算机测量系统(DAS)，也即开环系统。

第一，是DCS的骨架——系统网络，它是DCS的基础和核心。由于网络对于DCS整个系统的实时性、可靠性和扩充性起着决定性的作用，它必须满足实时性的要求，即在确定的时间限度内完成信息的传送，这是所说的“确定”的时间限度，是指无论在何种情况下，信息传送都能在这个时间限度内完成。因此，衡量系统网络性能的指标并不是网络的速率，即通常所说的每秒比特数（bps），而是系统网络的实时性，即能在多长的时间内确保所需信息的传输完成。系统网络还必须非常可靠，无论在任何情况下，网络通信都不能中断，因此多数厂家的DCS均采用双总线形、环形或双重星形的网络拓扑结构。为了满足系统扩充性的要求，系统网络上可接入的最大节点数量应比实际使用的节点数量大若干倍。

第二，是DCS的现场I/O和A/D控制站。其主要功能有三个：①将现场发生的过程量(流量、压力、液位、温度、电流、电压、功率以及各种状态等)进行数字化处理，并将这些数字化后的过程量一致的、能互相对应的，按实际运行情况实时地改变和更新现场过程量的实时映象；②将本站采集到的实时数据通过系统网络送到操作员站、工程师站及其他现场I/O控制站，以便实现全系统范围内的监督和控制，同时现场I/O控制站还可接收由操作员站、工程师站下发的信息，以实现对现场的人工控制和对本站的参数设定；③在本站实现局部自动控制、回路的计算及闭环控制、顺序控制等，这些算法一般是一些经典的算法。

一般一套DCS中要设置多个现场I/O控制站，用以分担整个系统的I/O和控制功能。这样就可以避免由于一个站点失效造成整个系统的失效，提高系统可靠性。

第三，是DCS的操作员站，它是处理一切与运行操作有关的人机界面（HMI-Human Machine Interface或OI-Operator Interface）功能的网络节点。

第四，是DCS的工程师站，它是对DCS进行离线的配置、组态工作和在线的系统监督、控制、维护的网络节点。

典型的DCS系统结构如图3-1所示。

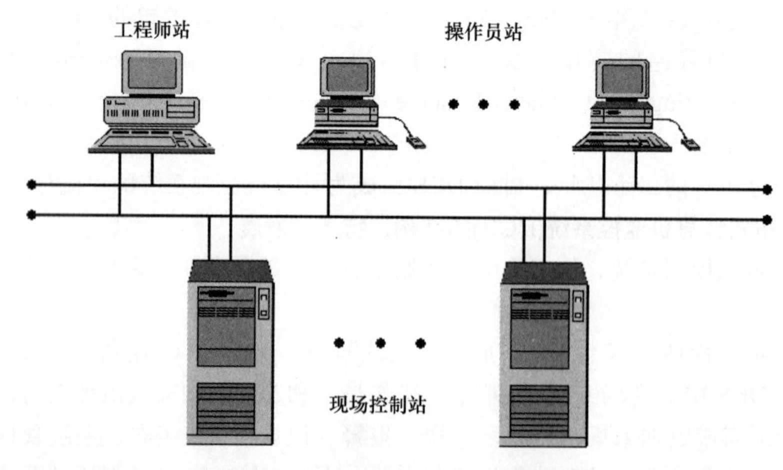

图3-1　典型的DCS系统结构

3.6.1.3 分布式计算机监控系统(DCS)的发展历程及现状

DCS 自 1975 年问世以来，经历了二十多年的发展历程。在二十多年中，经历了多次重大改进和发展，系统结构和基本功能都已趋于稳定，产品也达到了成熟实用的程度。近年来，为了使 DCS 更加适应工业生产现场，新一代 DCS 系统还具有以下几个特点。

1) 系统开放化

开放是指它可以与其他控制系统或计算机系统相连进行信息交换，这是近年来广大用户的强烈需求之一。早期 DCS 一般都采用专用控制网络将自家的工作站或 PLC 等产品连接起来构成，在网络中不容许连接其他厂家的产品或不同型号的产品。新近推出的 DCS 系统大多采用了国际标准化组织开放系统互联（ISO / OSI）标准模型，通讯规程遵循 MAP / TOP 协议，从而在局域网内可连接其他厂家的符合该标准的产品。大多数 DCS 还采用了直接容纳 PC 机的配置方案、使 PC 机及其上的软件均可在 DCS 系统上运行，并且通过工业级 PC 也可实现不同系统间的连接，打破了 DCS 系统以下各厂家自成一体的封闭局面。

2) 采用通用工作站

早期 DCS 系统的工作站(如工程师站、管理计算机、操作员站等)均采用各自的专用管制站，使软件系统及其管理都不能实行通用和标准化，造成开发周期长、调试工作量大、操作管理培训学习量大，可靠性还不高等。近年来新推出的 DCS 系统大多采用通用工作站（如 SUN 工作站），有效地克服了上述弊端，提高了可靠性和工作效率。

3) 超大型化和微型化

早期 DCS 系统主要考虑完成厂级生产控制任务，如过程控制、批量控制等，一般不涉及管理任务；由于规模和价格等因素使其不适于中小型企业生产过程及设备的控制。近年来，随着技术的发展和广大用户的要求，许多厂家在 DCS 系统中加入适于企业管理的计算、计量、统计、规划、优化、调度等管理功能软件包及其工作站，使其成为融控制、调度和管理于一体的超大型管控一体化系统。

4) 通讯介质多样化

早期 DCS 系统的局域网络大多采用同轴电缆或双绞线，在传输速率、传输距离及抗干扰性能上均有一定的限制。近年来，许多 DCS 都增加了光纤接口，使其可以采用光纤作为局域网通讯介质，其传输速率可高达 100 Mbps 以上，通讯距离上百公里，具有在 19 kA · 匝 / m 及 1 550 kV / m 的脉动电磁场内不受影响的抗干扰能力，本质安全防爆。

5) DCS 与 PLC 相互融合

早期 DCS 系统以处理模拟量为主，而 PLC 则主要实行批量控制、顺序控制等。20 世纪 80 年代 DCS 开始强化逻辑控制功能或直接接纳 PLC 于控制局域网内以实行批量控制和顺序控制；同时 PLC 亦向模拟控制领域和网络化方向迈进，其结果是相互渗透并融合于一体，都是 DCS 系统。

6) 软件不断丰富

随着 DCS 系统应用的广泛和深入以及世界范围内软件产业的高速发展，其成熟的软件功能模块越来越多，并不断趋于标准化、规范化，可靠性越来越高。主要表现在以下几个方面：

(1)操作系统一般都采用实时多任务操作系统。视窗软件，符合国际流行或标准，可支持 VB、VC、梯形图语言等。

(2)组态软件提供了各种常用功能软件及算法库，采用菜单或填空方式进行连接构成各种控制回路和顺序逻辑。

(3)操作管理站上配有绘图软件、数据库管理软件、流程图显示及报表生成软件、质量分析及统计计量管理软件等，在工控领域实用性越来越强。

(4)不断发展先进控制软件包，如自适应调节、约束控制、优化控制、智能控制等软件包，利用它们可以实行解耦、非线性、多参数预估控制以及自整定、自适应、模糊、神经元控制，使控制水平越来越高。

7)应用大屏幕显示技术

目前，DCS 系统的操作员站上已普遍采用大屏幕彩色显示器，图像准确、清晰，便于操作管理人员监视、分析和操作。特别是有的系统已采用了超大屏幕平板显示器，将 DCS 所监控的所有工艺流程及主要运行参数集中在一个屏幕上显示出来，更便于相关工艺流程及设备运行状态分析、操作决策及故障诊断和事故追忆，还可有效地避免操作管理人员的疲劳，实行驾驶仓式的控制管理。

总之，DCS 至今已发展得相当成熟和实用，可满足工业生产过程所要求的稳定性、可靠性，针对不同的应用领域，可以有针对性地选择其成熟的 DCS 产品，如我国电力、石化、冶金、钢铁、建材等部门都根据各自行业的具体情况选择了若干个可以满足工艺及设备控制需要的、成熟的 DCS 系统。事实上，DCS 系统在不同的工业领域里都具有很多的运行实绩。毋容置疑，DCS 系统仍然是当前工业自动化系统应用及选型之主流。

3.6.2 国内外岩土工程安全监测自动化系统发展过程

3.6.2.1 发展过程

岩土工程安全监测自动化系统，一般包括两个方面，一方面是监测仪器的自动测量和数据自动采集，以提高数据采集速度，改善观测人员的工作条件；另一方面是数据的集中处理和分析，为水工建筑物安全提供可靠的依据。

国内外岩土工程安全监测系统从发展看，20 世纪 80 年代初期以前基本为集中式采集系统，在日本、法国、美国、意大利等均有少量集中式采集系统应用。我国中科院计算机所等几家单位，在四川某电站试验过一套内观差阻式仪器自动化系统。80 年代中后期开始，国内外岩土工程安全监测自动化系统逐步从集中式向分布式发展，其间国内因为系统投资和老系统技术扩充等诸方面因素，出现过一个很短时间的过渡系统——所谓的混合式系统。目前，大量的分布式系统已朝着开放型分布式系统发展。总的来讲，岩土工程安全监测自动化系统发展国内外基本同步，基本发展过程为：集中式(80 年代初期及以前)→混合式(80 年代中、后期)→分布式(90 年代后期)→开放型分布式系统(90 年代中、后期至今)。

在岩土工程领域最早出现的是集中式数据采集系统，其测量功能全部集中到中央检测装置上，传感器或直接通过集线箱把测量模拟量传送到中央检测装置，再由中央检测装置进行数据处理。由于传输线路中间环节多，电缆数量多、易受干扰，易被破坏，一旦线路或中央检测装置出现故障，整个系统将无法工作，造成数据丢失或不连续。我国80年代中后期的东江的内观自动化系统、刘家峡的垂线自动化系统、乌溪江绕坝渗流自动化系统都是应用实例，明显可见其极不适应岩土工程传感器较分散、易受雷电干扰的特点。

其典型系统图如图3-2，它们基本是将计算机系统的内总线技术经扩充扩展。

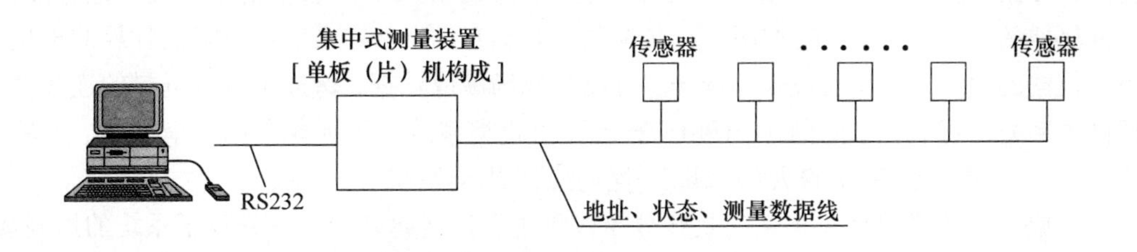

集中式系统一（刘家峡集中式垂线自动化系统）

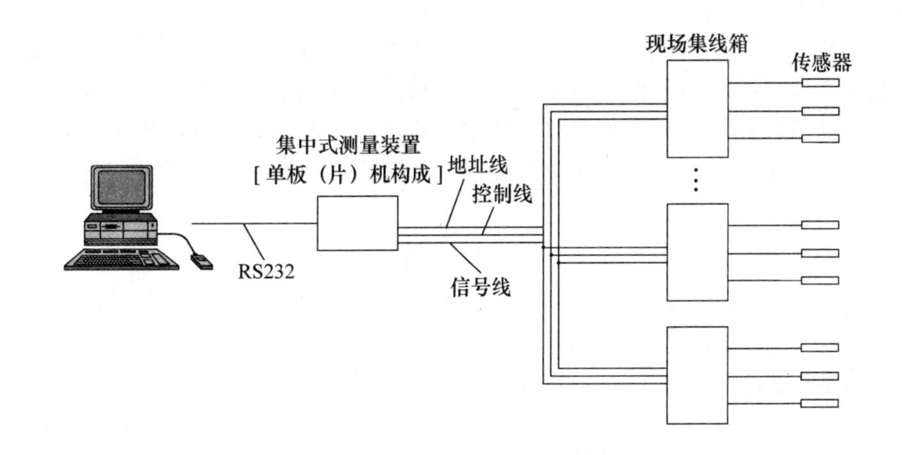

集中式系统二（东江集中式内观自动化系统）

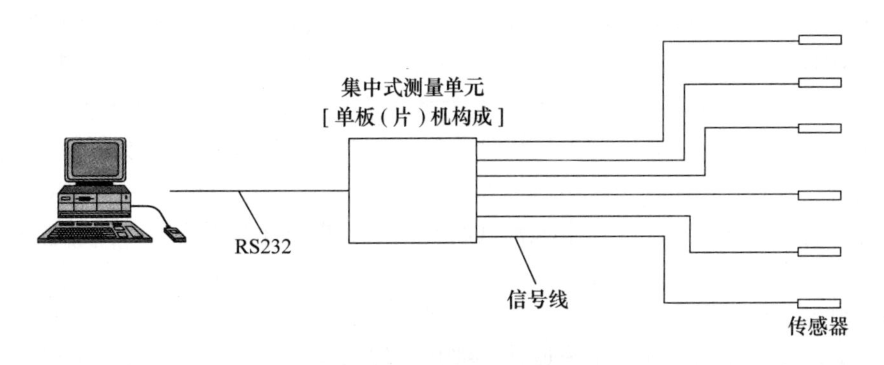

集中式系统三（乌溪江集中式绕坝渗流自动化系统）

图3-2　典型系统

混合式数据采集系统不是一代严格意义上的产品，其在工程中之所以应用完全是因为系统投资和已有集中式系统改造时，希望用这种组合方式工作，在国内曾有一些这样的系统。由于其系统复杂、可靠性差，目前已被淘汰更换。

分布式数据采集系统是一种分散采集集中管理的结构，即将采集装置分散布置在靠近仪器的地方，一般称为测量单元(即 MCU)，由 MCU 完成所辖仪器的数据测量、A / D 转换、数据暂存和传输等功能。它可以根据岩土工程仪器分布较散的情况灵活地分散在靠近仪器的地方，并向中央控制系统传输数字量信息，分布式系统可以降低外界的干扰，减少数据的损失，一旦出现线路故障，可以到现场读取数据，保证了测量资料的连续性，提高了系统的可靠性。目前国内外已全部采用此类系统，我国龙羊峡、李家峡、大峡、宝珠寺、二滩等已建成的大型水电工程均应用此类系统。

开放型分布式数据采集系统是在分布式系统上发展起来的，它开放了系统的控制规约和采用标准传感器接口。这样极大克服了以往系统不开放造成存在兼容性和扩充性的问题。

3.6.2.2 规程规范的情况

岩土工程安全监测自动化系统由于目前无明确的、有针对性的设计技术规范，加之该专业技术涉及水工结构、电子技术、计算机技术、通信技术等多专业，设计者一般按照自己的理解进行设计，给工作带来了诸多困难，很多问题在设计阶段不明确，给系统实施后的运行带来了很多问题。已有的监测及监测自动化系统主要设计规范如下：

(1)《混凝土大坝安全监测技术规范（试行）》(SDJ336—89)；

(2)《土石坝安全监测技术规范》(SL60—1994)；

(3)《水电厂大坝安全监测自动化系统实用化验收细则(试行)》国电发[2002]631 号；

(4)《大坝安全监测系统设备基本技术条件》(SL268—2001)。

3.6.2.3 目前存在的问题

大坝安全监测是社会公共安全事业，与楼宇消防安全系统性质有相同一面，也有不同之处。其现场自动化监测系统及监测中央控制系统必须不间断地在线监测，才能确保及时发现随机出现的结构异常及报警，同时硬件设备自身有故障时才能得到及时发现、处理、技术维护维修。因系统网络结构中节点的主网络层和现场的 MCU 层主从关系清楚，体现系统中心网络层控制权的主节点，即“无人值守”网络层控制机和辅助设备，将集中在大坝监测中央控制室或后方控制室，所有给监测专业人员及有关领导的声光报警信息均在此，停运“无人值守”中央网络控制机等设备或现场 MCU 层节点设备将系统主控权接管的方式，将不能满足大坝安全的在线监测。

除上述问题外，近年来，大、中型水电站大坝安全监测自动化系统中，还遇到一系列技术问题，主要有以下几个方面。

1) 监测网络系统设计

目前的大坝安全监测自动化系统设计一般从系统布置选型、传感器设备选型、设备维护、系统扩充性、数据自动采集存储、数据处理分析等方面进行了较全面的考虑，但系统技术指标按设备技术指标直接构成，未从数据采集网络、传感器技术标准发展提出设计要求，存在一些影响技术发展和系统安全运行的关键问题。

大坝安全监测自动化工程设计者基本上都认同选用分布式数据采集网络系统，其产品设备国内外均有生产厂家。但很少注意分布式系统的“开放性”，即选用系统的数据采集单元程控命令、数据格式应公开，应能接入任何厂家生产的标准信号传感器。否则它给系统今后的发展、扩充、维护和实施时技术性能价格比竞争带来了很多问题。

开放型分布式系统应该具备：对用户开放系统总线标准、系统数据采集单元的程控命令及数据格式等。

显而易见，设计采用开放型分布式系统有明显优点。它便于用户对传感器、数据采集单元和测量控制、数据处理软件的择优选择，以方便地进行维护、维修、更换、升级。

2) 传感器技术选型

大坝安全监测自动化系统设计传感器技术选型中有以下两方面问题：

(1)有一种趋向认为，选一种测量原理构成的多种类传感器是一种优选，其实任何一种原理的传感器在有的测量场合合适，但在另一种场合可能就不合适，一定要用，反而会带来诸多问题。所以，传感器应用的好坏与其测量原理、技术标准、生产工艺质量、使用密切相关，只有测量原理先进、合理的传感器才具有在应用中不断完善改进、推广的意义。

(2)对电测传感器的激励、输出标准没有足够重视，以致大量无激励、输出信号指标的传感器在工程中应用，传感器的量程、精度、稳定性，激励、输出、防护等级是基本技术标准，传感器技术发展到今天，输出标准信号是该行业规范要求。非标带来了一种传感器必须配一台专用二次检测表，去大坝现场测量，需带多台专用二次仪表，可以说这是一种落后的技术方式，增加了监测工作的劳动强度和复杂性。所以，采用激励、输出标准化传感器，不论什么测量原理，仅用工业通用万用表即可完成各种传感器的测量检测，给现场测量工作带来极大方便，有利于实施时技术性能价格比优选，也便于每年对检测仪表的国家计量部门标定。

3) 大坝安全监测自动化系统的运行方式问题

同样的系统设备在有的单位运行得好，有的单位却出现了全面瘫痪，需重新更换。其有一个非常重要的原因是：许多庞大的大坝安全监测自动化系统在设计、施工、运行时，均无明确的“运行方式规程”，以致运行单位不知系统设备应怎样运行管理。因此，好的自动化系统还需要规范的运行规程作为安全监测管理的依据。

3.7 盘石头水库安全监测管理方案

3.7.1 安全监测管理范围

国务院第77号令《水库大坝安全管理条例》(1999)第二条规定：“大坝包括永久性挡水建筑物以及与其配合运用的泄洪、输水和过船建筑物等。”因此，各种水工建筑物及近坝区岸坡等都属于安全监测的范围。

3.7.2 检查项目

建筑物安全监测工作应包括现场检查和仪器监测两项不同的内容。

3.7.2.1 现场检查

现场检查分为巡视检查和现场检测两项工作，分别采用简单量具或临时安装的仪器设备在建筑物及其周围进行定期或不定期检查，可以定性或定量，藉此了解有无缺陷、隐患或异常现象。现场检查的项目见表 3-37。其中带“√”的为必检项目，其余为选检项目。

表 3-37 现场检查项目

类别	项目	堆石坝	水闸溢洪道	隧洞地下厂房	水库
水文	侵蚀		√	√	
	植被		√		√
	兽穴				
	淤积	√	√	√	√
	冰冻		√	√	√
变形	开裂	√	√	√	
	塌坑	√	√		√
	滑坡	√	√	√	√
	隆起	√			
	错动	√			
渗流	渗漏	√	√	√	√
	排水	√	√	√	
	管涌				
	湿斑				
	浑浊	√	√		
应力	碳化		√	√	
	锈蚀		√	√	
	风化				
	剥落			√	√
	松软				
水流	冲刷	√	√	√	√
	流态		√	√	√
	气蚀		√	√	
	磨损		√	√	
	雾化		√	√	
	振动		√	√	

3.7.2.2 仪器监测项目

仪器监测包括仪器观测和资料分析两项工作，是利用专门及固定安装的仪器设备对作用于建筑物的自变量和因变量进行长期连续测量，以定量为主。通过对观测值的计算和正反分析，了解其工作状态。按不同工程及建筑物级别划分的监测项目列入表 3-38，其中带“√”的为必检项目，其余为选检项目。

表 3-38 仪器监测项目

类别	项目	按工程分类				按类别分			
		堆石坝	水闸溢洪道	隧洞地下厂房	水库	1	2	3	4
水文	水位	√	√	√	√	√	√	√	√
	降水	√	√		√	√	√		
	波浪				√				
	冲淤		√	√		√			
	气温	√	√			√	√	√	
	水温					√	√		
变形	表面	√	√	√	√	√	√	√	
	内部								
	地基					√	√		
	裂缝	√	√	√		√	√	√	√
	接缝	√		√		√	√		
	边坡	√	√		√	√			
渗流	坝体	√				√			
	坝基	√	√			√	√	√	
	绕渗					√	√		
	渗流量	√	√	√		√	√	√	√
	地下水			√	√	√			
	水质	√	√		√	√			
应力	土壤								
	混凝土					√			
	钢筋	√		√		√	√		
	钢板					√			
	接触面								
	温度					√	√		
水流	压强		√	√		√			
	流速		√	√					
	掺气								
	消能		√			√			

3.7.3 项目测次

3.7.3.1 现场检查分类

现场检查有日常检查、年度检查和特别检查。

(1)日常检查。根据工程情况和特点制定检查制度，具体规定检查时间、部位、内容和要求，并确定日常巡视路线和检查程序，由监测和维护人员负责进行巡视检查。

(2)年度检查。在每年汛期、枯水期、冰冻期等按规定进行检查，由盘石头水库建设管理局负责组织，设计单位、监测专业技术人员参加的比较全面的或专门的检查。

在巡视检查的基础上确定是否需要对个别部位进行现场检测，即进行巡视检查和现场检测。

(3)特别检查。当遇到严重影响安全运用的特殊情况时，如特大洪水、强烈地震、重大事故等，由水库主管部门负责组织检查，对可能出现的险情进行现场检查，即进行巡视检查和现场检测。

3.7.3.2　仪器监测分期

(1)施工期。指从施工监理观测设备起，至水库开始首次蓄水为止。

(2)蓄水期。指从首次蓄水至库水位达到或接近正常高水位共3年的时间。如水库放空后再次蓄水，则仍按此阶段监测。如3年内仍达不到正常高水位则转入运行期。

(3)运行期。指蓄水阶段之后的正常使用期。

3.7.3.3　现场检查

现场检查次数根据表3-39选择。

表3-39　现场检查次数

类别	施工期	蓄水期	运行期
日常检查(次／月)	4～10	8～30	2～4
年度检查(次／年)	2～4	4～8	2～3
特别检查	按需要	按需要	按需要

(1)日常检查。主要进行巡视检查。除直觉方法外，还有利用锤、钎、钢尺、放大镜、望远镜、量杯、石蕊纸、回弹仪、照相机、录像机、闭路电视、潜水员等方法进行检查。

(2)年度及特别检查。一般分别进行巡视检查或现场检测，其中现场检测主要采用无损探测方法，包括高压探地雷达、电磁剖面仪、电阻率成像仪、红外温度探测仪、超声监测仪、水声探测仪、水下电视探测仪、潜水器、潜水船等。

3.7.3.4　仪器监测次数

表3-40为正常情况下人工测读次数，如遇到影响工程安全的特殊情况或采用自动化监测时应适当增加次数。

表3-40　人工测读次数

类别	项目	施工期	蓄水期	运行期
变形	表面	2～4次／月	4～10次／月	2～6次／年
	内部	4～10次／月	10～30次／月	4～12次／年
渗流	渗流	4～10次／月	10～30次／月	3～6次／月
	水质	3～6次／年	6～12次／年	3～12次／年
应力	应力	3～6次／月	4～30次／月	4～12次／年
	温度	4～15次／月	4～30次／月	2～6次／月

在监测中应注意：

(1)在施工期，坝体填筑速度较快时，变形和应力监测测次取上限。

(2)在蓄水期，上蓄过程中可取上限，完成蓄水后的相对稳定期可取下限。

(3)在运行期，当观测值变化率较大时可取上限，性态趋于稳定时可取下限。若遇到工程扩建或改建、提高水位及长期放空水库又重新蓄水时，需重新按施工和蓄水期进行监测。

如因水库淤满、废弃、改变用途及经多年运行性态等，需减少测次、减少或停测某些项目时，应报上级主管部门批准。

第 4 章　水库信息化与网络建设

4.1 概　述

人类社会进入 21 世纪，以信息革命为标志的第二次现代化浪潮扑面而来，改变了人类的生存和发展方式，未来利益的分配和冲突(包括经济和军事冲突)将会在很大程度上依赖对“数字地球”的控制。所谓的“数字地球”，即将地球信息化，“采用空间、高空、低空、地面，遥感、测绘，地球化学或地球物理等各种手段获得大量的地球数据，并用计算机将它们和与之相关的其他数据以及应用模型结合起来，在网络系统中重现真实的地球”。其核心思想有两点，一是用数字化手段统一性地处理地球问题，另一点是最大限度地利用信息资源。数字化地球演示如图 4-1 所示。

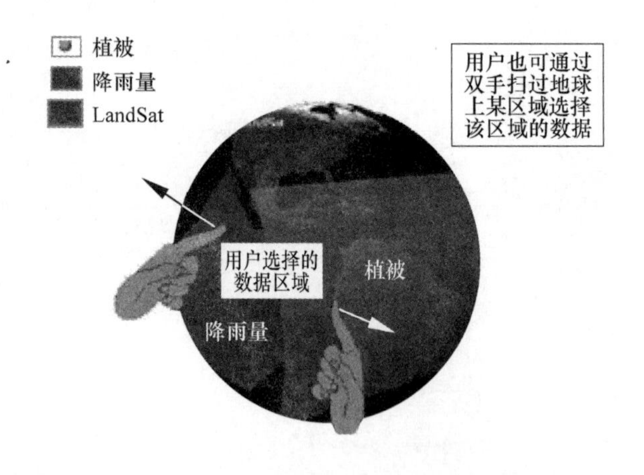

图 4-1　数字化地球演示

“数字地球”收集的信息既包括诸如地质、地貌、气候、山川河流、动植物分布等自然方面，还包括历史沿革、风土人情、交通状况、经济、文教、人口等人文方面，利用“数字地球”，在教育、农业、可持续发展战略、土地使用规划以及解决危机(亟待解决的问题)等许多方面，将产生广泛的社会和经济效益。在人为或自然的灾害面前，能够及时做出反应，并使全球能够联合起来，面对长期的环境挑战。

信息化是时代的要求，是国民经济发展的基础。信息化正在成为当今世界发展的最新潮流。面对这样的形势，中国将信息化作为覆盖现代化建设全局的战略举措，在国民经济发展和社会进步的各个领域中全面推进。《中共中央关于制定国民经济和社会发展第十个五年计划的建议》中指出：“信息化是当今世界经济和社会发展的大趋势，也是我国产业优化升级和实现工业化、现代化的关键环节。”

4.2 水利信息化

水利行业是一个信息十分密集的行业， 一方面，水利部门要向国家和相关行业提供大量的水利信息，包括汛情旱情信息、水量水质信息、水环境信息和水工程信息等，为防洪抗旱斗争和水资源综合管理服务，为国民经济发展服务。另一方面，水利建设本身也离不开相关行业的信息支持，包括流域区域经济信息、生态环境信息、气候气象信息、地球物理信息、地质灾害信息等。因而，水利信息化，对水利工作的管理、建设、可持续发展等至关重要，用汪恕诚部长在全国水利厅局长会议上的讲话来说："水利信息化，具体来讲就是充分利用现代信息技术，开发和利用水利信息资源，包括对水利信息进行采集、传输、存储、处理和利用，提高水利信息资源的应用水平和共享程度，从而全面提高水利建设和水事处理的效率和效能。"

水利所包括的水资源、水环境、防洪抗旱、水土保持、农田水利、河道整治、水利工程等都与空间地理有着密切关系，因此随着"数字地球"的提出，"数字水利"也应运而生。所谓的"数字水利"，就是一个以空间信息为基础，融合各种水文模型和水利业务的专业化系统平台，是对真实水文水利过程的数字化重现，它把水活动的自然演变搬进了实验室和计算机，成为真实水利的虚拟对照体。

"数字水利"这一概念的提出有着深刻的社会和技术背景。一方面，新的治水思路立足于可持续发展这一基本理念，着眼于人与自然的和谐共处，把水利放在自然和国民经济宏观巨型系统中统筹考虑，水利信息的种类和来源大大扩展了，对信息需要进行更加深度的加工和处理，新的治水思路迫切需要先进的技术手段提供支持；另一方面，信息技术飞速发展，计算机主频不断提高，操作系统不断升级，宽带互联网正在普及，传感器技术日臻成熟，为信息采集、传输、处理、共享、控制提供了前所未有的技术手段和解决方案，将对水利的科研、规划、设计、施工和管理产生全方位的影响，为水利行业全面技术升级提供了可能。当今信息技术的飞速发展，使水利信息的采集、处理、共享的方式都发生了很大的变化，信息技术加速向水利行业渗透，水利政务、防汛减灾、水资源监控调度、水环境综合治理、大型水利工程的设计和施工、大中型灌区的综合管理等，都迫切需要采用计算机技术、通信网络技术、微电子技术、计算机辅助设计技术、3S 技术等一系列高新技术进行技术改造。"数字水利"连接水利行业和信息技术，立足于为可持续发展水利提供先进的技术支持，为水利行业的全面技术升级提供完整的解决方案，涉及的专业知识和技术极其广泛，内涵十分丰富。

4.2.1 "数字水利"的技术

"数字水利"的技术主要包括以下几种：

(1)传感器微电子技术。该技术是水利信息自动化采集的基础，通过对信息采集点合理布置，有关的水利信息(如雨情、水情、工情、灾情、水质等)监控指标通过传感器转化为电子信号再传送到控制中心，实现远程自动化遥测和遥控。

(2)3S 技术。3S 技术即 RS(遥感技术)、GPS(全球定位系统)、GIS(地理信息系统)，是以处理地球表面信息为主要特征的空间信息技术。人类信息资源中80%与空间位置有关，水利信息更是大多数与空间位置联系紧密，这就决定了3S技术在水利行业具有广泛的应用前景。遥感是采用卫星、雷达等航天观测技术对地球表面进行连续观测，经过一系列分析处理获得地球表面状况特征信息的一种新技术；地理信息系统通过计算机技术，对各种与地理位置有关的信息进行采集、存储、检索、显示和分析，将水利专业属性数据与空间位置直观地联系起来，为水利信息可视化表达提供了强有力的技术手段；全球定位系统可以对地表空间任一位置准确定位，在水下地形测量、防汛抢险实时指挥等方面有着广泛的应用。

(3)通信网络技术。水利信息的传输、共享必须依赖通信网络技术。当今，以TCP／IP为主要通信协议的互联网技术飞速发展，通信和计算机网络技术已融为一体，构筑统一的IP宽带网络是大势所趋，各种数据流、语音流、视频流均在统一的IP宽带网络上传输。随着宽带网络时代的到来，水利信息的传输速度将大大加快，实时动态视频的流畅传输将成为现实，为水利信息的可视化提供基础技术条件。水利专用通信网络的设计和建设必须充分考虑网络技术的最新发展趋势，充分利用丰富的公网资源，做到公网与专网互为联通、互为备用。

(4)数学模拟技术。该技术是运用数学模型和计算机技术对自然系统进行仿真模拟，在水利领域有较早的应用历史。随着计算机主频和内存不断提高和扩大，对天气系统、水流运动、水环境变化都能进行各种尺度的实时模拟，为准确揭示和把握水资源运动规律提供了先进的技术手段。数学模拟技术是“数字水利”的核心技术，它以各种水利专业模型为内核，对各种水利信息进行综合计算处理。

(5)数据库技术。数据库为各种水利信息的存储和快速检索提供了技术手段。雨情、水情、工情、灾情各种实时数据、预报数据，水资源遥感信息、地理数据等，都需要以字段编码的形式、按一定的表结构有效地组织起来形成支撑“数字水利”的数据库。各类水利数据库的建设是一项长期、艰苦、细致的工作，为适应信息互联共享的要求，对各类数据库字段编码进行统一的设计以形成行业规范是目前水利信息化一项极其紧迫的任务。

(6)CAD／CAM技术。它是计算机辅助设计和计算机辅助制造的简称，在水利勘测设计和水电设备制造等领域有广泛的应用。在目前通用的CAD平台上进行二次开发，开发出集水利专业计算模型与自动成图为一体的水利CAD设计平台是水利工程自动化设计的努力方向。在水电设备制造领域，CAM在设备的精密加工和自动控制方面可以发挥重要作用。

(7)系统集成技术。它涵盖的范围比较宽泛，既有硬件设备的集成，也有软件组件的集成。硬件设备的集成好坏主要受制于社会当时仪器设备制造水平的高低，而软件组件的集成好坏直接与系统集成商水平高低相关。软硬件的集成应该同步发展、相互协调，以避免出现硬件设备的闲置和系统不能有效运行或软件和硬件不配套、无法使用的情况。软件组件的集成在水利业务系统建设方面显得尤其重要，开发出各类高水平的水利专业软件组件是“数字水利”在我国得以兴旺发达的关键。

4.2.2 “数字水利”的特点

“数字水利”有交叉、集成和创新三大鲜明的特点。

(1)交叉主要是指知识的交叉、专业的交叉、技术的交叉。“数字水利”所涉及的知识面很广，既需要如上面所说的传感器微电子技术、3S 技术、通信网络技术等自然科学方面的知识，更需要社会科学方面的知识；不仅需要水利专业的技术，而且需要其他相关行业和 IT 行业的技术。“数字水利”致力于采用一系列的高新技术手段，将水利放在社会、经济和自然综合环境中进行整体研究开发，实现跨领域、跨学科、跨专业的联合攻关。

(2)集成就是对与水利有关的各类知识和技术进行全面整合。知识和技术的交叉不是胡乱的组合，而是着眼于解决我国三大水问题而对相关的知识和技术进行有序整合。综合集成各类高新技术，以建设先进高效的水利业务系统为目标，是实施“数字水利”的核心内容。

(3)创新意味着没有现成的技术模式可以照搬，将各类高新技术全面引入水利行业需要艰苦的技术创新。IT 技术日新月异，各类先进的技术设备不断涌现，我们必须把握“数字水利”的关键技术，认真处理好“变”与“不变”的关系，正确区分哪些是不变的水资源运动规律，哪些是变化较少的东西(如信息流程)，哪些是变化较快的技术手段。对前人研究的成果要虚心研究吸收，对日新月异的新技术要努力跟踪学习，只有这样，“数字水利”才有发展的基础，才有不断创新的源泉和动力。

4.2.3 “数字水利”的应用

“数字水利”主要应用在以下几方面：

(1)水利政务。“水利信息化是水利部各级政府部门实施现代化管理的一个重要工作方向”(汪恕诚部长在全国水利厅局长会议上的讲话)。从水利政务组织机构入手，认真分析水利政务信息流程，以各级水利部门局域网和全国水利广域网为支撑，建立政令上下传递快速、业务数据自动处理、信息网上查询发布、办公界面简洁方便的水利办公自动化系统。

(2)防汛减灾。综合运用远程自动遥测技术、3S 技术、通信网络技术、数值预报技术和数据库技术实现防汛信息的自动采集、传输、处理、存储、查询和集成，做到信息传递及时、洪水预报准确、调度指挥优化、防汛管理可视，为现代防汛指挥提供强大的决策支持。

(3)水资源配置管理。中国是一个缺水的国家，从总体上讲水不是多而是少。中国年水资源总量为 2.8 万多亿 m^3，人均水量不足 2 400 m^3，仅为世界人均水量的 1 / 4。在中国水资源总量中，可用水储量只有 1.1 万亿 m^3，因此应用现代化手段进行水资源调配是很有必要的。以计算机通信网络技术为依托，以规范化、标准化的水资源综合数据库为基础，以水资源供需平衡和优化调度模型为内核，实现水资源的优化配置管理。

(4)水环境治理。综合运用遥感技术、GIS 技术对卫星照片进行解译和信息处理，建立全国各区域水土保持动态监测系统；以水质站网为依托，以污染源数据库为基础，以水量水质模拟为核心，以 GIS 系统作为查询交互平台，建立水环境动态监测管理系统。

(5)水利工程建设。从规划、设计、施工到运行维护，均可采用一系列以计算机技术为核心的信息技术全面提升自动化管理水平。规划信息管理系统的建立可以实现滚动规划和管理，水利 CAD 设计平台可以大大提高设计方案的准确性和成图效率，项目管理软件可以加快项目施工进度和节约成本，水利工程的自动化监控可以全面提高工程的运行管理水平。

4.3 水库信息化

新中国建立后，全国兴建了一大批水利工程，这些工程对全国的抗旱防洪发挥了巨大的作用。随着国民经济的发展、社会的需要和科学技术的发展，水库信息化管理提上了议事日程。而实现信息化的关键途径则是数字化，即建设“数字水库”。

4.3.1 “数字水库”的概念

如同“数字地球”、“数字水利”一样，“数字水库”就是借助全数字摄影测量、遥测、3S 技术等现代化手段及传统手段采集基础数据，通过微波、超短波、光缆、卫星等快捷传输方式，对水库流域及其相关地区的自然、经济、社会等要素构建一体化的数字集成平台和虚拟环境，在这一平台和环境中，以功能强大的系统软件与数学模型对水库治理开发和管理的各种方案进行模拟、分析和研究，并在可视化的条件下提供决策支持，增强决策的科学性和预见性。

简单地说，也就是把水库的所有信息装进计算机里，并根据这些信息将水库在计算机里模拟，做出一个虚拟对照体，通过此模拟体采用数学模型对水库治理开发和管理进行分析和研究，为水库的各种决策提供技术支持。

4.3.2 “数字水库”的技术

“数字水库”是一个过程。一般来讲，“数字水库”过程至少应包括以下五个环节，即数据采集、数据传输、数据存储及处理、数学模拟和决策支持。

数据采集系统是“数字水库”工程建设的基础。“数字水库”要求的数据具有广泛性，不仅包含水质、水位、水情、雨情等方面，还应包括自然、经济、社会、人文等各个方面。所采集的数据还应具备适时性，通过现代的先进传感器微电子技术，及时快捷地将数据传到控制中心，使数据能够及时更新。

数据传输系统就是通信网络。根据防汛指挥、水资源管理及配置、水质及水土保持监测等对通信网功能的要求，如数据、图像、声音、视频等，测算通信网需要的带宽及有关参数，从而选择合适的通信方式。

数据存储及处理主要依赖于分布式存储系统，各种数据库都需要以字段编码的形式按一定的表结构有效地组织起来形成数据库。通过数据的存储和处理，将各种信息包括水文、遥感及经济、社会与人文演化为成果表现在地理信息系统(GIS)中。

数学模拟是运用数学模型和计算机技术对自然系统进行仿真模拟的技术。随着计算机主频的不断提高和内存的不断扩大，对天气系统、水流及泥沙运动、生态及水环境变化等都能进行各种尺度的实时模拟，为准确揭示和把握河流自然现象及其内在规律提供了先进的技术手段。数学模拟系统是“数字水库”的核心，在数据集成平台支持下，通过各种水利专业模型，形成一个面向具体应用的虚拟仿真系统，对有关水利信息进行综合处理。

决策支持指要建立内容全面的知识库，该知识库应涵盖诸如国家有关法律、法规及各种政策，历史上处理同类问题的经验和教训，流域规划、区域规划、工程规划的布局及其具体要求，经济社会发展的制约因素等内容，从而形成一个方案决策的大背景，将数学模拟的各种方案结果置身于这一大背景下进行优化分析，从中选择一个可行的方案。为便于决策者研究讨论问题，必须对数学模拟的结果进行后处理，使其具有较强的可视化表现。

4.3.3 “数字水库”的应用

根据水库的一般功能，“数字水库”主要应用在以下五个方面。

4.3.3.1 防汛减灾

中国工程院副院长潘家铮在他的《“七五·八”噩梦——一次重大垮坝导致的惨祸》文章中记述了板桥、石漫滩两座大型水库的悲惨事件。他总结道，没有准确及时的雨、水情信息是水库不能及时采取有效保坝措施，最终酿成大祸的重要原因之一。可见，应用先进的科技手段进行防洪预报和防洪调度是很有必要的。“信息是防汛抗旱决策的基础，是正确分析和判断防汛抗旱形势、科学地制定防汛抗旱调度方案的依据”（汪恕诚部长在全国水利厅局长会议上的讲话）。数字化水库能提供以下几个方面的信息，为我们防汛减灾提供预防依据。

(1)雨情预报。准确超前的雨情预报，是做好防洪调容措施的关键前提，如果能准确并延长预见期的话，就可以通过洪水入库后的洪水模拟演进来确定库容存量以满足防汛要求。现在，遥测、遥感与卫星技术已经应用在了天气预测上，提供了大量的水文信息，使得我们完全有条件提高降雨预报的精度，因而在水库建立雨情测报系统是至关重要的。

(2)洪水预报。根据雨情预报，可以通过数字水库的模拟系统进行洪水预报。其主要采取三种方法：第一种是降雨径流相关法，第二种是洪峰流量相关法，第三种是利用洪水预报模型预报。在对流域产汇流规律的认识和把握的基础上，根据上游地形地质的具体情况，确定洪水发生的可能性和流量，最终确定水库的防御措施。

(3)防洪调度。根据洪水预报结果，在计算机上进行多方案模拟调度运用，从中选择最优方案，科学地确定水库对洪水的防洪措施及蓄洪量，以充分发挥水库的防洪作用。

(4)洪水演进。由于3S和数字高程模型(DEM)技术的日渐成熟，传统的洪水演进技术正在向以下两个方向发展：一个是在二维数字化地形图上叠加各种水文要素、经济社会及生态信息，借助数字高程模型(DEM)和遥感影像图形成三维可视化模型，进行三维量测和分析模拟；另一个是直接建立三维数字模型，综合地表达流域水文要素和各种地理实体的空间分布。有了这样的洪水演进系统，可以将可能发生的洪水造成的各种情况非常直观地反映在计算机的显示器上，从而获得与防汛有关的各种重要信息。

(5)制订防汛预案。根据洪水演进结果，可提前做好料物、人员、机械设备等抢险准备工作，对下游滩区做出详细的人员撤退方案或采取其他有效的避险措施；变被动防洪为主动防洪，从而可大大降低下游滩区的洪水损失及防洪工程出险的概率。

4.3.3.2 水量调度

目前，随着社会经济的发展，大部分地区的水资源相对紧张，水库的另一个主要功能就是为城市生活、工业、农田的灌溉及生态用水供水。为了使有限的水资源得到科学合理的分配，必须对水库调度实现信息化管理。具体来说要做好以下工作：

(1)枯水期径流预报。丰水期我们要做好防洪的调度，对于枯水期，在合理利用水资源上，径流预报是水量分配的重要依据。美国国家气象局组织开发的“河流水情预报系统”，可以提供中长期(旬、月、季节)的水情概率预报，能够较好地服务于水资源的管理。欧洲开发的NASIM降水径流模型已广泛应用于枯水期的水管理。

(2)建立水库生态模拟系统。水库建成后，势必会对该流域的生态产生一定的影响，建立水库生态模拟系统，通过监测和模拟，分析主体生物的繁殖率以及群体生物的新陈代谢等生态指标，通过水库所反映的信息采用控制入出流等现代化手段引导整个生态系统良性发展。

(3)水资源实时调配。当知道了上游的来水流量和来水量后，可以通过建立现代化的水资源实时调配系统按照用水保证率进行分配，即第一为城市居民生活用水，第二为工业用水，第三为农业用水，第四为生态保持用水。其中，农业是用水大户，对于农业用水的分配，可将每个灌区的作物种植结构及生育期不同时段作物需水量输入计算机，通过遥感遥测手段对灌区内土壤墒情进行分析，再根据每个灌区控制面积大小等因素做出在各个灌区引水闸之间的合理分配方案。当然，系统建设还应包括研制开发径流在河道里的演进及传播模型等。

(4)引水口门的自动监控系统。配水流量的监测和控制主要是通过对各引水口门的流量测量来实现的。流量的测量可采用超声波技术，对重要的引水口门采用视频监控并逐步推广到所有的引水口。将摄像头摄录的图像信号通过数据通信网络传输到中央控制室，通过软件自动扫描现场不同位置摄像头的图像，实现自动触发报警。

(5)地下水观测系统。地表水与地下水有着极其密切的关系，为实现库区流域水资源的优化配置和科学调度，对地表水和地下水必须统一考虑。要将采集到的分布在这些地区地下水长观井的数据信息及时存储于计算机数据库，以可视化的形式对地下水位及其变化做出反应。通过构造地下水水流测试模型，对区域水量平衡进行分析。

4.3.3.3 水质监测

水质监测的目的是准确、及时、全面的反映水环境质量现状及发展趋势，为水环境管理、污染源控制、水环境规划等提供科学依据。水质监测可概括为以下几个方面：

(1)对进入上游水体的污染物质进行经常性的检测，以掌握水质状况及发展趋势。

(2)对生产过程、生活的实际其他排放源进行监视性监测，为控制排污、保证水质提供依据。

(3)对水环境污染事故进行应急检测，为分析判断事故原因、危害机理及采取对策提供依据。

(4)为国家政府部门制定环境保护法规、标准和规划，全面开展环境保护管理工作提供数据和资料。

(5)为开展水环境质量评价、预测预报机制和环境科学研究提供基础数据和手段。

在库区控流区域设置水质监测断面，对各断面水质状况进行实时监测，并建立实时监测数据库。通过构造河流中污染物的扩散输移模型，对污染物的扩散及输移进行模拟分析，进而对河流水质状况及其变化做出预测，为用水户特别是为城市居民用水的引水口做出水质预警预报。

4.3.3.4 电子政务

电子政务是借助电子信息技术而进行的政务活动。它主要有三个组成部分:一是政府部门内部的电子化和网络化办公；二是政府部门之间通过计算机网络而进行的信息共享和实时通信；三是政府部门通过网络与民众之间进行的双向信息交流。电子政务的建设目标，主要是实现办公自动化、信息资源化，以大大提高办公效率和准确率，同时降低办公成本。要实现这一目标，当前要重点加强各有关数据库的建设，如文档及档案资料数据库、科技资料数据库、政策法规数据库、人事管理数据库、行政管理资料数据库、水利多种经营数据库等，在局域网上实现信息交换、信息发布、信息服务、视频会议、决策支持。

政务信息化建设有利于建立水行政主管部门与社会直接沟通的渠道，有利于社会公众了解、支持和监督水利工作，有利于各级水利机关为基层提供优质、高效服务。通过信息反馈，能更好地听取群众呼声，接受群众监督，采纳合理建议，推进政务公开和廉政建设，推进依法行政。因此，按照中央要求，加快政务信息化建设，努力转变职能，转变工作方式和工作作风，是深化水利行政管理体制改革，提高行政管理水平的基本方向和客观需要。

4.3.3.5 水库网站建设

国际互联网络已经成为当今世界的第四传媒，由于其覆盖范围广、传播速度快，已越来越成为最重要、最受世人关注的传播媒介。建设水库网站是水库的发展、信息发布、宣传和对外交流的重要手段，在后面，我们将以盘石头水库网站建设为实例，具体介绍水库网站建设的具体规划及操作。

4.3.4 “数字水库”的基础平台

“数字水库”工程的应用内容，由于其目标不同、专业性质不同，建设的内容也是不同的。

4.3.4.1 水库自动监测系统

1)水库自动监测系统的组成

水库自动监测系统主要由计算机网络系统、水情自动测报系统、坝体安全监测系统、应用软件系统四大部分组成。

(1)计算机网络系统。整个系统以水库管理局为核心建立一中心管理局域网，局域网内设中心服务器、数据接收工作站、水库调度分析工作站，中心服务器具备文件服务器和数据库服务器以及WEB服务器多种功能，在局域网内可实现办公自动化和信息共享，外部遥测站点把实时采集数据发送至数据接收工作站，数据接收工作站把采集回来的数据整理后发送给中心服务器，同时水库调度分析工作站通过应用软件系统对数据进行处理，形成调度方案，供水库管理机构决策。上级主管部门可通过公用电话网(PSTN)以拨号方式实现与水库管理局的信息共享和信息传输，其他单位(在授权许可下)以同样的方式实现对水库管理所的访问。为保证系统的安全性，系统中采用非对称加密算法与对称加密算法相结合在软件上实现身份认证和数据加密，以保证数据的安全性。

(2)水情自动测报系统。本着能满足管理部门对预报精度和预见期要求的原则，节省投资和提高水情测报系统的整体可靠性。遥测站点布设服从系统建设的目的，水文遥测站网络根据规范进行布置。

(3)坝体安全监测系统。通过仪器监测和巡视检查来了解和掌握坝体的工作状态，综合分析运行期水库是否安全，根据监测成果对坝体性态进行分析评估，进一步改善其安全运行的条件。具体可根据《混凝土坝安全监测技术规范》SDJ336—89(试行)的要求，在满足坝体安全监测的前提下，结合工程实际情况布置。

(4)应用软件系统。系统由信息采集系统、信息处理查询系统、洪水预报系统、洪水调度系统(包括防洪、发电、灌溉调度系统)、水库安全运行分析系统、数据库及其管理系统等六个子系统组成。按模块划分为信息采集接收模块、实时信息动态监视模块、信息查询与维护模块、洪水预报调度会商模块(包括防洪、发电、灌溉供水调度会商)、水库安全运行分析模块、数据库及其管理模块、远程数据通信访问及传送模块共七个模块。整个应用系统软件的总体功能能正确、全面地进行水雨情与工情信息的收集、输入、修改和查询，并实时动态显示有关信息，通过人机交互进行洪水预报、水库安全运行分析、调度方案制订、调度方案评价与优选、调度成果管理、防洪、发电、灌溉工程信息管理、调度控制、系统管理等。应用系统软件要求能根据实时和定期水、雨、工情，准确分析防洪、水库安全及兴利形势，自动形成调度预案，供各级调度指挥人员参考，并通过专家经验加以修正，最终形成调度方案，供水库管理机构决策和执行人员实施。

2)水库自动监测系统基本功能

水库自动监测系统基本功能包括：

自动采集雨量、水位、闸位等水、雨、工情信息；

定期采集渗漏量、坝体位移、浸润线等坝体性态信息；

水位超警和水位涨落率越限报警及其他报警；

水位流量关系自动生成；

来报显示(将最近的记录以表格形式反映)；

值班表(图形显示当前各指标)；

实时信息显示：雨量立即图，水位立即图，闸位立即图，其他设备立即图；

流域图(全流域信息地图方式显示)；

数据库查询(分类、统计、表格生成)；

接收当地气象数据。

3) 水库自动监测系统的特色功能

自动侦听无线通信信道；

自报／应答兼容方式具有固态存储功能，既保证自报方式省电、可靠的特点，又能对测站的历史数据进行应答查询，解决了以往自报／应答兼容方式功耗大、可靠性相对较低的缺点；

遥测站和中继站兼容，大大减少了设置中继站的费用，保证各测站与中心站通信电路畅通；

所有信息用 WEB 方式反映；

洪水预测及调度智能分析；

工情、水情信息的远程监视(以水管所为中心，其他地方授权后也可以实现)；

水库调度的远程控制接口(以水管所为中心，其他地方授权后也可以实现)；

各水库之间相互通讯；

移动水情通讯(利用笔记本电脑和移动电话相连,在任何地方都可以下载当前水情工情信息，授权后可进行实时调度)；

电话语音查询(功用电话查询信息)；

资料汇编；

综合监视系统(省地图→地区→水库→测站流程、实时反映雨情、水情、库容、淹没面积、下泄流量)；

三维实景显示。

4.3.4.2 水资源实时监控系统

水资源实时监控系统的目标就是对水资源进行合理优化配置，以解决水资源供需不平衡问题；实现工程水利向资源水利的思想转变，以水资源可持续性利用促进社会经济的可持续发展。

水资源短缺已经成为全球性的问题，随着经济的发展，日益增长的用水需求与水资源短缺之间的矛盾，迫使世界各国都在寻求解决的有效办法。一方面，水资源短缺对经济发展的制约已日渐明显；另一方面，水资源利用效率极低、浪费严重、水污染加剧。因此，采用现代化手段，建设水资源实时监控系统，动态掌握区域水资源变化情况，最大限度地调控可供水量，是促进经济社会可持续发展的迫切需要。

水资源实时监控系统，是以信息技术为基础，综合运用各种高新技术手段，对流域或地区的水资源及相关的大量信息进行实时采集、传输及管理；以现代水资源管理理论为依据，以计算机等先进技术为依托，对流域或地区水资源进行实时、优化配置和调度；以远程控制及自动化技术为手段对流域或地区的工程设施进行控制操作。水资源实时监控系统的核心是实现水资源的优化配置，保障水资源的可持续利用，并以水资源的可持续利用支撑经济社会的可持续发展。

水资源实时监控系统软件部分主要由信息采集、信息管理、辅助决策和系统安全需求四部分功能组成，如图 4-2 所示。

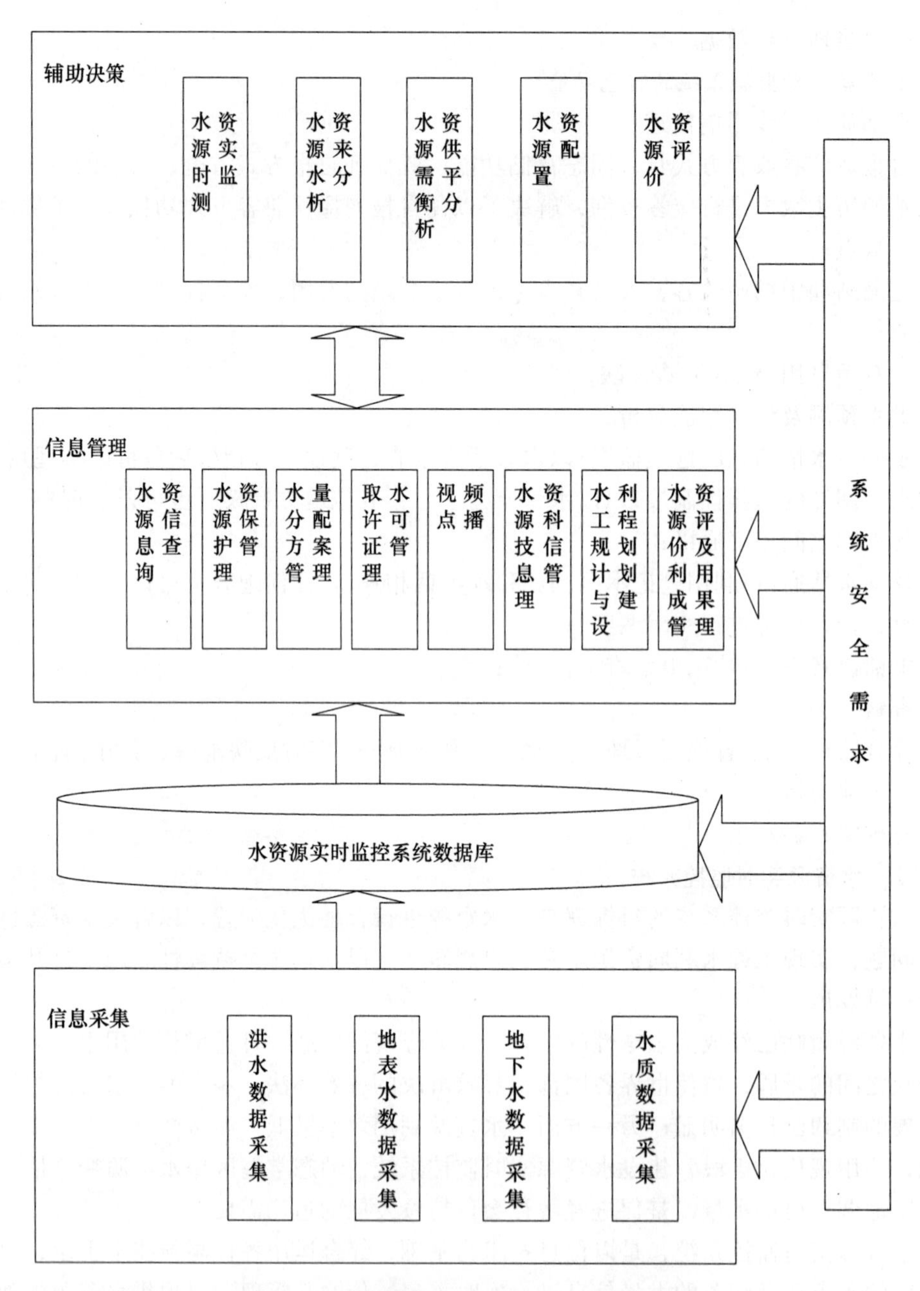

图 4-2　水资源实时监控系统软件部分结构图

4.3.4.3　电子地图与数字高程模型(DEM)

目前，全国范围的 1∶10 万土地利用及其生态系统背景数据库的建设、1∶25 万的电子地图和数字高程模型(DEM)的制作已经完成，全国 1∶5 万的电子地图和数字高程模型(DEM)的制作也正在进行。电子地图和数字高程模型(DEM)是“数字水库”工程建设的最为基础的平台之一，各应用系统建设应在统一的平台上进行。因此，“数字水库”工程建设的组织部门要对电子地图和数字高程模型(DEM)的统一性作出明确规定，或统一购置，或统一组织，进行更进一步细化。

4.3.4.4 基础数据库

按照“资源共享、数据一致性和标准性”的原则，“数字水库”工程建设必须建立统一标准和规范的基础数据库系统，主要包括水文数据库、水质数据库、水库及河道断面资料数据库、工情数据库，人口、经济、社会资料数据库等。要特别注意不同信息来源数据的实时动态采集、整理及入库，将数据以统一、规范的信息格式向“数字水库”工程各应用系统提供。

4.3.5 “数字水库”建设的保障措施

“数字水库”工程的建设是一个庞大、复杂的系统工程，需要一个相对较长的建设或改造周期，为使“数字水库”工程得以顺利实施，应该采取以下保障措施：

(1)统一组织。单个的水库数字化建设是没有任何意义的，数字化建设是一项庞大的、复杂的系统工程建设，需要统一的协调和组织，若没有统一的组织领导，各个方面的衔接就会出问题。因此，要建设“数字水库”，就必须专门成立工程建设领导小组和办公室，统一组织，统一协调，统一规划，为其提供强有力的组织保障。

(2)做好规划。在“数字水库”工程建设的过程中，规划工作极其重要。可以这样说，没有一个高水平的规划，就不可能建成一个高水平的“数字水库”工程。工程的规划一定要遵循“整体布局、分步实施、先进实用、共建共享”的原则，以应用为中心，力求高起点。要特别注意的是“数字水库”工程不同于一般意义上的工程，一定要使其具有开放性、兼容性、扩展性，要充分考虑到现代信息技术的飞速发展，工程建设要适应未来功能升级的要求。

(3)确保投入。“数字水库”工程建设，不仅要有一次性的投入，而且还要有运行维护费的长期保障。以往我们在这方面的教训很多，模型开发后，由于没有资金渠道，使模型中的基本资料得不到更新，从而使模型无法再行运转，即使运转其结果也没有实用价值。由于缺乏资金，模型的进一步改进也无法进行。“数字水库”工程建设一定要吸取以往的教训，将这项工程按照基本建设项目进行管理。要千方百计筹措资金，以确保工程建设与运行的顺利实施。

(4)应用牵引。“数字水库”工程建设的目的完全是为了应用，其最终的用户是防汛、水量调度、水环境保护、水土保持、水利工程管理等部门，要充分认识到，“数字水库”工程是提高工作效率、增强工作的准确性、科学性、前瞻性的重要手段。因此，日常工作中一定要很好地应用这一高科技手段，并在实际应用中不断发现问题、解决问题，使之逐步得到改进和完善。

4.4 盘石头水库数字化建设

4.4.1 盘石头水库简介

盘石头水库是《海河流域规划》选定的一座大型综合利用的水利枢纽工程，该水库位于河南省鹤壁市西南约 15 km 的卫河支流淇河中游盘石头村附近，水库控制流域面积为 1 915 km^2，水库库容为 6.08 亿 m^3，属大(二)型水库。

水库的主要功能是防洪、供给鹤壁市工业及生活用水，兼顾灌溉和养殖，并结合发电，同时发展旅游。

水库主要建筑物有大坝、溢洪道，1 号、2 号泄洪洞，输水洞，1 号、2 号电站等。大坝为面板堆石坝，溢洪道为自溢式溢洪道。图 4-3 为水库建筑物布置模型图。

图 4-3 水库建筑物布置模型

盘石头水库于 2000 年 4 月开工，总工期 5 年，目前，1 号、2 号泄洪洞及输水洞已经完工，剩余工程预计在 2005 年底完工。

4.4.2 盘石头水库数字化建设

随着盘石头水库主体工程建设的进行，水库的信息化建设也在逐步实施。作为信息化建设的基础，水库首先进行了网络的建设。

4.4.2.1 盘石头水库的网络化建设

计算机网络，就是为了达到资源共享的目的，通过一定的方式将各个分散的计算机连接起来。按计算机联网的区域大小，可以把网络分为局域网(LAN, Local Area Network)和广域网(WAN, Wide Area Network)。局域网(LAN)是指在一个较小地理范围内的各种计算机网络设备互联在一起的通信网络，可以包含一个或多个子网，通常局限在几千米的范围之内。广域网(WAN)连接地理范围较大，常常是一个国家或是一个洲。其目的是为了让分布较远的各局域网互联。平常讲的 Internet 就是最大最典型的广域网。图 4-4 为局域网与广域网示意图。

网络上的计算机之间信息的交换是通过网络协议来实现的，所说的网络协议就是计算机进行信息交换时所遵循的一种规则，如同人类交流所使用的语言一样，是一种计算机语言。不同的计算机之间必须使用相同的网络协议才能进行通信。网络协议也有很多种，Internet 上的计算机使用的是 TCP / IP 协议。如图 4-5 所示为网络协议模拟图。

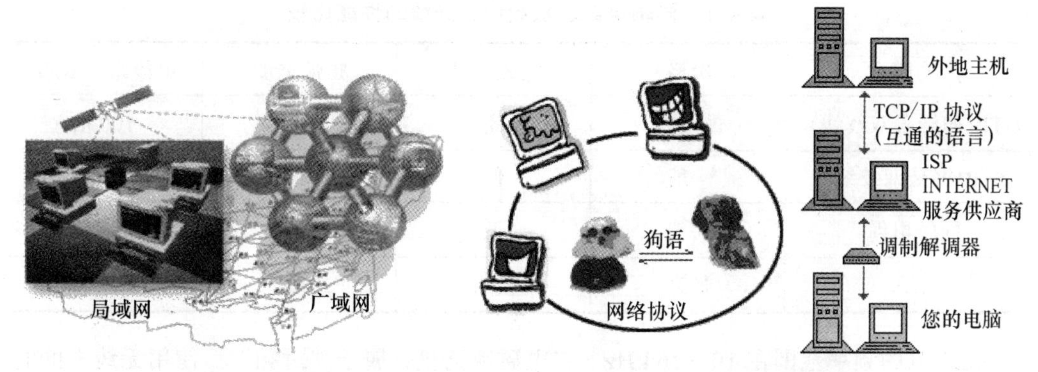

图 4-4　局域网与广域网示意图　　　　图 4-5　网络协议模拟图

1) 水库局域网组建

图 4-6 是一个局域网的示意图，构成局域网的基本构件有计算机、传输媒体、网络适配器、网络连接设备和网络操作系统。

(1) 计算机。它是构成网络的基本元件，目前，盘石头水库共有计算机 26 台，基本布置在水库建管局办公基地。

(2) 传输媒体。局域网常用的传输媒介有同轴电缆、双绞线、光缆，其结构如图 4-7～图 4-9 所示。

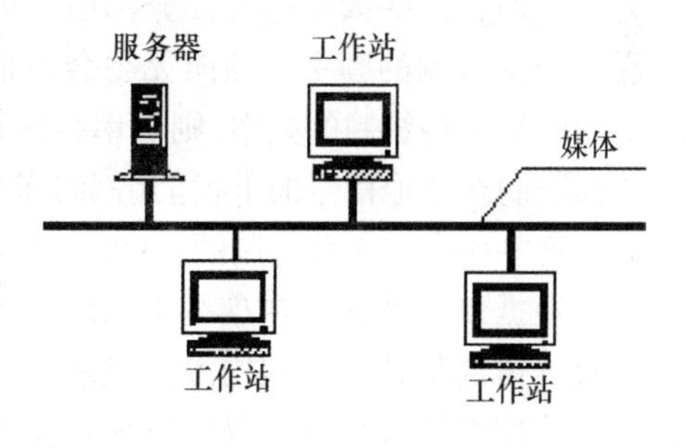

图 4-6　局域网示意图

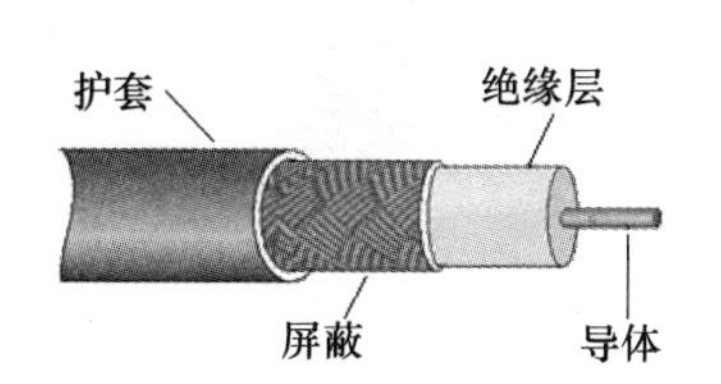

图 4-7　同轴电缆

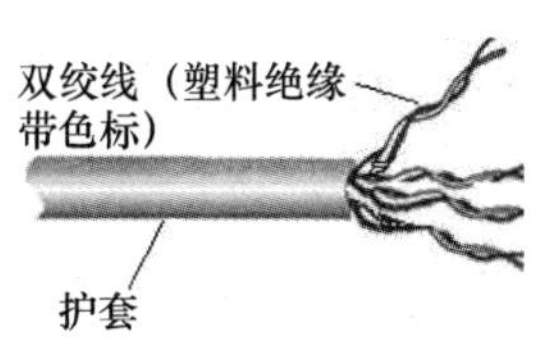

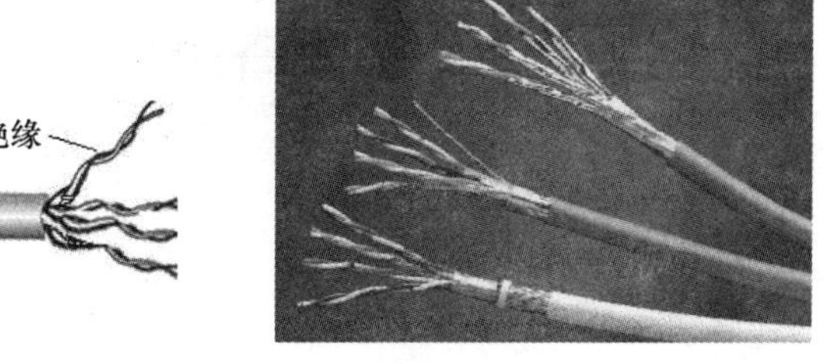

图 4-8　双绞线

表 4-1 是三种传输媒介的性能比较。

上述三种传输媒介有一个共同的缺点，即都需要一根线缆连接电脑，这在很多场合下是不方便的。无线媒体不使用电子或光学导体，大多数情况下地球的大气便是数据的物理性通路。从理论上讲，无线媒体最好应用于难以布

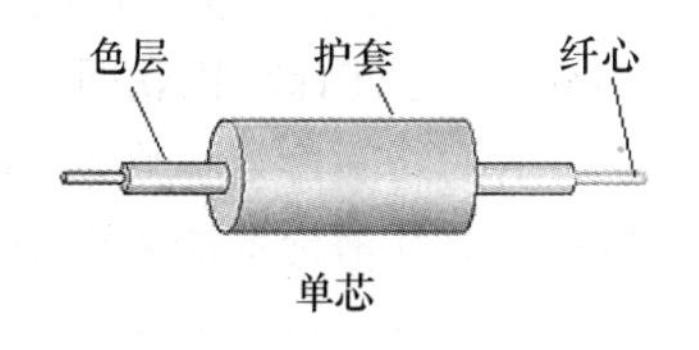

图 4-9　光缆

线的场合或远程通信。无线媒体主要有无线电、微波及红外线三种类型。下面我们主要介绍无线电传输介质。

表 4-1　同轴电缆、双绞线、光缆的性能比较

传输媒介	价格	电磁干扰	频带宽度	单段最大长度
UTP(非屏蔽双绞线)	最便宜	高	低	100 m
STP(屏蔽双绞线)	一般	低	中等	100 m
同轴电缆	一般	低	高	185 m / 500 m
光缆	最高	没有	极高	几十公里

无线电的频率范围在 10～16 kHz。在电磁频谱里，属于“对频”。使用无线电的时候，需要考虑的一个重要问题是电磁波频率的范围(频谱)是相当有限的，其中大部分都已被电视、广播以及重要的政府和军队系统占用。因此，只有很少一部分留给网络电脑使用，而且这些频率也大部分都由国内“无线电管理委员会”(无委会)统一管制。要使用一个受管制的频率必须向无委会申请许可证，这在一定程度上会相当不便。如果设备使用的是未经管制的频率,则功率必须在 1 W 以下,这种管制目的是限制设备的作用范围,从而限制对其他信号的干扰。用网络术语来说,这相当于限制了未管制无线电的通信带宽。下面这些频率是未受管制的：902～925 MHz；2.4 GHz(全球通用)；5.72～5.85 GHz。

根据以上特性，在盘石头水库建管局基地，有线网络传输媒介选用双绞线组网，雨情及水情的信息接收利用海事卫星。

使用双绞线组网，双绞线和其他网络设备(例如网卡)连接必须是 RJ45 接头(也叫水晶头)。图 4-10(a)是 RJ45 接头示意图，(b)图为实物图。

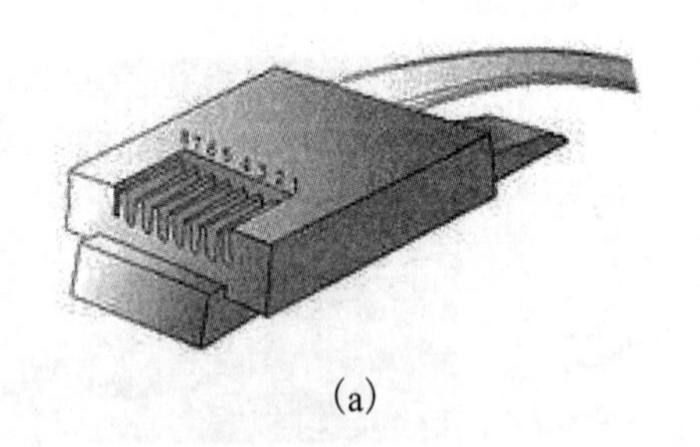
(a)

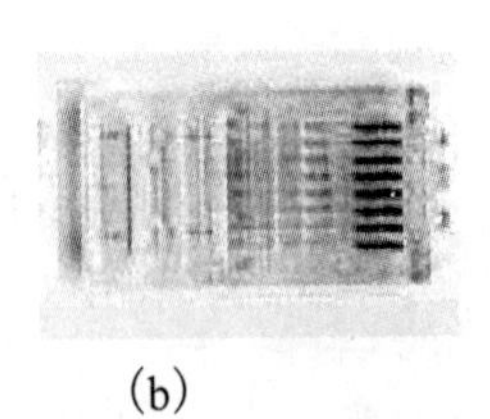
(b)

图 4-10　RJ45 接头

(3)网络适配器。网络适配器又称网卡或网络接口卡(NIC),英文名 Network Interface Card。它是使计算机联网的设备，如图 4-11 所示。平常所说的网卡就是将 PC 机和 LAN 连接的网络适配器。网卡(NIC)插在计算机主板插槽中，负责将用户要传递的数据转换为网络上其他设备能够识别的格式，通过网络介质传输。它的主要技术参数为带宽、总线方式、电气接口方式等。它的基本功能为：从并行到串行的数据转换，包的装配和拆装，网络存取控制，数据缓存和网络信号。目前应用的主要是 8 位和 16 位网卡。

图 4-11　网卡实物图

网卡必须具备网卡驱动程序和 I / O 技术两大技术。驱动程序使网卡和网络操作系统兼容，实现 PC 机与网络的通信；I / O 技术可以通过数据总线实现 PC 和网卡之间的通信。

根据网络技术的不同，网卡的分类也有所不同，盘石头水库局域网采用的是以太网技术，选用的网卡为 10 M / 100 M 自适应以太网卡。

(4)局域网连接设备。局域网连接设备是将网络集中管理的基本元素，它与网络的关系就如树干与树枝的关系一样，是一个中继器，现在常用的网络连接设备有集电器(HUB)和交换机。图 4-12、图 4-13 为集电器和交换机实物图。

图 4-12　集电器的实物图

图 4-13　交换机实物图

和交换机相比较，集电器不具备自动寻址能力，即不具备交换作用。所有传到 HUB 的数据均被广播到与之相连的各个端口，容易形成数据堵塞。根据实际需要，盘石头水库建管局目前的网络连接设备选用的是 24 端口 10 M / 100 M D_LINK 交换机。

(5)网络操作系统。由于兼容性的问题，在盘石头水库建管局的每个 PC 机都安装了 Windows2000 以上版本的操作系统，形成一个对等网络，建立了一个命名为 pst 的工作组，工作组的每个 PC 机建立一个有一定权限限制的用户名，相互访问时用公共用户名和密码进行访问。相互之间只有访问权限，没有修改权限。

2)水库计算机网络总体设计方案

(1)组网结构。水库计算机网络组网结构见图 4-14。

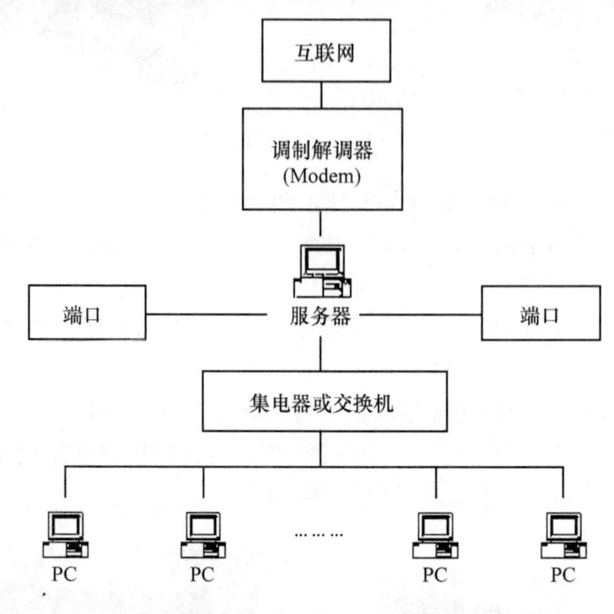

图 4-14　水库计算机网络组网结构

(2)系统需求分析。水库需要设立的信息点有办公基地，电站，1 号、2 号泄洪洞控制室，输水洞进出口控制室，大坝观测房，各个水质监测点等。网络中心设在水库建管局院内，以建管局信息中心为中心，用光纤连接其他各建筑物。全局开通办公自动化系统。

(3)系统设计原则。系统设计原则主要有以下几点：

①实用性。应当从实际情况出发，使之达到使用方便且能发挥效益的目的。采用成熟的技术和产品来建设该系统，要能将新系统与已有的系统兼容，保持资源的连续性和可用性。系统应是安全的、可靠的，使用相当方便，不需要太多的培训即可很容易的使用和维护。

②先进性。应采用当前国际先进成熟的主流技术，采用业界相关国际标准。设备选型要是先进和系列化的，系统应是可扩充的，便于进行升级换代。建立 Intranet / Internet 模式的总体结构，符合当今信息化发展的趋势。通过 Intranet / Internet 的建立，加速国内外之间的信息交流。

③安全性。采取各种有效的安全措施，保证网络系统和应用系统安全运行。安全包括 4 个层面即网络安全、操作系统安全、数据库安全和应用系统安全。由于 Internet 的开放性，采用防火墙、数据加密等技术防止非法侵入、防止窃听和篡改数据、路由信息的安全保护来保证安全。同时要建立系统和数据库的磁带备份系统。

④可扩充性。采用符合国际和国内工业标准的协议和接口，从而使网络具有良好的

开放性，容易实现与其他网络和信息资源的互联互通，并可以在网络的不同层次上增加节点和子网。一般包括开放标准、技术、结构、系统组件和用户接口等原则。在实用的基础上必须采用先进的、成熟的技术，选购先进水平的计算机网络系统和设备，并保留向 ATM 过渡的自然性。

⑤可管理性。设计网络时充分考虑网络日后的管理和维护工作，并选用易于操作和维护的网络操作系统，可大大减轻网络运营时的管理和维护负担。采用智能化网络管理，最大程度地降低网络的运行和维护成本。

⑥高性能价格比。根据水库具体情况，制定合乎经济效益的解决方案，在满足需求的基础上，充分保障水库网络的经济效益。坚持经济性原则，力争用最少的钱办更多的事，以获得最大的效益。

(4)网络系统设计。

①系统构成。水库信息系统网络应是为办公、管理服务和宣传的综合性网络系统。一个典型的信息系统网络通常由以下几部分组成：

网络主干，用于连接各个主要建筑物，为各个部门提供信息采集和网上传送功能。

局域网(LAN)系统，以各个职能部门为单位而建立、独立的计算环境和实验环境。

主机系统，网络中心的服务器和分布在各个 LAN 上的服务器是网络资源的载体，它的投资和建设也是信息系统网络建设的重要工作。

应用软件系统，包括网上 Web 公共信息发布系统、办公自动化系统、管理信息系统、电子邮件系统、行政办公系统、人事管理系统和财务系统等专用的系统，其中更主要的是建设内部的 Intranet 系统。

出口(通讯)系统，是指将信息系统网络与 Cernet 和 Internet 等广域网络相连接的系统，出口系统的主要问题包括两个方面：一个是选择合适的连接方式，如 DDN、X.25、卫星、微波等方式联网；另一个是防火墙的建设，它与出口系统的安全性有直接的关系。

②网络技术选型。在局域和园区网络中有多种可选的主流网络技术，针对不同技术类型，结合库区网系统设计原则和用户的具体需求情况，选用交换式千兆以太网作为水库的全网主干，10M / 100M 交换式子网接入。

主干网选用千兆以太网，其第三层以太网路由器交换机大都满足 IEEE802.3 标准，技术成熟，具有流量优先机制，能有效地保证多媒体传输时的 QOS(性能与质量)。

千兆以太网具有良好的兼容性和可扩展性，在 ATM 技术成熟时，可平滑集成到 ATM 网络中，作为 ATM 网的边缘子网。

工作组子网可选用 100 M 交换模式，使用户终端独占 100 M 带宽的数据交换。在核心交换机与工作组交换机之间，采用 100 Mbps 传输带宽，当使用全双工时，传输带宽为 200 Mbps。

③网络基本结构设计。网络拓扑结构是指用传输媒体互联各种设备的物理布局。将参与 LAN 工作的各种设备用媒体互联在一起有多种方法，我们采用以太网(Ethernet)星型结构见图 4-15，这种结构便于集中控制，因为端用户之间的通信必须经过中心站。这一特点也带来了易于维护和安全等优点，端用户设备因为故障而停机时也不会影响其他端用户间的通信。但这种结构非常不利的一点是，中心系统必须具有极高的可靠性，因

为中心系统一旦损坏，整个系统便趋于瘫痪。

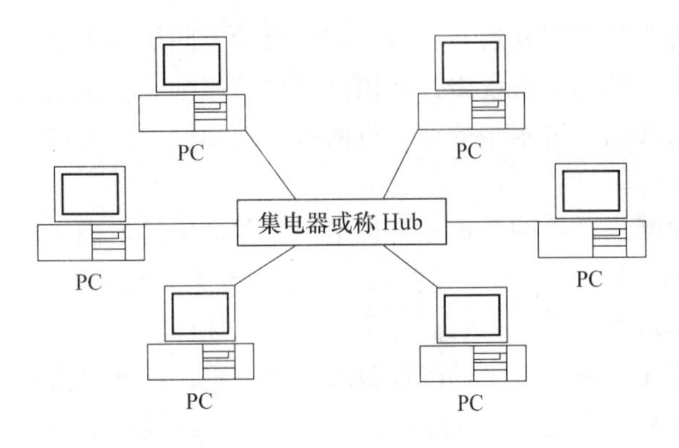

图 4-15　以太网星型结构

网络主干采用 6 芯多模光纤。网络中心到主建筑物结点采用 6 芯多模光纤连接，在全双工条件下传输距离可达 2 km。光纤布线采用星型拓扑结构，这样当过渡到 ATM 时，不需要重新布线即可使整个网络保持原有的拓扑结构。

水库网主干设备采用 10 / 100 M 自适应全双工交换机，它可有效地扩展网络带宽，消除网络碰撞，提高网络传输效率。各主建筑物结点的二级交换机，分别通过光纤以全双工 200 M 带宽与中心交换机相连。

网络中心配置两台高性能网络服务器：1 台服务器用做 Web Server、DNS Server；1 台用做备用 DNS Server、E-mail Server、FTP 等。

网络中心配备服务器分别用做数据管理、拨号用户认证、网管、数据库及办公自动化系统、视频点播(VOD)系统、BBS 系统、代理服务及计费等；配备 1 台笔记本电脑用做调试终端。网络中心还需配置激光打印机、打印服务器、扫描仪、数码相机、UPS 不间断电源(3 kVA、2 h)等设备。

(5)网络实现功能。本网络除了能够实现文件打印服务、网络数据通信、库区网络管理系统等一般网络的基本功能外，外部网络还可实现基于 Intranet / Internet 的信息服务，提供 Internet 的访问、电子邮件服务等功能。如果需要还可提供远程访问的功能，同时可以在 Internet 上发布信息。具体的功能有：

①WWW 服务。可以在服务器上创建库区网站，通过丰富多彩的 Web 主页，还可以创建动态的 Web 页面，达到对水库宣传的目的。包括各种多媒体应用，用户可以通过工作站远程监控 Internet 服务器的工作情况，通过工作站远程更新 Web 主页，并配置虚拟的工作目录和虚拟的 WWW 服务器。同时，用户还可以控制 Internet 服务器所占用的网络带宽。

②电子邮件服务。用户通过互联网收发电子邮件，设置管理员账号进行用户信箱、信息存储、过滤等管理。

③FTP 服务。用户通过网络对文件共享。

④网络代理安全。Internet 的连接部分采用代理防火墙为各单位 Internet 接入网络提供防火墙。

⑤数据存储。由于各水库有大量的数据要进行存储，既要具有扩展性，又要有良好的性能，因此我们采用磁带机存储，扩展起来相当方便，性能也可靠。

3)水库网站建设

作为现代信息发布、传播以及交流、通信的重要途径，网站建设越来越显现出其固有的重要性，而水库因其具有的特定功能，网站建设尤为重要。

(1)网站建设技术。网站建设技术大体分静态网页技术和动态网页技术两类。

(2) 网站的策划流程。无论做什么网站，策划是第一步，就如建工程一样，先要作出总体规划、建设顺序、建设内容等，这样，建设的工程才能有条理地合理布置。要建设一个网站，首先要对网站进行总体规划，确定网站的主题、内容、风格等，这些，都是决定一个网站将来发展的重要因素。一般网站建设流程如图 4-16 所示。

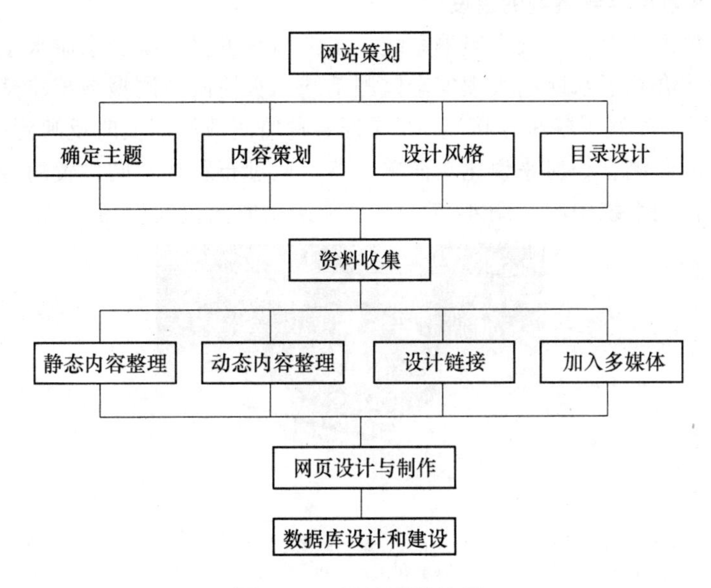

图 4-16　网站建设流程

(3) 网站主题。主题就是网站所要表达的主要内容。在动手制作网站之前，首先要考虑网站究竟要做些什么，也就是说必须给自己的网站划定一个范围。为网站确定一个主题，明确其在 Internet 世界中的定位，往往是网站建设中极为关键的一步，也是网站建设首先应该考虑的一步。

水库网站建设，根据水库要通过网站所要表达的内容不同，确定了不同的主题。

①以旅游宣传为主题。现代水库大都是综合性比较强的水库，水库除了防洪、发电、养殖、供水等功能外，最有特色的功能便是旅游开发了。水库以其特有的条件，给旅游开发带来了广阔的空间，水库秀丽的山水要能够吸引游客，除了有其特色的风景外，宣传也很重要。作广告宣传固然有力度，但是，如果水库有一个能完全反映其特色的网站，让游客未临其地、先睹其景，效果就会更好了。

②以新闻、水情等信息的发布为主题。结合水库地理信息系统，可以以水情、水位、水质测报为主题建设网站，这种网站的专业性较强，主要用于同行业、上下级之间的信息互通，可以作为全国地理信息系统的一部分。

根据具体情况，盘石头水库以旅游为主题，结合水情、水位、水质实时信息发布。

(4) 内容的设计。确定了主题，就可以考虑在主页上放一些什么内容。如建立一个以新闻、信息发布为主题的网站，综合水库的各种新闻及实时信息，其主要服务对象是水库工作人员、水库上级机关及相关行业的人员。

盘石头水库也是一座综合性开发的水库，可以考虑以旅游宣传、实时信息发布为主题，实时信息与数据采集系统相结合，实时提供最新的水情、雨情及水质的信息，突出其时效性。在旅游宣传上，可结合图片全方位介绍整个水库，包括旅游指南，旅店、酒店定购，本地特色产品、小吃介绍等，通过浏览网页，形成一种引人入胜的感觉，大大增强游客的旅游欲。

4.4.2.2 盘石头水库监测系统的建设

水库的监测系统有大坝安全监测系统、水情雨情测报系统、水质水位监测系统等，在前面已经具体介绍了水库的大坝安全监测系统、水情雨情测报系统建设，在水库的管理中心，服务器上设置了各种连接端口，保证各种监测数据能实时反映到中心系统上来。对于水质水位的监测，相对来说比较简单一些，通过布置在不同位置的传感器，将该部位的水质情况传到系统中心。图 4-17 为多功能水质监测仪实物图。

功能：用于监测 pH、ORP、DO、电导率、盐度、表面温度、深层温度、压力、深度、浊度等 12 个参数。

特点：长时间电池能源；可用于新鲜水、海水和污水；PC 界面内部数据采集；探头可在 200 m 深度测量；12 个参数的实时显示。

图 4-17　多功能水质监测仪实物

第 5 章　新建水库渔业养殖

5.1　水库渔业发展意义和前景

中国幅员辽阔，淡水水域宽广，内陆江河纵横，湖泊、水库、池塘星罗棋布，是世界上养鱼最早的国家。大约在 3 100 多年前的殷代就有了养鱼业。在春秋末越国范蠡著有《养鱼经》，到目前为止《养鱼经》是世界上最早的一部养鱼著作，它记载了中国古代劳动人民的养鱼经验，对鲤鱼的生活习性和综合饲养技术都有较为详细的叙述。另在《会稽志》也有记载："南池在县东南二十六里会稽山，池有上下二所。旧经云：'范蠡养鱼于此'。"范蠡在此养鱼同时开创了中国水库养鱼的先河。

目前，我国流域面积在 100 km^2 以上的河流就有 5 万多条，有 74 256 km^2 的湖泊面积，有水库 8 600 多座，总库容量 4 000 多亿 m^3，总水域面积 205.5 万 hm^2。以黄河、海河水系为主的华北区，总水面积为 97.8 万 hm^2，占全国可养殖水域的 11.6%。

中国的淡水鱼类资源丰富，其中有经济价值的品种约有四五十种。凡是生长迅速、肉味鲜美、苗种易获得、饲料能解决、适应性较强的鱼类均可以作为水库渔业养殖的对象，传统的主要养殖鱼类是"四大家鱼"青、草、鲢、鳙以及鲤、鲫、鳊、鲮等。近年来，随着生产发展和科学技术水平的提高，为满足群众不断增长的物质文化需要，渔业工作者和生产者经过辛勤努力已成功地将异域生长鱼类驯化为北方规模化生产鱼类(如鲂类、鲴类)，另外还从国外引进了罗非鱼、虹鳟、革胡子鲇、斑点叉尾鮰、淡水白鲳等，通过杂交，培育出丰鲤、荷元鲤、异域银鲫。根据市场需求，通过车间式人工规模化养殖，发展了特种水产养殖，如牛蛙、中华鳖、罗氏沼虾、鳜鱼、乌鳢、鲟鱼、黄鳝等。

在渔业养殖技术上，中国始终走在世界前列，在宋、明、清各个时期，青、草、鲢、鳙饲养技术十分完善，在鱼池建造、鱼种搭配、放养密度、分鱼、投饲与施肥、转塘、鱼病防治等方面积累了丰富的经验。新中国成立后，渔业开发得到迅速发展，1958 年中国首先在世界上突破了鲢鱼繁殖技术难关，以后又用相同原理解决了草、青、鲢、鳙等主要养殖鱼类人工繁殖技术难题，从而摆脱了依靠捕捞天然鱼苗放养的被动局面。在成鱼养殖方面总结出水、种、饵、密、混、轮、防、管八字精养法，使单位面积鱼产量得到大幅度提高。除了在池塘养殖外，对湖泊、水库、河道等天然水域也进行大规模养殖开发，改变过去传统捕捞为主到养捕并举，使中国淡水渔业结构发生根本性改变。

近年来，随着渔业科学技术发展，网箱养殖、流水养鱼技术也成功地在国内湖泊、水库等较大水域得到应用，通过合理放养，充分利用港汊拦截和水库消落及季节雨量集中、光照充足等特点，使水库水面得到较好的利用，水库渔业养殖产量正不断得到提高。

鱼肉是一种高蛋白食品，其蛋白质的含量与猪肉、牛肉等相近，比禽蛋、牛奶高许多。鱼肉含胆固醇少，不饱和脂肪酸较高容易被人吸收，尤其适合儿童、老人食用。鱼肉产肉率高于家畜，加之味道鲜美、肉质细腻，对于提高广大人民生活水平具有重要意义。

中共十六大报告指出，“健全农产品质量安全体系，增强农业的市场竞争力”，随着我国“菜篮子”工程深入开展和 “无公害食品行动计划”的推进，对于水产品生产、消费也提出了更新、更高的要求，同时又为水库大水面养殖提供了良好机遇。如何利用好水库这块净水，打造水库无公害水产品，在市场经济条件下对水库管理者、经营者如何提高竞争优势提出新的课题。消费者现已对无公害产品有了充分理解，无公害蔬菜、水果，山里货、农村家养鸡、鸡蛋，农村猪、羊等都成为抢手货。中国在 21 世纪前 20 年全面实现建设小康社会的目标的制定，也为水库渔业发展提供了广阔前景。

5.2 水库渔业环境

水库是以防洪、供水、发电、灌溉、航运为主，兼顾旅游、水产养殖等项目的水利枢纽工程。一般建在河流上，通过挡水建筑物拦蓄上游来水，由坝和两岸高地形成能储蓄大量水的天然仓库，又叫人工湖。不同水库具有不同的功能，如中国南方水库由于上游水量大，主要用来发电和防洪、航运；北方水库由于受到年度、季节影响，降水不集中，主要用来防洪和供水，同时兼顾其他功能。由于水库环境状态介于河流和湖泊之间，这种特点反映在水库形态学、水文、物理、化学以及生物学等各方面，对水库养鱼、捕捞等生产会带来深刻影响。

5.2.1 水库水文理化特点

5.2.1.1 形态特征

由于目的不同，水利部门和水产部门对水库大小划分标准也不同。以下按照水库地理特征和库容面积大小分别进行分类。

1) 按地理特征分类

(1) 山谷河流型水库。它是建在山谷河流上的水库，库周群山环抱，岸坡陡峭，坡度常在 30°～40°，洄水延伸距离大，库汊深长，敞水区小。多岛屿，水深不均，一般水深 20～40 m，上下水层水温变化较大，表底层间营养物质和热量交换较差，水生植物及底栖动物发育较差，浮游生物比较丰富，鱼类组成比较简单，渔业利用性能良。

(2) 平原湖泊型水库。它是在平原或高原台地河流上或低洼地上围堤筑坝而形成的水库。平原湖泊型水库特点是，水面开阔，敞水区大，沿岸线较平直，少库湾，库容变化小，消落区大，库底平坦、多淤泥，最大水深 10 m 左右，通常无跃温层，上下水层交换良好，水生生物从种类到数量发育较好，天然渔产力较好，渔业利用性能良。

(3) 丘陵湖泊型水库。即建在丘陵地区河流上的水库。丘陵湖泊型水库特点是，库区山丘起伏但坡度不大，岸线较曲折，库湾多，洄水延伸距离不大，敞水带常集中在大坝前一块或几块地区，水深 15～40 m，跃温层有或无，库底不平，淹没农田多，水质肥沃，消落区较大，天然渔产力较好，渔业利用性能优。

(4)山塘型水库。它是为农田灌溉而在洼地上修建的微型水库，与池塘相似。

2)按库容面积大小分类

水利部门一般按照库容大小划分，大型：库容 1 亿 m^3 以上；中型：1 000 万～1 亿 m^3；小型：1 000 万 m^3 以下。水产部门按水面大小划分，巨型：10 万亩[1]以上；大型：1 万～10 万亩；中型：0.1 万～1 万亩；小型：1 000 亩以下。

水利部门划分的水库类型具体见表 5-1。

表 5-1　水库类型

水库类型		总库容(m^3)
小型水库	小(二)型	10 万～100 万
	小(一)型	100 万～1 000 万
中型水库		1 000 万～1 亿
大型水库	大(二)型	1 亿～10 亿
	大(一)型	大于 10 亿

5.2.1.2　水文特征

1)水库库容、水位对渔业影响

由于受到气候影响，中国华中以南地处亚热带，水资源丰富，降水多发生在春末夏初，日照充足较适合鱼类生长；华北以北地区降水多在 5～9 月，其他季节为水库枯水期。由于受到水库建造目的和用水调度计划影响，水库库容及水位经常发生变化，通常汛前水位最低，汛后水位最高。水库水位变化对渔业生产带来巨大影响，其不利一面是：由于库容大小变化影响生存空间、索饵和繁殖；由于消落区较大，使水生植物和软体动物难以大量繁殖生长，有些鱼类卵因失去附着物而死去，有些卵因干涸或暴晒而死亡；由于水库水交换量大导致失去大量有机物和营养盐类，影响水库生物生产力提高。有利一面是：消落区土地在水位上升时带来营养盐，增加水库生产力，消落区裸露时期导致大量陆生植物生长，在水涨时，这些植物可作为饵料、产卵附着物、肥料，水位低时有利于捕捞。

2)流速对渔业影响

水库形成后，库水流速已变得十分微小，但又不是静水的湖泊。由于定期或不定期的注水与排水，库水处于经常交换状态，它有利于营养物质流通和循环，有利于水温、溶解气体及各种营养物质等的均匀分布，也有利于鱼类及其饵料生物的生长和繁殖。汛期由于水流刺激，一些产卵鱼可以上溯寻找产卵地点，如鲢、鳙、青、草等家鱼。有时因流程不够，导致后代存活困难。

3)淤积对渔业影响

水库的淤积主要是汛期随洪水带来上游泥沙等悬浮物沉降堆积在库底。轻微的淤积对底栖生物和水生生物是有利的，但是严重的淤积影响底栖生物生存，长时间堆积导致库容减少、水面退缩，直接影响渔业生产。

---

[1] 1 亩=0.066 7 hm^2，为适应行业习惯，本章保留“亩”为单位。

5.2.1.3 水库水的理化特征

库水的理化特征直接影响鱼类及其饵料生物的生长、繁殖和移动，主要包括水温、透明度、溶解氧、营养盐类等几个方面。

1）水温

水温是影响鱼类及其饵料生物的代谢强度，影响鱼类及其饵料生物摄食、生长、繁殖的主要生态条件之一。水温的垂直分布与变化对水库生物能力和生物栖息活动有很大影响。通常我国水库养殖对象以鲢、鳙为主，较适合生长温度在 20～32 ℃。

在浅水水库，上下层温差不大，水的混合作用比较强，物质循环较快，生产力较高。在深水水库，常有温跃层产生，上下层水温差别较大，使表层水和底层水长期得不到交流，沉淀于底层的营养物质无法进入上层，上层较高溶解氧和温度达不到底层，致使生物代谢缓慢，生产力较低，影响渔业产量。

水库蓄水后，水温较稳定，同一地区水库水温比池塘、河流水温要高。库底水温因常年稳定对某些鱼类生长有利，如虹鳟等冷水鱼类可以利用发电后尾水进行人工养殖。

2）透明度

水库的透明度受到水中生物数量、泥沙、碎屑悬浮物含量影响，通常将透明度大小作为判断水面肥沃程度的标志，大中型水库透明度一般在 1～2 m。近年来，由于部分水库水体受上游来水污染或泥沙影响，透明度普遍偏低。汛期水库受到上游泥沙影响透明度减小，鱼群因受浊水呛逼容易向大坝清水区游动，这时是捕捞的大好时机。

3）溶解氧

鱼类生活在水中，主要靠鳃等器官呼吸溶解于水中的氧气。鱼类要正常生活，需要一定浓度的氧气。在温度等环境适宜情况下，水中溶解氧量在 5 mg／L 时，鱼类摄食旺盛，饵料系数低，生长快；溶解氧量低于 2 mg／L 时，鱼类食欲差；溶解氧量降至 1 mg／L 时，窒息死亡。

与池塘养殖比较，水库溶解氧具有含量高、昼夜变化小、垂直变化较小的特点。水库因受库水交换和不同程度流动状态影响，溶解氧充分、稳定、分布均匀，要比湖泊、池塘丰富，是水库鱼类生长较快的原因之一，也是水库养殖的优势。

4）营养盐类

水库水中营养盐类，一般指氮、磷、硅、铁等鱼类和饵料生物所需营养物质。水库营养盐主要靠上游河水和库周集水补给，一般来说，水库蓄水初期营养盐最丰富，汛期上游泥沙、腐殖质带来营养盐类，其他时期库水营养盐趋于稳定。

5.2.2 水库天然饵料

水库养鱼，主要靠水体中的天然饵料供给鱼类摄食、生长，它们的种类多寡、数量组成对水库渔产量有着直接影响。因此，要正确估计渔产力，制定合理放养、增殖计划。

5.2.2.1 浮游植物

水库蓄水后，浮游植物主要靠原来水域生活的藻类发展起来。通常藻类随着水位升高、透明度增大变得丰富起来，当水位达到一定高程已经形成植物群落。通常以硅藻、绿藻等占优势，横向分布规律是中游上游数量最多，下游最少，因此下游水体最瘦。水库浮游植物纵向分布与水流、浑浊度及营养物质的分布有关，以硅藻为例，因细胞壁较重先于其他藻类下沉，通常随上下游水流出现递减，浑浊度较高水库，浮游植物量以中游最多。浮游植物量季节变化明显，夏秋季出现高峰，冬春季节数量较少。

5.2.2.2 浮游动物

在河流中，由于水流速度大，有机物少，纤毛虫、轮虫、枝角类、挠足类等浮游动物较少。水库建成后，流速减慢、悬浮物沉淀、有机物增多、透明度增大、浮游植物及腐生细菌大量繁殖，促进了浮游动物的生长。浮游动物的数量和分布受浮游植物影响，具有依存性；另外受季节影响，夏秋出现高峰，冬季最少。库水浑浊时，水中悬浮大量泥沙，可造成浮游动物大量死亡，浮游动物数量明显减少。

5.2.2.3 底栖动物

由于水库水深、水位变化大，库底少淤泥或淤积严重，底栖动物有喜流水动物限于水库上游，数量难以发展。静水种类，如摇蚊幼虫、寡毛类、软体动物，随着蓄水在种类和数量上增多，逐渐成为优势底栖动物。软体动物在深水水库极少，在浅水水库较发达。湖泊型水库底栖动物区系的形成发展较快，河流性水库底栖动物发展较慢。在水库蓄水后，可针对性移植底栖动物，从而加速水库底栖动物区系的形成发展，获得较好的经济效果。

5.2.2.4 水生植物

水库建成后，由于水位抬高，岸坡陡峭，大多数水库水生植物种类、数量减少，只有库湾浅水区有为数不多的植物，因此水生植物相对匮乏。

5.2.2.5 腐屑与细菌

腐屑大部分是无生命的有机颗粒，主要是来自集水的植物碎屑和动物粪便。植物碎屑和动物粪便进入水体后，经过短时间离析，溶解有机物渗出，剩下颗粒经过机械粉碎作用和动物吃食以及细菌肢解，使粗颗粒变成细颗粒，继续供作饵料。腐屑和细菌是水库中仅次于浮游生物的重要饵料来源。

5.2.3 水库鱼类变化特点

5.2.3.1 河流性鱼类

因水库蓄水，河流性鱼类缺乏必要产卵条件数量减少，有的因大坝等建筑物截断洄游路线导致灭绝。

5.2.3.2 水库性鱼类

随着水位抬高，水库性鱼类数量增多，如水库粲条、鲤鱼、鲫鱼数量增多，一些肉食性鱼如鳜鱼、乌鳢等相应增多。因此，为提高渔产力，在水库蓄水时要考虑及时投放一定数量、规格鱼苗，在投放肉食性鱼类时尤其要慎重。在浮游动植物较多的水库投放鲢、鳙等鱼；在底栖动物丰富的水域投放鲫鱼、鲤鱼等鱼类；在杂鱼较多的水库适当投放鳜鱼、鲇鱼等肉食性鱼类，可以控制鱼类数量，引导水库水体生物达到相应平衡。水库形成后，鱼类组成和资源变化是巨大和深刻的，如不采取措施任其发展，则适应性强、生命周期短、繁殖条件要求低的小杂鱼将大量发展、凶猛鱼类随之而起，在小杂鱼、凶猛鱼类为优势种群的水库不会有较高的渔产力。

5.2.4 水库鱼类区系组成的调整和定向培育

5.2.4.1 调整和培育原则

(1)优势种群的选择。选择在水库中拥有丰富的饵料基础、食物链短、饵料利用率高、生长快速、经济价值高的鱼类作为优势种群的培养对象。

(2)合理的鱼类组成。根据生活习性不同、栖息范围不同、食性不同、繁殖习性不同的鱼类生物学特点，充分利用水库的巨大水面和水体空间及各种各样的饵料资源。

5.2.4.2 水库鱼类优势种群结构模式

应根据水库的特点选择优势种群。如鲢、鳙型，适合浮游生物资源丰富的水库；鲤、鲫型，适合于底栖动物比较丰富、浮游生物相对贫乏的水库。

由于我国大多数水库天然饵料以浮游生物最为丰富，亦有比较丰富的有机碎屑及细菌，因此鲢、鳙鱼类是最为普遍的优势种群结构。

5.2.4.3 水库鱼类组成和培养

蓄水前要努力清除凶猛鱼类，大力捕捞小杂鱼，建立鱼种生产基地，及时投放鱼苗。蓄水后，大力进行人工放养，移植驯化适合水库生活且经济价值高的鱼类和饵料生物，对小杂鱼和凶猛鱼类坚持不懈地捕捞控制。

5.3 水库渔业养殖

5.3.1 水库常见经济鱼类及生物学特点

(1)鲢鱼：又称白鲢、鲢子，四大家鱼之一。体形侧扁，背部青灰色，两侧及腹部白色，头较大，眼睛位置很低，鳞片细小，胸鳍不超过腹鳍基部。鲢鱼性急躁，善跳跃，生活在水体的中上层。幼时以浮游动物为食，1.5 cm以上以浮游植物为食，也吃食腐屑、细菌。鲢鱼生长迅速、个体大、易起捕，是水库初级生产力的优良鱼类。由于水库自然条件限制，鲢鱼一般不能自然产卵，即使产卵也不易成活，需要人工放养。

(2)鳙鱼：又称花鲢、胖头鲢，四大家鱼之一。体形似鲢鱼，头较大，喜栖息水体上中层，性情温和，生长较快、个体大，有集群特性，易捕捞。以浮游动物为主食，也吃食相当数量浮游植物、腐屑、细菌，是水库初级生产力和次级生产力的优良鱼类。由于水库自然条件限制，鲢鱼在一般条件下不能自然产卵，即使产卵也不易成活，需要人工放养。

(3)草鱼：又名厚子、草鲩、草鲲、草棒，四大家鱼之一，肉厚刺少、味鲜美。每百克草鱼肉含蛋白质17.9 g、脂肪4.3 g，并含有多种维生素。其肉质白嫩、韧性好、出肉率高。体形延长，躯干部呈圆桶形，尾部侧扁，个体较大，多生活在水体中下层和近岸多水草的清澈区域，性活泼，生长较快。是典型食草鱼类，因大多数水库缺乏水生植物，草鱼放养通常受到限制，或人工投喂陆草进行养殖。繁殖习性同鳙鱼、鲢鱼。

(4)鲤鱼：是天然产量最高的一种大型鱼类，身体呈纺锤形，左右侧扁，分布广泛，近年来通过人工杂交繁殖，各地有建鲤、草鲤、镜鲤、丰鲤、红鲤等。鲤鱼适应性强，对水质的要求不严格，喜栖息于水体底层，擅于伸缩的上颌挖掘底泥觅食。鲤鱼生长较快，易繁殖，病害少，温度超过 18 ℃，可以在有水草水域产卵孵化，在中国是很受欢迎的养殖品种。

(5)鲫鱼：是天然产量最高的一种鱼类，中型鱼，大的可达 1 kg。鲫鱼分布比鲤鱼要广，适应性强，喜欢生活在多草的水域，喜底栖生活，靠挖掘底泥觅取食物，食性较杂，如有机颗粒、腐屑、硅藻、水绵、水草和植物种子，也摄食一定数量动物饵料，如摇蚊幼虫、水蚯蚓、枝角类等。鲫鱼易繁殖，病害少，但在水库中由于库岸少，缺乏觅食、繁殖条件。

(6)青鱼：四大家鱼之一，外部形态与草鱼接近。生活在水体下层，性情温和，是肉食性鱼类，自然条件下，主食底栖生物，主要为软体动物的螺蛳类，繁殖习性同鲢鱼。因地域条件和饵料限制，主要生活在南方。

(7)鳊鱼：又名草鳊，体侧扁而高，呈菱形，身体稍长，栖息在水体中下层，食草。常在水库汇水区或库湾沿岸带生活，在有些水库中能够自然繁殖，生长不快。

(8)鲂鱼：又名三角鲂，体侧扁而高，呈菱形，栖息水体中下层，食性杂，生长较快，除吃水生植物以外，还喜欢吃底栖生物，主要为软体动物、虾、水生昆虫。在水库中可以自然繁殖。

(9)团头鲂：又名武昌鱼，体侧扁而高，呈菱形，草食性鱼类，喜栖息水体中有淤泥、沉水植物的中下层，也食用浮游生物和有机碎屑，对人工投饲商品饲料也喜欢。由于自然繁殖容易，饲料成本低，病少，是水库放养对象之一。

(10)鲴类：主要有细鳞鲴、银鲴、圆吻鲴、黄尾密鲴等品种，主要生活在水体中下层，适应流水生活，喜集群。食附生藻类、水底腐殖质和有机碎屑，也食少量底栖动物。鲴类属中小型鱼类，但是生长迅速，群体生产力高，是我国水库常见经济鱼类。鲴类一般洄游到流水区域产卵，卵附着于石块、杂草，2～3 天孵化成鱼苗。

(11)鲮鱼：是我国两广地区水库优势种群鱼类之一，主食藻类和有机碎屑，不耐寒，水温低于 7 ℃大量死亡，群体生产力高。鲮鱼可在水库中自然繁殖，可以人工放养增加渔产力。

(12)罗非鱼：原产热带非洲，经人工驯化以后在中国广泛养殖。罗非鱼身体略呈纺锤形，像鲫鱼，脊背有硬刺。罗非鱼一般生活在水体中下层，随水温升高往上层移动，对水质和低溶氧忍耐力强，但是对温度要求较高，16 ℃以下难以存活。食性杂，对各种浮游生物、水生昆虫及幼虫和有机颗粒均喜食，对人工投放饲料抢食能力较强，生长较快。一般体重 100 g 以上便可繁殖，水温保持 20 ℃以上全年均可产卵，是优良养殖品种。

(13)乌鳢：又称黑鱼，性凶猛，肉食性鱼类，以小鱼、虾、昆虫为食，身体呈圆桶状，平时喜欢潜伏在水草层水底，伺机猛袭附近小动物。乌鳢适应性强，能够长期脱水，耐缺氧，能够自然产卵，水库蓄水后，利用淹没植物为繁殖场所，以小杂鱼为饵料，是水库中最先出现的凶猛鱼类。

(14)鳜鱼：又称鲈花鱼，身上有明显色斑，肉食性动物，喜欢潜伏在水底泥穴石洞中觅食。鳜鱼生长较快，当年可达 50～100 g，次年可达 500 g 左右，在平缓水流中产卵，由于受繁殖能力限制，种群数量不大。

(15)鲇鱼：头部扁平，口阔，有两对触须，白天隐蔽，夜晚活动，经常潜伏在水草丛生水底，当小鱼、虾经过时迅速吞入口中。多在水草丛生处产卵，在水草较少的水库种群受到限制。

(16)鮤条：体形狭长而扁，以大型浮游动物和水生昆虫为食，生活在水中上层，自然繁殖快，生长迅速，个体不大，是水库常见经济鱼类之一。

5.3.2 水库人工放养

水库人工放养基本上和池塘放养相同，但由于水库天然饵料相对单一，主要是浮游生物，水生高等植物、底栖动物和贝类较少。水库养鱼主要特点是不施肥、不投饵，另外水库水体宽敞，深浅不一，有动有静，生态环境和栖息环境不一，这些因素决定了水库养殖以粗放式养殖为主要方式。可根据水体具体条件确定放养对象，合理搭配比例及适中密度，并结合资源繁殖保护、防逃和合理捕捞等措施，使水库饵料资源充分转化为渔产品。

5.3.2.1 放养对象

确定水体放养对象，首先要看水库水体理化性质是否适合鱼类生长，其次确定水体饵料基础是否能保持其形成大的种群生物量，以使鱼类充分利用水体饵料、空间、时间，获得量多质优的渔产品为原则。对放养鱼类的要求是：生长迅速，经济价值高，拥有来源充沛的天然饵料，不捕食其他经济鱼类，苗种生产和供应有保证。

水库中，特别是大、中型水库，大型水生植物贫乏，底栖动物稀少，浮游生物成为繁殖快、产量大的饵料资源。因此，以浮游生物为食的鲢、鳙鱼为主要放养对象，多草的湖泊水库可以放养部分草鱼、鲤鱼、鲫鱼、团头鲂。由于鲤鱼、鲫鱼、鲂等鱼类生长较快，在水库中都有良好饵料基础，在水库中能够自然繁殖，采取适当繁殖保护措施就能有效保持一定种群大小，因此通常无须经常放养。在中国，北方水库由于冬季气候比较寒冷，鲤鱼、鲫鱼生长速度比较快，常常是放养对象。

其他鱼类，如银鱼主要摄食浮游动物，对盐度和温度适应较广，生长较快，只要水域水位相对稳定，水质清新、无污染，饵料资源比较丰富，中上层凶猛鱼类较少，有适宜繁殖场所都可以进行人工放养。银鱼幼苗、亲鱼不宜长距离、大批量运输，受精卵对环境变化适应能力强，可以避免传染病传播，常作为移植对象。银鱼是一年生鱼，亲鱼产卵后容易死亡，产卵期应注意保持种群数量。

在人工繁殖和苗种培育技术成熟后，鲟鱼也是水库养鱼重要对象，鲟鱼主要生长在沙砾底质江河湖泊中，幼鱼喜欢在浅水区索饵，成鱼分散在深水区觅食，冬季多在水底深处越冬。鲟鱼是肉食性动物，天然水域中以浮游动物、水生昆虫幼虫、底栖动物及鱼虾小动物为食，人工驯化后多数品种能够摄食人工配合饲料。鲟鱼喜欢在较低水温环境中生活，生长迅速，1 龄鱼可达 0.4～1.5 kg，2 龄鱼可达 2.5～5.2 kg，3 龄鱼可达 3.6～6.2 kg。

虹鳟，俗称三文鱼，喜欢在低温环境中生活，是冷水性鱼类。在低温水库或水库下泄底水条件下均可以进行虹鳟养殖。虹鳟喜欢生长在水质清澈、溶氧丰富、砾石底质冷水中，能忍受 0 ℃低温，难以忍受 24 ℃以上高温，适宜水温为 7～20 ℃。人工饲养条件下，1 龄鱼体重可达 100～200 g，2 龄鱼可达 400～1 000 g，3 龄鱼可达 1 000～2 000 g。虹鳟为肉食性鱼类，喜食水生昆虫及幼虫，小鱼虾、鱼卵，也吃少量水生植物。在人工饲养条件下，鱼种可驯化摄食配合颗粒饲料。

5.3.2.2 放养规格

水库放养鱼类规格要大，一是成活率高，生长迅速；二是逃避野鱼吞噬；三是小规格鱼类容易从拦网中逃亡。投放大规格鱼种生长迅速，可缩短养鱼周期，提早捕捞上市时间。我国水库养殖工作者经过长期实践提出，一般水库放养 13 cm(4 寸)左右鱼种为宜。

有些情况下，如中国北方水库鱼类生长季节短，鲢、鳙繁殖晚，鱼种培育期短，培育大规格鱼种比较困难，可以根据实际情况调整水库放养规格。

浮层凶猛鱼类多的水库放养鱼规格尽量大，在无野鱼或野鱼较少的水库，规格可小些；新蓄水库野鱼少，饵料丰富，鱼类生长迅速，规格可小些;大型水库，一般在万亩以上，水流急，野杂鱼多，放养规格要尽量大；浮层害鱼对底层鲤鱼危害不大，而底层的鲇鱼对鲢、鳙鱼危害较少。因此，鲇鱼多的水体，对放养花、白鲢的规格，只需要考虑生长快慢；浮层害鱼多的水体，鲤鱼规格可小些。放养指标参考表 5-2。

表 5-2 水库放养鱼种规格 (单位：cm)

水库类型		鲢鱼	鳙鱼	草鱼	鲤鱼
小型(小于 1 000 亩)	富	10～11	10～11	8～9	2～3
	一般	13～14	13～14	10～11	2～3
	贫	16～17	16～17	13～14	4
中型(1 000～1 万亩)	富	10～12	10～12	11～12	3～4
	一般	14～15	14～15	10～11	3～4
	贫	16～17	16～17	14～15	4～5
大型(大于 1 万亩)	富	13～14	13～14	12～13	3～4
	一般	15～16	15～16	12～14	3～4
	贫	8	18	16	4～5

注：摘自《养鱼全书》第二版，四川科学技术出版社。

5.3.2.3 放养密度

水体中某种鱼对饵料的利用强度同该鱼类资源增殖能力相适应的密度，是其最大密度。在不超过水库供饵能力的前提下，放养密度越高，渔产量也越高。在超过水库供饵能力的前提下，放养数量越多，渔产量虽然越高，但个体生长较慢，起捕规格也越小。为了在最短时期内使放养鱼种达到预定的商品规格，必须把放养密度控制在一个兼顾产量、起捕规格等生产周期的最佳平衡点上。因此，合理放养密度应是在既充分利用饵料资源，又不破坏其再生产能力，生产鱼的尾数既要多、规格亦符合要求下的密度。根据中国水库养殖工作者多年经验和科技工作者有关调查研究资料，提出各种营养类型水库、不同面积大小水库放养密度和比例以供参考(见表 5-3)。

表 5-3 鲢、鳙鱼类放养密度和搭配

水库类型		搭配比例(%)			放养密度（尾／亩）	渔产量（kg／亩）
		鳙	鲢	搭配鱼类		
小型（小于 1 000 亩）	富	45	40	15	200～500	50～200
	一般	35	30	35		
	贫	30	20	50		
中型（1 000～1 万亩）	富	45	40	15	100～200	30～50
	一般	50	30	20		
	贫	40	20	40		
大型（1 万～10 万亩	富	50	35	15	50～100	15～30
	一般	55	25	20		
	贫	40	20	40		
特大型（10 万亩以上）	富	55	30	15	30～50	10～15
	一般	55	25	20		
	贫	40	20	40		

注：摘自《养鱼全书》第二版，四川科学技术出版社。

5.3.2.4 放养时间和方法

放养时间选择在一年中鱼种放养损失最少的时间，一般在冬末初春最好。长江流域和华南地区水库一般选择在元旦和春节期间放养，水库为枯水期，库水交换最小，逃鱼机会少，此时水温低，鱼种和凶猛鱼活动能力较低，有利于鱼种的高密度运输，减少鱼种死亡率。北方地区一般选择秋季放养，这样鱼种入库后恢复期长，凶猛鱼类危害轻，可提高越冬成活率，同时减轻越冬池压力。

放养时间选择风和日丽的日子进行，不可在刮风、下雨、结冰和洪水日子进行，以避免不必要的损失。水库放养地点选择在水库上游水浅、背风、向阳肥沃的库湾，不应选择输水洞口或溢洪道附近，不可投放在下风头库湾或水深面广的库心，以免鱼种随泄水外逃或不适应环境而死亡。

鱼种投放前要进行消毒，严禁有传染病鱼种进入水体。操作时，将库水慢慢加入鱼篓，待水温和水库水温差不多时，再将鱼慢慢倒入水中。

5.3.2.5 大规格鱼种的培养

充足的鱼种是水库大水面养殖取得成功的关键，培养大规格鱼种的方法通常有池塘培养、土拦或网拦库湾培育、网箱培育。

(1)池塘培育。修建水库时库区或坝下游可根据水面和地势围成鱼塘，建成亲鱼池、催产孵化系统及鱼种池、鱼苗池。在这里完成亲鱼产卵、鱼卵孵化、鱼苗和鱼种的培育工作。实际工作中，可以在水库中选择亲鱼性成熟情况较好、易捕捞的水面直接捕捉亲鱼，省去亲鱼池，并在水库捕鱼就地催产孵化，把孵化系统搬到船上。如新安江水库用这种方法大量生产鱼苗，年产鱼苗 1 亿～2 亿尾。大规格鱼种一般不在池塘中培养，而是将鱼苗培养至夏花鱼种(3 cm 左右)后，将鱼种放入库湾或网箱中培育成大规格鱼种。

(2)网箱培育。网箱培育鱼种是指从夏花鱼种培育到大规格鱼种(50～100 g)的阶段。利用水库良好水质条件，在网箱中培育鱼种是实践中培育大规格鱼种满足大水面养殖的需要。根据养殖鱼类的品种数量可以分为单养和混养。单养，即一个网箱中只放养一种鱼类，实践中养鲤鱼、草鱼、鲇鱼多采用这种方式。混养，即一个网箱中放养两种以上鱼类，一般以一种鱼类为主体，另外搭配一些其他鱼类。使用网箱培育鱼种具有以下好处：可利用水库天然水体，不需要征用土开挖鱼池，克服库周土地紧张建池困难的局面；网箱内外水体交换较好，可保证放养密度，成活率高，节省劳力；对营养型水库可以充分利用水库水体天然饵料，节约成本；捕捞方便，操作损伤少，减少运输的麻烦，成活率高；机动灵活，可随时转动位置；投资少，成本少，经济效益高。

(3)库湾培育。库湾培育鱼种是利用水库消落区能在一定水位蓄水的库湾，在库湾水面筑堤或安装拦网，使之与水库主体部分分割开，在其中大规模培育鱼种的方法。库湾选择地点，一般要口子小、内部广阔、底部平坦、不渗露水的区域，深度不超过 10 m，面积数十亩至数百亩为好。

库湾筑堤培育鱼种，水位相对比较稳定，饵料丰富，易施肥，易管理，便于增加投资；拦网库湾培育，库湾水与水库相同，小鱼可以自由出入，清野杂鱼不便，通常不投饲，不施肥，生产管理比筑堤更为粗放，比较灵活，可根据需要设网或撤除，拦网养鱼对拦网要求较高以防止逃鱼。

5.3.2.6 鱼苗、鱼种运输

鱼苗、鱼种运输是水库大水面养殖等获得充足鱼种的必要环节，由于运输时鱼种处于高密状态下，如何保证鱼苗、鱼种不死亡是运输时的关键因素。

1)影响运输成活率的因素

(1)溶氧量。运输可以分为开放式和密封式两大类。前者是将鱼置于敞口的容器中进行运输；后者将鱼置于密封充氧的容器中运输。在运输过程中，应注意以下几种情况：

①换水。每次换水量占总水量的 1／3～2／3，最好用江河、水库水。换水时注意温差不能大于 5 ℃。

②送气增氧。用气泵或压缩空气接橡皮管，管末端安装有纱滤器，徐徐放气，不要送气太猛将鱼震死或鱼苗体力过分消耗而影响成活率。

③击水。用手或其他器具打动水面，形成波浪和溅起水花，增加溶氧量。

④化学增加溶氧。在运输途中，可在每升水中加 0.2 mg 过氧化氢或 1～50 mg 二硫酸氨，可使水中溶氧量明显增加。

(2)水质。鱼苗、鱼种运输过程中密度比较大，由于鱼体排泄物、残饵等沉积于水底或悬浮于水中，易腐败和变质，消耗氧气，使水逐渐恶化。在密闭容器中，鱼类不断向水中排出二氧化碳和氨等代谢产物，随着运输时间的增加，水中二氧化碳积聚到一定的浓度，会引起鱼的麻痹甚至死亡。在运输中可采取以下办法：

①运输过程中选择水质清新、有机质和浮游生物少、中性或微碱性水。

②长途运输过程中投饵要适当，投喂后要用吸管吸去排泄物、残渣和死鱼苗。

③水中加入抗菌素，抑制水中细菌的活动。

④尽量在低温季节运输鱼苗。

⑤水中添加缓冲剂以调节水中 pH 值。

⑥在运输时应选择体质健壮鱼种，并在运输之前进行拉网锻炼以增强鱼的体质，减少运输途中对水质的污染。

2) 运输方法

(1) 尼龙袋充氧密封运输方法。对于夏花等鱼苗常用小型尼龙袋充氧运输，此方法具有体积小、装运密度大、装卸方便、成活率高等优点，一般不用中途换水，可以通过铁路、航空、轮船、公路进行长距离运输。具体操作方法是：先往尼龙袋灌水，水占尼龙袋容积的 1／3～1／4，然后装鱼。具体密度可参考表 5-4、表 5-5。

表 5-4　尼龙袋装运鱼苗、鱼种密度（容积约 25 L）

运输时间 (h)	装运密度（尾／袋）		
	鱼苗	夏花	8.3～10 cm 鱼种
10～15	15 万～18 万	2 500～3 000	300～500
15～20	10 万～12 万	1 500～2 000	—
20～25	7 万～8 万	1 200～1 500	—
25～30	5 万～8 万	800～1 000	

注：引自《养鱼全书》（第二版），四川科学技术出版社。

表 5-5　尼龙袋充氧运输部分鱼苗、鱼种的密度

种类	规格 (g／尾)	水温 (℃)	安全装运量（g／L）			
			24 h	48 h	72 h	96 h
青、草、鲢、鳙、鲮、鲤鱼	0.002	27	5.4	2.7	1.8	1.35
		29	4.4	2.2	1.47	1.1
	0.5～2	28	36	18	12	9
	3～100	17	100	50	33.3	25
		19	90	45	30	22.5
		22	80	40	26.7	20
		24	70	35	23.3	17.5
		26	60	30	20	15
		29	50	25	16.5	12.5
		31	42	21	14	10.5
尼罗罗非	0.19～2	30	25	12.5	8.33	6.25
乌鳢、鳗鲡	100～300	9	405	202.5	135	101.3
		12	375	187.5	125	93.8
		16	354	177	118	88.5
		23	123	61.5	41	30.8

装鱼后，立即排空袋内空气充入纯氧使尼龙袋具有相当弹性，如空运则充氧量只能是陆运时的 80%～90%。充氧后扎紧口袋放入纸箱或垫有稻草、碎纸的货箱内运输。

(2) 封闭水箱运输。用水泵或其他方法向箱内注水，注水量与鱼苗运输量相适应。一般水、鱼比为 2∶1 或 1∶1，长途运输时水鱼比应大些，装鱼之前先充氧半小时，然后装鱼、封盖。运输途中连续充氧。

(3) 活水船运输。在航运发达地区可以用此法，特点是装鱼量大、成活率高、操作简便。活水船前方和两侧有进水圆孔，还有挡水板和阀门装置，可以控制水流和防止污水进入。行驶过程中，水不断从船头和两侧进入和排出，使船舱水不断流动变换，保持水质清新。进水不应太大，因鱼种有顶水习性，如进水流量过大易造成体力消耗过大而死亡。

5.3.3 库湾养殖

5.3.3.1 土拦库湾

土拦库湾实际上是一个小水库，清野除害较方便，可以实施投饵、施肥等措施获得较高产量。

(1)地点选择。土拦库湾要求肚大口小，底部平坦，坝基处不漏水，枯水季节能排干清库，湾内能维持2～10 m水位，无污染，水质肥沃，光照充足。集雨面积适中，洪水不大，面积以200亩以内为宜，最好不超过1 000亩。

(2)筑坝。土坝有均质土坝和黏土心墙土坝两种，均质土坝是用含沙50%～70%，含黏土30%～50%的土筑成。黏土心墙土坝是用透水性较大的土料做坝身，中间用黏土做心墙。坝高应略高于水库正常水位，洪水太大，水位超过坝顶时，可在坝顶装矮网防逃。坝面应有足够宽度，坝高6～11 m时，坝面宽应有3～4 m，土坝坝坡的倾斜度应视筑坝土料和坝高而定。砂土坝宜缓坡，黏土坝可稍陡，高坝坡应缓。一般坝高10 m以内者，内坡取1：(1.5～2)，外坡取1：1.5，近坝底处应为1：2或1：3的坡比。坡面可用块石或碎石护坡。为了控制水位，还需安装涵管和启闭设备，还应建造溢洪道。

(3)清基除害。库底的建筑物、树桩、大石头、土堆等应予清除铲平，以利捕捞。库湾内的野杂鱼和凶猛鱼类也要清除，可采用放干、药物清塘、捕捞、电击、爆炸等多种方法。

(4)鱼种培育。土拦库湾的养鱼条件较好，在充分利用天然饵料的同时，还可大量施肥、投饵，水环境也容易控制，因而土拦库湾一般用于培育鲢、鳙鱼种(搭配少量其他鱼种)。以鲢为主，可搭配10%～20%鳙鱼；以鳙为主，则不放鲢鱼。一般有三种培育方式：培育夏花，从鱼苗培育成3～5 cm的夏花，要求库湾的水较浅，面积在30亩以内，放养密度为8万～12万尾／亩。放养前施足基肥，肥水下塘，培育过程中采用饵料与肥料相结合的办法进行养殖。培育冬片鱼种，即从3～5 cm夏花培育到体长13 cm以上的冬片鱼种，也采用施足基肥、肥水放鱼、追肥和饵料配合使用的办法。一般每亩可放 4 000尾，经3个月可长到13 cm，鱼种2 500尾左右，条件好的放养密度可更高。培育2龄鱼种，即将体长10～13 cm的鱼种培育成体长20 cm以上的大规格鱼种。可进行一定程度的混养，放养密度一般为1 500～2 000尾／亩，一般使用面积较大的库湾。

5.3.3.2 网拦库湾

网拦库湾养鱼与土拦库湾养鱼有一定的相似之处。不同的是：面积一般较大，大的可达数千亩；网基处较低，要求枯水期也能保持2 m左右的水深；网拦现多用双层拦网，设置方式与拦鱼设施相同；湾内水体与大水体相通，水位随水库水位的变化而变化；一般主要靠天然饵料养鱼，因而放养密度一般比土拦库湾小，并且主要饲养较大规格的鱼种或成鱼。网拦条件较好的库湾，在技术水平较高、肥料充足的情况下，也可培养小规格鱼种(甚至从鱼苗到夏花)而且放养密度可以很高。如广东省高州水库全部采用大草培育法，投放大量绿肥培肥水质，在面积为10亩、水深为1.5～2 m的一级网拦区，放养草鱼、鲢、鳙、鲮水花5万～10万尾／亩，培育成3～5 cm夏花；然后放入面积为100～180亩，平均水深2～3 m的二级网拦区(密度为8 000～15 000尾／亩)，培育成7 cm的鱼种；最后将 7 cm 的鱼种放入面积为 800～900 亩，水深 8～12 m 的三级库湾(密度为 2 000～3 000 尾／亩)，培育成 13 cm 以上的大规格鱼种。一、二、三级网拦区直接连在一起。

5.3.3.3 库湾养鱼的捕捞

库湾养鱼的捕捞工作比较困难，主要原因是水较深，底部不平。新安江水库采用张网诱捕，起水率可达 90%，主要方法是在食台上大量投饵，诱集鱼群，然后逐渐将食台拖入张网内，将鱼群稳定在张网内后，将张网迅速浮起。在水深面广的库湾可采用“赶、拦、张”联合渔法捕捞；在小型土坝库湾可进行拉网扦捕，效果也不错。

5.3.4 网箱养殖

5.3.4.1 网箱养殖原理

网箱养殖是利用合成纤维网片或金属网片为网身材料，装配成一定形状的箱体，设置在天然大水体中，通过箱体内外水体的不断交换，使网箱内形成鱼类生长的适宜环境，高密度投饵或利用天然饵料培育鱼种或饲养商品鱼的一种养鱼方式。

网箱养殖是近 30 年引进和逐渐发展起来的一项新兴的科学养殖方式，具有投资小见效快、能够最经济和最大程度利用水体和水资源、设施比较简单、捕捞灵活方便等特点，目前已成为大水面养殖的一种主要方式。传统的池塘养殖通常因为放养密度过高，鱼类耗氧量增加，代谢物不能及时排除，水质败坏或老化，因此不能达到高产。网箱养殖可以很好地解决以上问题，养殖的原理是：其一，由于网箱内外水体的交换，使水流源源不断输送网箱里的鱼群以丰富的饵料和充足溶氧，同时把鱼群的排泄物和食物残渣带走，使之成为鱼类生长的良好环境；其二，能够最大限度利用人工投饲饵料，经过人工投饵可以合理适时供鱼取食，促进生长，提高饵料转化率；其三，鱼群高密度生活在网箱小范围内，游动受到限制，可以降低能量消耗增加脂肪的积累，缩短了生长期；其四，便于及时观察鱼类生长情况和疾病控制，提高成活率；其五，网箱对鱼群具有保护作用，既不受大水面环境的影响也不受凶猛鱼类的侵扰，生活安定，为鱼类生长创造有利环境。

根据投饲情况可以把网箱养殖分为粗养、半精养、精养。粗养是在天然饵料比较丰富水体，利用浮游生物、有机碎屑和漂流物，人工不投饲；半精养是在充分利用天然饵料同时进行人工投饲；精养是指在养殖过程中鱼类通常依靠人工投饲含蛋白质的配合饲料为食。通常，精养、半精养的鱼类，如草鱼、鲤鱼、鲇鱼、罗非鱼等。在粗养情况下，产量一般在 2.5～7.5 kg／m^2，折合亩产 1 667～5 000 kg；半精养的产量稍高，平均产量约 10 kg／m^2，折合亩产在 6 700 kg 上下；精养时，商品鱼产量可高于池塘亩产量的几十倍甚至上百倍，累计亩产量可达 3 万～15 万 kg。

5.3.4.2 网箱的制作和设置

1) 网箱的种类

按照箱体有无箱盖，可以分为封闭式和敞口式网箱。养殖滤食性鱼类或在风浪较大的水域设置网箱及需要越冬的水面设置网箱一般采用封闭式网箱；在风浪较小的水域养殖吃食性鱼类或养殖鱼种一般采用敞口式网箱。按照网箱设置分为固定式、浮动式和下沉式三种。

(1)固定式。用竹桩、木桩或水泥桩固定于一定的水层，将网箱固定于桩上，箱体上部要高于水面 1 m 左右，箱底离底泥水面 0.5 m。在浅水区和风浪比较大的水域比较适合，通常是敞口式网箱，投饵、管理比较方便，但不能随意移动，检查网箱底及捕鱼操作较麻烦，水体交换差，常受水位变化影响，适合浅水水域或吃食性鱼类。

(2)浮动式。适用于水体较深、风浪较小的水库，是我国目前使用最广泛的一种方式。通常用毛竹或塑料管做框架，终年漂浮在水面，随水位变化而漂动。上口一般用网片盖住，沉子用混凝土或铅、锡、铁块缚于箱底四周，也可以水下抛锚固定网箱。

(3)下沉式。整个网箱全封闭，整个网箱沉于水体中，水位变化不会影响网箱的容积和深度，只要网箱不碰到水底，其容积是不会改变的。网箱可以设置在任何水层，受风浪流水影响较小，在台风洪水常见地区或水流较急、风浪较大的水域多被采用。中国在网箱养滤食性鱼类的育种或过冬鱼类时都使用沉下式网箱。北方冬季水面结冰，使用下沉式网箱沉入水底，鱼类可以安全越冬。

2)网箱的制作

(1)网身。即由网片连接而成的长方体机构，是网箱的主体部分，网身材料常选用聚乙烯网线，因其比重轻易浮于水上，不吸水、强度大，价格比较便宜，比其他合成纤维更受欢迎。除聚乙烯网外，有用金属网片作网身材料的，因金属网片强度高，在镀锌或涂上油漆后具备了防锈耐磨的能力。在国外，如美国、英国、挪威等多采用这种网身材料进行工业化养殖。

(2)框架。即用来支撑纤维网或纤维网片连成的箱体，使之具有一定的空间形状同时起到浮力作用。常用框架材料为毛竹，也有用木棍的，通常为增加浮力用浮筒或塑料块作浮子。浮式网箱网养滤食性鱼类，框架多用毛竹。制作 6 m×6 m 的网箱框架时，一般用 4 根毛竹扎成一个“口”字形即可。但网箱悬挂后仍需用陆上桩或水下桩(锚)固定。若网箱面积加大，如 10 m×10 m 的网箱，搭架毛竹需 2 根接长，共用 8 根毛竹搭成框架，并常在框架上增加支撑杆，使框架成“田”字形予以加固。

(3)浮子、沉子和固定器。为增加网箱的浮力一般在网箱上纲装上浮子，浮子材料种类有木材、塑料、金属桶、橡皮球等，网箱常见的有球形塑料泡沫浮子和梭状硬塑料浮子。沉子，主要作用是使网衣下沉，与浮子共同作用使网箱浮于水体中，使网箱展开形成立体空间。常用沉子有磁块、铁块、铅块、水泥块等。固定器主要用来固定网箱，固定式网箱通过打桩来固定，浮式网箱用重物固定，较深水库用重物或铁锚作固定器。靠近岸边借助岸边打下木桩作为固定器，目的是使网箱不随水流移动。

(4)栈桥和浮码头。这些设施一般为管理、投饵等方便而设立，由脚桩、横梁、枕木跳板等组成，主要是靠近岸边可以设立，在水库中可以设立浮筒然后捆绑横木等方便管理。

3)总体安装和网箱的设置

(1)总体安装。网箱的总体安装可按以下顺序进行：

①入水前检查网箱。仔细检查网箱有无破损，特别要注意网箱下水前有无网衣被钉子、铅丝等划破网线。网箱要在放养前一星期下水，这样可使网衣先长上少量藻类，使网衣变得光滑一些，不易擦伤鱼体。

②网衣下水、挂网和固着。如是浮式网箱必须用陆上桩或水下桩(锚)固定网箱，并用浮子浮升网衣使网箱定形。网箱的方位应与水流流向垂直，以便过滤更多的浮游生物及增加水体交换。不加封盖的浮式网箱除固定位置外，水上部分的挂网还需牢固地挂在框架的支撑脚上。若是固定式网箱，网衣的套环应逐一悬挂在四角的角桩和中间的间桩上，并要用撑竹或篙子把网箱的各个底角插到角桩的底部，务使网箱平整挺括。

③饵料套筒及食台的安装。由于网箱的放养密度、种类在临放养前仍有可能改变，这会涉及到食台的面积大小和使用饵料套筒的类型，所以食台或饵料套筒的安装应在鱼种放养之后进行。

(2)网箱的设置。

①设置网箱水域的基本条件。网箱养殖应选择水质良好、营养丰富、生态条件好的水域。具体应考虑以下条件：水域面积不宜过小，通常宜30～100亩，水深3 m以上，底部平坦，离岸较近就能达到深度要求的水域，水深 3～5 m 最合适。网箱应设置在向阳、日照条件较好的水域，透明度大、洁净的水溶氧丰富，适合养殖吃食性鱼类如鲤鱼、鲫鱼等；透明度在30～50 cm的水域属富营养化水体，这种水体适合养殖滤食性鱼类，也适合养殖吃食性鱼类；小于20 cm水体不适合网箱养殖。养殖水域要避免风浪过大和水流太急，但是微流水对养殖非常有利，一般设置水流在0.05～0.2 m/s比较合适。养殖水域要交通方便，但要避开交通频繁区以免影响鱼类正常生长。

②设置间距。网箱在水体中的排布首先要考虑网箱间应保持一定的间距，以保持网箱内的水体良好、水质新鲜，水中溶氧充沛。箱与箱之间的间距，一般不少于一个网箱的边长。换言之，一个6 m×6 m的网箱，在2个网箱之间应留出6 m长的空间，如果网箱区的水流缓慢，而网箱又太集中，应适当增加到2个网箱之间的距离。

③网箱的设置。位置要互相错开，如3个网箱为一组，则最好为“品”字形；5个网箱为一组，则最好为梅花形；如网箱前后排成两排，则各只网箱的位置最好要互相错开，以达水流交换方便、互不影响的目的。

5.3.4.3 网箱养鱼的放养

1)网箱培育鱼种

网箱培育鱼种是指从夏花鱼种培育到大规格育种(50～100 g)阶段。按照养殖方式不同有两种类型：一是培养滤食性鱼种，作为湖泊水库水体投放大规格鱼种用；二是培养吃食性鱼类，作为第二年投放网箱饲养商品鱼用。

(1)鱼种培养方式。按照养殖的品种和数量可分为单养、混养。具体见水库养殖鱼种培育。

(2)鱼种规格和品种。

鱼种规格较小不适合进入网箱，一般平均水温超过 20 ℃，时间超过半年的水域，鱼种在4～5.6 cm时进入网箱；一般平均水温超过20 ℃，时间少于半年的水域，鱼种在6～8 cm时进入网箱适宜。

我国目前网箱养殖的鱼种主要有鲢、鳙、鲤、鲫、鳊、团头鲂、罗非鱼，近年来推广的有鲇、虹鳟、乌鳢、淡水白鲳、斑点叉尾鮰等。

(3)鱼种放养前的准备工作。一是自己培育鱼种，二是向外购买。向外购买应把好质量关，鱼种入箱前 4～5 天将网箱安装好并全面检查，保证牢固和没有破损。鱼种入箱前要用药物浸洗鱼种，进箱时应尽量避免高温时段，最好在早晚进行。

(4) 放养密度。放养密度的控制一般分为尾数法和重量法。尾数法是指单位面积放养鱼种尾数；重量法是指单位面积放入网箱鱼种重量。一般国内利用天然饵料培养鲢鱼、鳙鱼种进箱密度主要依据水体的肥瘦而定，富营养型 400～600 尾 / m^2，一般营养型为 150～300 尾 / m^2。鲢鱼、鳙鱼种混养，鳙鱼规格应大于鲢鱼规格，富营养型水域为 6∶4，一般营养型水域为 7∶3。

2) 投饲

要使网箱养鱼获得最佳的经济效果，降低饲料系数是一条重要的途径，而降低饲料系数的关键，除制定最优饲料配方、选择合理的饲料制形以外，有关投饲技术，如训食、投饲量和投饲方法的讲究就显得极为重要。

鱼种进箱后一般先要进行训食，其目的是使鱼种入箱后能尽快适应网箱环境，养成定时、定位集群抢食的习惯。

投饲量是根据鱼体重量和水温来确定的，一般控制在饱食量的 70%～80%为宜。投饲量=箱鱼总尾数×平均尾重×投饲率(%)。

网箱养鱼种的投饲方法与池塘培育鱼种基本相同，也按"四定"和"三看"进行。

"四定"是：定时，包括固定投饵次数和时间两个方面。定量，在鱼的不同生长阶段或根据鱼体大小，按水温不同合理定量投喂鱼饵料。定质，饲料质量的问题，首先要选用合理配方(即食谱)要适合鱼种的营养需要，保证饵料具有较高的营养价值，使鱼种长得好、长得快。同时，投喂饵料要保证新鲜、适口、加工精细。定位，网箱虽然面积不大，但投饵也应固定位置。如装有饵料框或食台的，更应定点投饵，养成鱼群定点摄食的习惯，便于检查摄食情况、打扫食场卫生及进行药物预防工作。

"三看"是：看天，遇天气闷热或阴雨天少投饵料；看水，网箱遇到洪水期，水质浑浊、透明度低或因干旱、农田用水季节水位下降多，以及水温降低后，也应减少投喂量；看鱼，鱼种游动活跃应多喂，发病期少喂或不喂，拉网检查后，或鱼群不浮到水面集中抢食，都应减少投喂 1～2 次，待恢复正常后再喂。

3) 日常管理

鱼种刚进箱时，由于不适应新的环境，会绕着网箱四周游动，这时要注意检查网箱，一旦有破损就会逃鱼。网箱不能有网衣缠绕的现象，以免小鱼种钻入后死亡。每天应做好网箱内外清除污物、死鱼的工作，保证水体交换充分和防止鱼病传染。除正常投饵管理外，还必须每日巡箱，观察鱼的吃食和活动情况，出现问题及时处理。建立网箱档案，记录好鱼种放养、生长、饵料消耗、水温、鱼病发生及防治措施等。每 10～15 天检查一次生长情况，掌握鱼种生长进度，调整投饵量，同时从鱼生长情况验证饵料质量是否符合要求。

5.3.4.4 网箱成鱼饲养

1) 鱼种的规格及最佳生产龄期

网箱成鱼养殖，是指将 50～100 g 的鱼种养成商品鱼的阶段。

鱼种放养规格，首先要以市场对商品鱼规格的需求来决定。如养鲤鱼，市场需求的商品鱼规格是 500 g 以上，本地养殖水域，鲤鱼净增重倍数为 4 倍，即放养规格最低应是 100 g 以上，这样养成商品鱼规格就比较可靠。虽然同龄鱼种，规格小，增重倍数高，但在生产中不能追求增重倍数高，如果商品鱼规格小，市场销售差，留在下年继续饲养，是极不合算的。水温在 20 ℃以上时间不足半年的水域，放养规格一般为 100～150 g，超过 20 ℃以上时间有半年以上的水域，放养规格可为 50～100 g。在生产实践中，增重倍数与水域的水温、溶氧、饵料生物等生态条件有关，因而水域不同同一种鱼类的增重倍数也不同，必须因地制宜地决定放养鱼种的规格。

其次要考虑选择鱼种的最佳生长龄期，鱼类生长的普遍规律是幼龄鱼生长最快，鱼类在性成熟前比性成熟后生长快。四川雅安市黄龙水库网箱养鲤鱼，1988～1990 年对不同年龄鱼种进行了养殖，结果表明：1 龄鱼种与 2 龄鱼种生长差异大，1 龄鱼种净增重倍数为 4～5 倍，饵料系数 2.2～2.3；2 龄鱼种净增重倍数为 1～2 倍，饵料系数 2.7～3。因此，网箱养成鱼，要选择养殖品种性成熟前最佳生长龄期内的鱼种规格，作为成鱼养殖的规格，从 1 龄鱼种进箱到成鱼出售，最好不跨越一个年度。

2) 鱼种进箱前的准备工作

参考前网箱培育内容。成鱼养殖还应强调注意进箱时间，各地水温不同进箱时间有差异，但最好水温稳定在 14 ℃以上进行。因为鱼种易感染的水霉病、白云病等，病菌繁殖生长适宜水温低(14 ℃以下)的季节。根据这个特点，掌握好进箱时间，避开低温期，就可减少鱼病的发生。同时水温低，鱼种发生鱼病后治疗效果也差。对同一水体配套饲养的鱼种，不需长途运输，起网容易，进箱时间可提前。

3) 放养品种和放养密度

中国常见的网箱养殖鱼类，主要有鲢鱼、鳙鱼、草鱼、鲶鱼、鲤鱼、团头鲂和罗非鱼等。鲢、鳙为典型的滤食性鱼类，滤食浮游生物，宜在水质较肥、浮游生物丰富的水体中采用不投饲的封闭式网箱中养殖，效果较好。草鱼、鲤鱼、鲇鱼、团头鲂和罗非鱼要投饲喂养，主要投以适用的配合饲料。

放养密度的确定，需要考虑到当地的鱼种和饲料供应能力，同时要看计划达到商品鱼的规格等诸多方面。另外，国内对网箱养鱼的机械化设备及其管理手段的研究才起步。网箱中鱼群的生长受水温、溶氧、饵料等环境因素和鱼类内在生物学特性的制约，当环境条件满足鱼类生长需要时，种群个体间生存竞争缓和，这时鱼类生长速度主要取决于鱼种的内在特异性，在这种情况下，适当增加密度，产量可以随密度增加而提高。当密度增加到一定程度后，鱼群生存空间拥挤，对饵料和水体空间竞争激烈，环境因素恶化，鱼类生长率势必减慢直至平缓，即网箱已达到饱和容纳量(或最大收容量)，因此放养密度应与网箱最大收容量相适应。

放养量适当，鱼产量就高，经济收益就大。但密度过大时，鱼类个体生长率随放养密度增加而减小，影响鱼类生长，达不到商品鱼规格。若放养密度过低，又不能发挥养殖水域的负载潜力，网箱养鱼高产量的优势不能体现。所以，应把鱼种密度控制在可能达到最大收容量水平以下，既保证群体产量，又能达到商品鱼要求的规格。

网箱饲养商品鱼的放养量，就目前国内情况来说，一般每立方米水体放养 10～15 kg，即进箱鱼种规格如果定为 100 g，那么每立方米水体的放养尾数应为 100～150 尾。放养量应随不同品种而异。一般来说，网箱养鲢、鳙商品鱼，进箱鱼种规格 100 g，按每立方米水体放养 1～3 kg(10～30 尾)计，在肥水水域一年就能养成 500 g 的商品鱼，产量大致为 10～30 kg / m^3。对鲤鱼来说，进箱规格如定为 50～100 g，密度应为 100～150 尾 / m^3，经 4～6 个月的投饲喂养个体可以长到 500 g 以上。罗非鱼进箱鱼种定为 10～50 g，其放养密度可增至 200～500 尾 / m^3，经 4～6 个月饲养后，个体重量可达到 200 g 以上。

4) 投饲技术

要获得最佳经济效果，降低饵料系数是一个重要方面，在选择好最佳饵料配方、适口的饵料粒径外，投饵率、投饵时间、投饵次数与投饵量等投饵技术也值得注意。投饲技术同鱼种培育。

5) 疾病预防

用漂白粉或硫酸铜挂袋、挂篓。每只网箱(中、小型)用 2～4 只漂白粉篓，每篓装漂白粉 100～150 g，连续 3 天。硫酸铜挂袋，每只袋装 100 g 硫酸铜，由于硫酸铜是重金属盐，遇水极易分解，一般在上午使用，下午水温高不宜使用。挂袋后瞬间单位面积内药物浓度升高，网箱密度大，要注意观察鱼的情况，挂袋后 2～3 天可能影响鱼类吃食。最好选用对鱼类毒害作用较小的敌百虫挂袋，杀灭寄生虫比较安全可靠。

用药液浸洗鱼体，先将网衣连鱼群一起密集到网箱一边，再用白布做成的大袋从网箱底穿过，将鱼和网衣带水装入袋内，注意不要过分密集，再计算水体，根据鱼病症状使用药液浸洗。

投喂药饵是网箱养殖预防鱼病最有效的方法，可以在鱼病发生前，制成药饵预防鱼病。

注射和口服免疫疫苗也是预防鱼病有效的途径，目前普遍使用的注射疫苗是草鱼出血病免疫苗，此外有鲤鱼几种常见病(烂鳃病、穿孔病、烂尾病)的口服免疫苗。

6) 并箱和越冬

养殖成鱼到末期，应将网箱内可以出售的商品鱼和不够规格的鱼分开，进行并箱工作。这样有利于商品鱼出售，以免在销售时将不够规格的鱼弄伤，不利于明年饲养。同时，有利于在水面结冰前将网箱沉入水下，使鱼安全越冬。

5.3.4.5 水库施肥养鱼

1) 大水面施肥养鱼的原理及意义

中小型水库，特别是以灌溉为主要目的的小型水库的施肥养鱼已在全国很多地方广泛开展，取得了显著效果。

施肥养鱼的主要原理是，通过向水库施放磷肥、氮肥等无机肥料增加水体的磷、氮等元素的浓度，促进浮游植物生长，提高水体的初级生产力，从而提高鲢、鳙鱼的产量。由于磷、氮是水库的限制性营养元素，补充这样的元素具有很好的效果。浮游植物的增加还会导致腐屑、细菌、浮游动物的增加，因而放养鲢、鳙鱼可以获得较高的产量。

总的来说，水库施肥养鱼成本低、效益好、操作方便，但增产效果与水库生态条件、施肥技术、鱼种放养、管理也有很大关系。施肥养鱼的生产效益可用肥料系数或肥料效率来衡量，肥料系数是指增产 1 kg 鱼需要施放的化肥量(千克数)，肥料效率是肥料系数的倒数。目前，我国水库施肥养鱼的肥料系数在1.5～2.5之间。

2）施肥养鱼对水库条件的要求

以中小型水库为宜，小型水库最好。水面过大，施肥技术很难把握，肥料的浪费极大，渔业生产管理也困难，效果很差。另外，大型水库的水交换率低，施肥易造成富营养化，破坏水资源，因而不主张全库施肥，在条件较好的网拦或坝拦库湾内可进行施肥。

水草繁茂的湖泊型水库不宜搞施肥养鱼，因为水草对肥分的吸收很严重。另外，如果水质变肥，透明度变小也将破坏水草资源。非生物性悬浮物不能太多，否则对肥分的吸附很严重而导致施肥效果很差。水交换率不能过高，水的滞留期（交换1倍的时间）要在3～4周以上，否则肥分损失很大。

5.4 水库捕鱼

5.4.1 渔具做法与技术

大水面捕捞是大水面渔业生产不可缺少的组成部分。通过捕捞不仅可以获得鱼产品，而且可以改变鱼类区系组成，改变种群结构，控制凶猛鱼类。

用于直接捕捉水产经济动物的工具称为渔具，包括网渔具、钓渔具、箔筌渔具以及应用声、光、电等专用设备配合进行生产的特种渔具等。在这些渔具中，网渔具是当前国内外普遍使用的渔具。

5.4.1.1 刺网渔具渔法

刺网是我国大水面捕捞的主要渔具之一。它是由若干片长方形网片连接成的一列长带形网具，垂直敷设在鱼类活动的通道上，鱼类在洄游或受惊逃窜时刺入网目，或者缠络于网上而被捕获。主要的捕捞对象有鲢、鳙、青、草、鲤、鲫、鳊、鲂、鲴、刀鲚、凤鲚等鱼类。

刺网适合于各种水体捕捞，结构简单，操作方便，成本低，渔获率高，而且对鱼的大小有较强的选择性。但也有摘鱼慢的缺点。

根据刺网的结构，有单层刺网、三层刺网、框刺网、混合刺网之分。单层刺网是结构最简单的刺网，由单层组成，同一刺网的所有网目大小和网线规格都相同。三层刺网是将两片大网目网衣夹一片小网目网衣共同装配在上、下纲绳上，小网目网衣面积较大，当鱼类穿过一层大网目网衣，冲撞并带动了松弛的小网目网衣并又穿入另一层大网目网衣中形成小囊袋，鱼被缠络于其中而被捕获。框刺网是在单层刺网上加了若干框格绳，使网片成为许多呈兜状的小框格，增加了对鱼的缠络能力。混合刺网是指同一顶刺网不同部分的网目、材料甚至结构不相同，以便能捕不同水层中的不同规格的鱼。

按作业方式，刺网有定置刺网、流刺网、围刺网和拖刺网之分。定置刺网捕鱼时是将刺网用桩、石头或锚固定在水体某处，设置于水体表层的为浮刺网，设置于较底层的为底刺网。流刺网主要在江河中使用，与水流方向垂直放网，网随流漂移，逆流游动而撞上网的鱼很难逃脱。围刺网作业时是将鱼群先用刺网包围，然后用声响等手段惊吓鱼群，鱼群在惊慌逃窜中被刺网捕获，湖泊水库中，在网箱养鱼的浮架周围进行围刺网作业效果很好，因为浮架中的网箱之间有很多鲢、鳙、鲤等鱼类。拖刺网作业时有船拖带，产量比定置刺网高。

5.4.1.2 围网渔具渔法

围网作业在湖泊、水库等水域被广泛使用，这种渔法机械化程度高，生产效率高，机动灵活，生产规模也很大。

围网呈长带形，中部稍高，两端稍矮，由网衣、绞括装置(有环围网)和属具组成。捕鱼原理是当发现鱼群后，机轮围绕鱼群所在区域呈圆形快速行驶，同时放出长带形网具，网衣垂直张开在水中形成圆柱形网壁包围鱼群，然后逐步缩小包围面积或收括网封锁底口，使鱼集中到取鱼部而被捕捉。捕捞对象主要是鲢、鳙、草等中上层鱼类。

围网按作业船只数可分为单船围网、双船围网和多船围网；按结构可分为有囊围网和无囊围网，无囊围网又有无环围网和有环围网之分。

5.4.1.3 拖网渔具渔法

拖网是一种流动性和过滤性网具。作业时可使用单船、双船或多船等形式，借助风力、水流或机械动力，带动一个或多个袋形网具在水中曳行，迫使在网口作用范围内的鱼、虾进入网内而被捕获。

拖网类渔具的特点是：规模大、产量高、速度快、机动灵活；捕捞对象广，可捕各种经济鱼、虾、蟹；要求渔场水面宽广，底部平坦，障碍物少。

按捕鱼水层，拖网分为浮拖网、中层拖网、底层拖网；按网具结构，可分为有翼拖网和无翼拖网。

拖网捕鱼的船有风帆船(如太湖的银鱼拖网)和机动船(如水库底拖网)。使用风帆船时需顺风或顺流放网进行拖曳；而机动船有足够的拖力，灵活方便得多。捕鱼的操作过程是，先选好渔场并将网具整理好，然后开始放网，检查确认拖网在水中正常伸展开并保持正常形状后才全速前进进行拖曳，随后进行排网(包括取鱼)、起网和取渔获物，最后一步为重新将网具整理好，准备下次作业。

5.4.1.4 地曳网渔具渔法

地曳网又称地拉网、大拉网，是我国湖泊、水库、江河中常用的渔具。地曳网按网具结构形式和捕捞对象不同可分为两种：一种是利用长带形的网具(有囊或无囊)包围一定水域后，在岸上、冰上或船上曳行并拔收两端曳纲和网具逐渐缩小包围圈，迫使鱼类进入囊网或取鱼部而达到捕捞的目的；另一种是用带有狭长或宽阔的盖网，网后方结附小囊网或长形网兜的网具，通过在岸边拔收长曳纲，拖曳网具，将其所经过地区的底层鱼类拖捕到网内。地曳网兼有拖、围两种作用，能捕各种鱼类，效率很高。由于捕捞规模大，包围的面积宽，要求渔场水面宽广、底部平坦。地曳网最好与其他渔具(如赶、拦、刺等方式)配合作业，使鱼群相对集中，可大大提高捕鱼效果。地曳网要求人员多，技术熟练。

地曳网按结构可分为有翼无囊和单囊型、翼状多囊和囊兜型、无翼扇形多囊和网兜型等。它们都由翼网(或盖网)、囊网(或取鱼部)、缘网、浮沉子、上下纲和叉纲、曳纲等组成。

地曳网作业有岸曳式和船曳式，前者是将网具放入预定水域形成包围圈后，在岸上两点分别拔引两边的曳纲、翼网，并逐渐向中间靠拢，最后取上囊网和渔获物；后者是在远离岸边生产作业，下网包围鱼群后将网船抛锚，在船上拔收曳纲、翼网，最后获得渔获物。

5.4.1.5 张网渔具渔法

张网类渔具是定置网具。捕鱼原理是将网具固定设置在有一定水流的湖口、水库溢洪道、江河急流处、鱼类洄游通道上或鱼群密集的水域，依靠水流或人工驱赶，迫使鱼群入网中被捕获。

张网渔具主要有以下几种：

(1)方锥体张网。呈锥状，前部分为身网，呈喇叭状，后部分为圆筒形的囊网。根据敷设方式分为墙张网、桩张网、锚张网、船张网和套张网五种。

(2)笼式张网。身网呈长方体，身网前端入口处设有漏斗网，入口两侧连有翼网。有单口笼式和双口笼式之分，双口笼式张网的两头都为入口且都装有漏斗网，可捕获来自两个方向的鱼。

(3)箱式张网。呈箱形，由底网、墙网、盖网、导网(八字网)等组成。其形状有长方形、梯形和正菱形。为了增加网具的拦诱作用，可在张网上增设外八字网和舌网。为了减轻鱼群对身网壁的压力和取鱼方便，可在张网后墙网的中央部位开一个缺口，外接一个长 15～20 m 的圆筒形囊袋。

我国水库“赶、拦、刺、张”联合渔法中应用的张网主要有：长方形不带网袋张网、长方形带网袋张网、菱形带网袋张网、水库升降张网和笼式张网等。

长方形箱式张网是最简单、合理、方便、使用最多的一种形式，其规格取决于水库库形、作业水深、鱼群密度和栖息水层等因素。底网的长宽比以 2∶1～3∶1 为宜；张网高度一般不超过 20 m，八字网间夹角为 56°～65°，八字网内口宽 80～90 cm，盖网宽为 1.5～2 m，舌网与水底夹角为 30°。

5.4.2 中上层鱼类的捕捞

“赶、拦、刺、张”联合渔法是水库广泛使用的大规模捕捞鲢、鳙鱼的有效方法。它利用拦网、三层刺网、张网和非网赶渔具联合作业，将鱼群赶向预定区域并迫使鱼群进入张网而被捕获。此法作业范围宽，适合于大中型水库，产量高，如辽宁大伙房水库 1969 年曾一网捕获 53.45 万 kg，占总产量的 53%。作业时间一般为 5～6 天 / 网次。

鱼类捕捞作业程序如下。

(1)了解情况及制定计划。对水库的库底形态、水深、水面宽窄、主要障鱼群活动规律等情况进行全面了解、调查。制定捕捞的详细计划，绘出赶捕作业示意图。

(2)赶鱼。利用三层刺网、拦网并配合使用机动船带动的白板和声响(敲击船或铁桶)进行。白板是在一长绳索上每隔 1～1.5 m 系一白漆木板(400 cm×50 cm×5 cm)，末端系一沉子，由机船拖动在渔场中惊吓鱼群。有纵向放网、横向放网和斜向放网三种网赶方式，要求网要放直，力求平行。

(3)拦鱼。每次捕鱼的水域分为多个赶区，每赶完一个赶区，必须用拦网将已赶过的水域封住，起防止鱼回逃的作用，迫使鱼向预定方向运动。

(4)张网捕鱼。将鱼群驱赶集中到张网前面的“集鱼区”时，可用三层刺网、拦网再配合声响惊吓鱼群，使鱼群进入张网而被捕获。张网应设置在作业渔场的深水区域中，在放完拦网后即可安装。张网应由一名经验丰富的渔工管理，保证张网的网形正常，并观察鱼群进入的动态和数量。起网前，要将张网的八字网门关闭，然后开始起网。

联合渔法作业时，网具、渔船及生产人员众多，必须统一指挥、分工明确、协调配合、速战速决。

5.5 盘石头水库渔业养殖

5.5.1 水库渔业环境

5.5.1.1 水文对渔业影响

盘石头水库位于卫河支流淇河中游。淇河是海河流域漳卫河水系左侧主要山区支流，是卫河洪水主要来源地之一。淇河发源于山西省陵川县方脑岭，干流全长 170 km，流域面积 2 142 km^2。

淇河地处暖温带，属典型季风性气候。多年平均气温为 13.5 ℃，极端最高气温 41.7 ℃，极端最低气温–21.7 ℃。全年无霜期约 200 天，日照充足较适合鱼类生长。多年平均蒸发量 520 mm，多年平均降水量 720 mm，分布不均匀，年际变化也大，盘石头水库降水多发生在 5～9 月，其他季节为水库枯水期。由于受到水库建造目的和用水调度计划的影响，水库库容和水位经常发生变化，通常汛前水位最低，汛后水位最高。水库水位变化对渔业生产带来一定影响。

(1)流速对渔业影响。水库形成后，水流速已变得十分微小。由于上游淇河、淅河定期或不定期向下游排水，库水处于经常交换状态，非常有利于营养物质流通和循环，也有利于水温、溶解气体及各种营养物质等的均匀分布，有利于鱼类及其饵料生物的生长和繁殖。汛期由于水流刺激，一些产卵鱼可以上溯寻找产卵地点，如鲢、鳙、草等家鱼。但因上游修建小型水库和堤坝，导致流程不够后代存活较难。

(2)淤积对渔业影响。盘石头水库上游，由于库区基岩裸露，松散层较少，固体径源较少，属少沙河流。

根据盘石头水库坝址年悬移质输沙量估算，水库多年平均输沙量为 71.2 万 t，除去汛期带来泥沙外，其他季节水质良好，淤积不严重，不影响渔业生产。

5.5.1.2 水理化特征对渔业影响

库水的理化特征直接影响鱼类及其饲料生物的生长。下面从水温、透明度、溶解氧、营养盐类几方面加以分析。

1)水温

水温是影响鱼类及饵料生物的代谢强度，影响鱼类及其饵料生物摄食、生长、繁殖的主要生态条件之一。水温的垂直分布与变化对水库生物能力和生物栖息活动有很大影响。根据盘石头水库坝址以下 33 km 的新村水文站 1960～1965 年河道水温观测资料，天然河道平均水温 14.6 ℃，最高月平均水温 25 ℃，最低平均水温 4.8 ℃。

水库因蓄水后水温较稳定，同一地区水库水温比水塘、河流水温要高。由于盘石头水库为深水水库，常有温跃层产生，上下层水温差别较大，使表层水和底层水长期不能交流，沉淀于底层的营养物质无法进入上层，上层较高溶解氧和温度达不到底层，致使生物代谢缓慢、生产力较低，一定程度上影响渔业产量。但是，库底水温因常年稳定对有些鱼类生长有利，如水库年平均下泄水温 9.3 ℃，对虹鳟等冷水鱼类可以利用发电后尾水引入池塘后进行流水养殖。

2)透明度

盘石头水库为大型水库，上游来水受季节影响较大，除汛期带来一定泥沙外，其他季节河水主要是泉水和浅层地下水补充，河水的透明度较高，水库水质较瘦。在库湾养殖需要人工投饲或肥水养殖;在大水面应以网箱养殖并人工投饲为主。

3)溶解氧

鱼类生活在水中，主要靠鳃等器官呼吸溶解于水中的氧气。鱼类要正常生活，需要一定浓度的氧气。由于盘石头水库水质较好，根据预测，表层溶解氧为 7.4～9.4 mg / L，中层为 6.4～7.7 mg / L，底层为 1.2～1.5 mg / L。在温度等环境适宜情况下，水中溶氧量丰富，鱼类摄食旺盛，饵料系数低，生长快。此外，水库溶解氧因受库水交换和不同程度流动状态影响，溶解氧充分、稳定、分布均匀，只要饵料丰富，盘石头水库鱼类将生长较快，该水库具有养殖优势。

4)营养盐类

水库水中营养盐类，一般指氮、磷、硅、铁等鱼类和饵料生物所需营养物质 。盘石头水库属新建水库，营养盐在蓄水初期，由于大片土地被淹没，大批植物腐烂，许多有机物质和无机营养盐溶解，营养盐比较丰富，浮游植物可在短时间形成优势对滤食性鱼类生长有利。在蓄水过程，靠上游河水和库周集水补给。蓄水稳定后，除汛期补给外，库水营养盐趋于稳定。

5.5.2 水库天然饵料

正确估计盘石头水库天然饵料，对确定水库渔产力非常重要，可以根据天然饵料多寡制定合理放养比例和增殖计划。

5.5.2.1 浮游植物

水库蓄水后，浮游植物主要靠原水域生活的藻类发展起来。盘石头水库中一般硅藻、绿藻等占优势。水库运行后，库区浮游植物有增多的趋势，主要有以下因素：一是水库建成后，流速变缓，部分区域几乎成为静止的水体，为浮游植物生长繁殖提供了良好的环境；二是水库表层水温提高，有利于藻类生长；三是水库蓄水使水中悬浮物沉降，水体透明度增加，有利于光和作用；四是大量农田被淹没，营养盐类和有机物分解后大量溶于水中，营养物质因大坝截流而不易流失，有利于浮游植物生长。

从藻类分布来看，主河道中在沿岸地带主要以硅藻为主，在河漫滩和支流区域以绿藻门植物占优势。蓄水后随着水位升高、透明度变大而丰富起来，到水位达到一定高程已经形成植物群落。横向分布规律是中游上游数量最多，下游最少，因此水体最瘦。浮游植物季节变化明显，夏秋季出现高峰，冬春季数量较少。

5.5.2.2 浮游动物

在河流中，由于水流速度大，有机物少，纤毛虫、轮虫、枝角类、挠足类等浮游动物较少。水库建成后，流速减慢、悬浮物沉淀、有机物增多、透明度增大、浮游植物及腐生细菌大量繁殖，促进浮游动物生长。库中区的浮游动物可能向大型深水湖泊的浮游动物库区系演变，库湾部分则可能逐渐向中小型的浮游动物区系演变。

盘石头水库浮游动物种类较多，但资源量不大，主要有原生动物、枝角类、挠足类，水库蓄水初期，大量有机物质和无机盐溶于水中，水中生物营养成分丰富，库区内浮游动物很快繁衍起来并形成高峰，随时间推移浮游动物的繁衍生息将趋于稳定。

5.5.2.3 底栖动物

由于水库水深、水位变化大，库底少淤泥或淤积严重，底栖动物有喜流水动物限于水库上游，数量难以发展。盘石头水库底栖动物主要有各种螺、虾、蟹、蚌蚬、水蚯蚓和摇蚊幼虫等。在水库蓄水后，可针对性移植底栖动物，从而加速水库底栖动物区系的形成发展，获得较好的经济效果。

5.5.2.4 水生植物

由于盘石头水库多为陡峭山坡，岩石裸露，植被相对匮乏。水库蓄水后，由于水位抬高，水生植物种类、数量减少，只有库湾浅水区有为数不多的植物，主要是浮萍、满江红等水生漂浮植物，在浅水区会出现苴草、眼子菜等水生、耐湿植物，并成为水生湿生植物群落。

5.5.2.5 腐屑与细菌

盘石头水库蓄水初期，腐屑大部分来自库底原生活垃圾、土地集水的植物碎屑和动物粪便。植物碎屑和动物粪便进入水体后，经过短时间离析，溶解有机物渗出，剩下颗粒经过机械粉碎作用和动物吃食以及细菌肢解，使粗颗粒变成细颗粒，继续供做饵料。

5.5.3 库区鱼类资源调查

5.5.3.1 鱼类概况

盘石头水库库区位于淇河中游，库水溶氧丰富，凶猛鱼类主要有鲇鱼、鳜鱼，其他凶猛鱼类较少，饵料充足，适宜鱼类生长。库区以江河平原鱼类为主体，兼有北方平原鱼类。现发现鱼类有 66 种，其中鲤科鱼类 43 种，占总数的 65%；经济鱼类有 39 种，主要有草鱼、鲢鱼、鳙鱼、鲤鱼、鳊鱼、鲂鱼、罗非鱼、鳜鱼、银鲴鱼等十多种。其中有“淇河三珍”之一的淇河鲫鱼。

淇河鱼类资源捕捞历史悠久，可以追溯到旧石器时代，但是由于水库库区多为山区，居民分散，坡陡流急，河底潭深，急流跌水较多，致使捕鱼困难，渔业不发达，仅有少数人以捕鱼为生。近年来，在水库上游小水库中开始进行网箱养殖，养殖鱼类主要有鲤鱼、鲫鱼、鲢鱼、鳙鱼。

5.5.3.2 淇河鲫鱼

淇河鲫鱼(以下简称淇鲫)是生长在淇河段所特有的一种鱼类，属鱼纲、鲤科，为罕见的三倍体鱼类。自殷商以来，淇鲫为历代君王所喜食，并于明朝万历年间被列为贡品，因而名声大噪，驰誉南北。淇鲫是殷商帝都朝歌——淇县三珍之一，久负盛名。早在春秋《诗经·卫风》中就有“筱筱竹杆，以钓于淇”的诗句。《汤阴县志》记载：淇鲫“体皆双脊，形扁圆，其肉嫩肥美，片片呈蒜瓣状，汤暖，尤宜啜于冬日。在封建时代常专差向皇帝贡献，为淇县三大贡品之一，颇受嘉评”，因此古诗中才有“以其食鱼，唯淇之鲫”的评语。

淇鲫是一种罕见的三倍体鱼类，口小个大，背高体厚，腹圆，体态丰满，俗称“双背鳍”。其具有雌核发育的特殊生育习性，从而形成雌雄为 16：1 的比例，有“十鱼九母”之说，淇鲫生长速度快，与普通鲫鱼相比存在着很大的差异。其出肉率高达 19.16%，比普通鲫鱼高 7%，且富含人体必需的 18 种氨基酸等。淇鲫鳃甜不苦，炖出的鱼汤呈乳白色，似牛奶一样具有较高的滋补功能和疗效。据《本草纲目》等医学记载，鲫鱼具有强身益智、健胃、补脾、催乳利尿、消炎止痢、软化血管、延年益寿等多种功效，临床上用以治疗身体虚亏、智弱脾盛、水肿腹水，产后无奶和痢疾等多种疾病，疗效甚佳，既是滋补身体的佳品，又是招待宾朋的珍馐。

淇鲫就形态而论有两种，一种为体高而宽、个大肉肥、生长较快的高体厚背形；一种为体较低、背部较窄、个体较小、生长较慢的普通型。平常所说的淇鲫指的是前者。因栖息环境不同体色有两种，一种生活在温泉水体附近，背部黑色、体侧金黄；一种生活在水草较多河段，背部黑色、体侧青灰、腹部灰白。

淇鲫适应性强，周年摄食，食谱广，饵料来源丰富，为杂食性鱼类，既吃植物性食物也吃浮游动物和底栖动物。自 1958 年以来，由于淇河中筑坝截流工程较多，鱼类的活动通道被阻断，繁育场所遭到破坏，加上捕捞强度较大，淇鲫资源较以前有大幅度下降，但是不管在深水、浅水、流水还是静水，大水面还是小水面都有淇鲫存在。

5.5.3.3 蓄水后需做的工作

水库蓄水后，由于下泄底层水，水温偏低对淇鲫将带来一定影响，但是蓄水后将改变下游季节枯水不利局面。因此，可根据实际情况做以下工作：在库区原有的鱼类的基础上，人工移植适于静水水库发展的经济鱼类；库区应建立统一鱼种场；积极开展淇鲫的人工繁殖研究。

5.5.4 盘石头水库渔业规划

5.5.4.1 水库建设期规划

盘石头水库将在 2005 年建成并发挥效益，为充分发挥水库综合效益、加速水库渔业发展，应根据中华人民共和国水利部《水库渔业设施配套规范》(1994)搞好盘石头水库渔业规划。

水库渔业配套工程应与主体工程统一规划布局，并单独编制专项可研报告，待可研报告批准后应与主体工程同步编制初步设计和技施设计，同时征地、施工、验收。所需投资列入水库工程总概算中。

根据规范，盘石头水库水面等级为Ⅱ级，相应渔产量为 150～300 kg / hm^2(见表 5-6、表 5-7)。

表 5-6 水库水面等级划分

水面等级	Ⅰ	Ⅱ	Ⅲ	Ⅳ
养鱼面积(km^2)	大于 100	10～100	1～10	小于 1

表 5-7 各级水库的渔产量

水面等级	Ⅰ	Ⅱ	Ⅲ	Ⅳ
渔产量(kg/hm^2)	75～150	150～300	300～600	大于 600

5.5.4.2 盘石头水库渔业配套设施项目与规模确定

1)过鱼设施

由于大多数鱼类不需要通过水库大坝向上游产卵或洄游，所以不需要修建过鱼设施。

2)拦网

由于输水洞和泄洪洞需要下泄水，因此在不影响工程安全和设计效益下，应在适宜地点选择拦鱼设施。目前，我国水库常用拦鱼设施主要有拦网、拦鱼栅、钢筋网罩、电拦等种类，建议水库在输水洞进口、泄洪洞进口采取拦鱼栅、钢筋网罩形式，防止水库水下泄时鱼类逃走。

3)捕捞场地清理

由于原河道有些河段水深和距离较长，捕捞场地清理比较困难，这个工作可以不做。其他地区待移民搬迁结束后，进行库底清理。

4)鱼种培育设施

盘石头水库属于北方类水库，由于水库养鱼面积较大，靠购买鱼种费用高，应在下游修建鱼苗池和鱼种池，也可以利用网箱和拦截库湾培育鱼种。随着养殖业的发展，有条件时可以修建鱼类繁殖设施和基地，向外地销售鱼苗或鱼种。鱼类繁殖设施应包括亲鱼池、产卵池、孵化设施及附属设施。

5)水库应配置捕捞船只和网具

作为Ⅱ型水库，应配置 2～3 套大型网具和船只。船只数量根据网具作业确定。水库捕捞船只总动力按下式计算：

$$F=s\cdot b \tag{5-1}$$

式中 F——捕捞船只总动力，kW；

s——水库养鱼面积，hm^2；

b——动力配置系数(参考表 5-8)，kW/hm^2。

表 5-8 水库捕捞船只动力配置系数

水面等级	Ⅰ	Ⅱ	Ⅲ	Ⅳ
动力配置系数(kW/hm^2)	1.5～2.2	2.2～2.9	2.9～3.7	3.7～4.4

5.5.5 盘石头水库几种养殖模式

5.5.5.1 建立鱼苗、鱼种场

水库蓄水后有丰富的水资源，按正常蓄水位 254 m 考虑，将形成 13.3 km^2 的水面，

要求鱼苗、鱼种数量较大，因此必须建立自己的鱼苗、鱼种场，这是水库渔业获得高产、稳产的关键。

5.5.5.2 鱼苗培育

鱼苗培育是指把出膜后3天的鱼苗饲养到体长3 cm左右的夏花鱼种的生产阶段，一般需要20天左右。由于鱼苗对环境的抗御能力低，摄食能力弱，因此其技术要求是最严格的。生产上要达到的指标是：成活率 80%左右，规格整齐，体质健壮，体长在 3 cm左右。

1) 鱼苗池要求

(1) 水源充足，注排水方便。在鱼苗培育过程中随着鱼苗的成长和水质的变化，需要逐渐加注新水，以增加鱼苗的活动空间并改善水质，这对保证鱼苗良好的生长发育是很重要的。

(2) 面积适当，水深适度。饲养鱼苗的池塘面积应小于3亩。面积太大饲养管理不方便，水质不易调节，易受风起浪对鱼苗造成冲击不利生长。水深一般保持在1 m左右(前期0.5～0.7 m，后期1～1.3 m)

(3) 形状规整。在鱼苗培育过程中要数次捕鱼，规则的鱼池有利于网具操作，也有利于日常的投饵和管理。

(4) 池底平坦无水草丛生，有适量淤泥。这样将有利于培养鱼苗的适口饵料生物。

(5) 不漏水，有利于肥水。漏水形成水流引起鱼苗顶流集群逗水不停，影响摄食和生长。

(6) 向阳，光照充足。

2) 放养前准备

(1) 彻底清塘。鱼苗下塘前7～10天应将池水基本排干(保留15～20 cm水深)，清除池底和四周杂草、异物，整修加固池坝，然后每亩用100～150 kg生石灰，或用10～15 kg漂白粉化水后全池泼洒消毒，以杀灭野杂鱼、致病菌、寄生虫及其他有害生物。

(2) 肥水质。清塘后，在鱼苗下塘前 5～7 天可向池塘注水，注水深度以 50～60 cm为宜，然后每亩放入禽畜粪250～300 kg肥水，使鱼苗下塘后有丰富的天然饵料。

(3) 空网检查。在鱼苗下塘前1天或临放前应用夏花鱼网拉1～2次空网，以检查和清除池塘中还可能存在的少数野杂鱼、蝌蚪及水生昆虫等敌害。

(4) 鱼苗放养。鱼苗放养应选择在轮虫繁殖的高峰期，一般水温在 20～25℃时，池塘施肥后 5～7 天是鱼苗放养的最佳时期。鱼苗放养以单养为好，一般每亩放养密度 10万～20万尾，鲢、鳙放养密度可大些，草鱼放养密度可小些，同一口池塘应1次性放足同一批繁殖的鱼苗。放养时，应选择在池塘的通风处放苗，操作要细心，动作要轻快。

(5) 饲养管理。具体包括以下工作：

①投饵。在鱼苗下塘后3～5小时即可投喂豆浆，每天投喂2～3次，上午8～9时开始，至下午4～5时结束。投饵数量视鱼吃食、水质肥瘦情况而定。一般鱼苗下塘后7～10天，每天每亩投3～4 kg黄豆的浆，豆浆应现磨现喂，以后视池塘水质和鱼苗生长情况酌情增加。投喂时，应沿池边四周均匀泼洒，随着鱼体的生长和活动能力的增强，可逐渐向全池泼洒。若遇到阴雨天及闷热天气时，应适当减少投喂次数或不投喂。

②定期注水。鱼苗下塘时，水深一般控制在 50～60 cm，随着鱼苗的生长，应不断提高水位，以扩大水体空间。在鱼苗下塘后 7～8 天可进行第 1 次注水，以后每隔 4～5 天注水 1 次，每次注水以提高水位 10～15 cm 为宜。若池水偏瘦和出现阴雨天气时，可少注水或不注水。

③巡塘。鱼苗下塘后，坚持每天早、中、晚各巡塘 1 次，观察鱼苗的活动和池塘水质的变化等情况，及时捞除野杂鱼、蛙卵及异物，发现病害应及时治疗和清除。

④锻炼出塘。鱼苗经过 20～25 天的饲养，一般可长到 2.5～3.0 cm 的夏花鱼种，这时应及时出塘供养殖者饲养，或分塘进入鱼种阶段培育。在出售或分塘前，应经过 2～3 次拉网锻炼，以增强鱼的体质，适应密集环境，提高出塘和运输过程的成活率。

5.5.5.3 鱼种培育

鱼种培育是指鱼苗培育成夏花后，按照适当密度及合理种类进行搭配，进一步培养成大规格鱼种以便放养，主要方法有池塘培育、网箱培育或库湾培育。这里介绍常用的池塘培育。

(1)池塘要求。条件和鱼苗培育相似，面积要大一些，以 4～6 亩为宜。

(2)鱼塘清整和消毒，同鱼苗池。

(3)肥水质，同鱼苗池。

(4)确定鱼种的合理放养密度，夏花放养的密度主要依据计划养成鱼种的规格来决定。比如鱼种外销，为了方便运输和提高运输成活率，培养鱼种的规格一般要小些，因此放养密度可大些；又如供就近放养，一般要求较大的鱼种，夏花放养的密度就须小些。

(5)混养。主要养殖鱼类在鱼种培育阶段，各种鱼的活动水层、食性和生活习性已明显分化。因此可以进行适当的搭配混养，以充分利用池塘水层和饵料资源，发挥池塘的生产潜力。同时，混养还为密养创造了条件，在混养的基础上，可以加大池塘的放养密度，提高单位面积鱼产量。

(6)投饵。四定投饵，即定时、定位、定质、定量。

(7)日常管理。日常管理工作主要包括以下几种：

①巡塘。鱼种培育过程只需每天早晨巡塘一次即可。中午、晚上结合投饵、清理食台等工作再巡视鱼塘，早晨巡塘主要观察水色和鱼的动态。

②防逃。雨季时注意池塘中水位上涨情况，检查注排口的拦鱼设施。

③防病。根据巡塘观察的结果，及时采取预防措施。应经常清除池内杂草、腐败杂物，据鱼种的吃食情况，每天下午 3 时左右检查食台，了解饵料是否被吃完，以此确定第二天的投饵量。

④适时注水，改善水质。在夏花饲养过程中，至少应加注新水 4～5 次，水源方便的池塘还可增加注水的次数。由于对夏花鱼种投饵量较大，鱼的排泄量也多，池水很容易过肥，影响鱼种生长，因而非常有必要经常加注新水。

5.5.5.4 网箱养殖几种模式

由于盘石头水库水质较好、透明度高，属北方水库，因此水库适合发展网箱养殖。

常规鱼类养殖主要有鲤鱼、草鱼、鲫鱼、鳙鱼、鲂鱼等鱼类养殖，可以单养，也可以混养。为充分发挥效益和利用水体资源，一般以一种鱼类为主；为充分利用水体空间和饵料，混养其他鱼类。以下简单介绍单养花鲢(鳙鱼)技术。

(1)网箱结构。网箱材料为聚乙烯，网线直径为 1.13 mm，网眼大小为 3～5 cm，网箱规格为 4 m×7 m×2 m，采用单层网箱，框架为竹竿，竹竿直径为 10 cm 左右，若干个连为一体，用沉子固定。

(2)网箱设置。网箱放置位置极为重要，它直接影响花鲢的生长速度，一般放置要求为：水域广阔，有微流水，水质良好，无污染，阳光充足，避风向阳，水温较高，饵料生物充足，离岸较近，水深 4～7 m，风力较小、交通方便的库区。

(3)鱼种投放。鱼种放养时间：每年 11～12 月，或翌年 2～3 月，水温较低，运输方便，鱼体受伤较轻，成活率高。鱼种放养规格：一般有两种，分别为 80 g 左右或 350 g 左右。放养数量：80 g 鱼种每箱放 450～550 尾，350 g 鱼种每箱 200～250 尾。注意事项：投放鱼种水温要低于 12℃，鱼种规格健壮整齐，入箱前后严格消毒，防止鱼种发生水霉病及死亡。鱼种入箱前，由于运输及装运，容易使鱼体受伤，在水温较低情况下极易发生水霉病。

(4)饲养管理。网箱养殖花鲢的成败，关键在于饲养管理。管理得好，可以加速花鲢的生长，提高产量，获得较好的经济效益。否则，由于管理不善，造成生长较慢甚至逃跑，使养殖失败。饲养管理工作主要包括以下几方面：

①泡箱。新的网箱，表面粗糙，直接装鱼极易造成鱼体受伤。因此，必须提前 7～10 天放在库中浸泡。

②刷箱。网箱放入库中，由于水中浮游生物作用，造成网箱上黏附许多脏物，影响水体交换，引起箱内浮游生物数量减少，从而使花鲢因饵料生物短缺而生长缓慢。因此，网箱必须经常刷洗，一般生长季节 15～20 天刷洗一次。

③移动。移动有两种情况，一是在洪水季节，移动网箱防止被洪水大风冲垮；二是通过移动网箱增加网箱内饵料生物含量，加速花鲢生长。

④饲养。有时水库水体较瘦或网箱较多，采用其他方式不能增加箱内饵料生物，这时就需要在网箱周围堆放或吊挂有机肥或化肥，化肥应在无风情况下吊挂。

⑤分箱。经过一年养殖，鱼种大多生长 10～20 倍，翌年春天为了保证箱内鱼类正常生长，避免箱内溶氧及饵料不足，必须进行分箱。

⑥看管。在生长季节，需要经常检查网箱，观察鱼类活动情况，发现问题及时采取措施，防止鱼类逃逸。冬季，未售完鱼类要集中在一起看管，防止大风吹破网箱或被盗。

(5)收获销售。11 月，水库水温下降到 10 ℃，花鲢已停止生长，开始收获销售花鲢。这时，投放 100 g 花鲢可长到 500 g 以上，每箱可净产花鲢 200 kg 以上；翌年分箱后，可长至 1 500 g 以上。投放 350 g 花鲢可长到 1 000 g，每箱可净产花鲢 250 kg 以上；翌年分箱后，可长至 2 500 g 以上。

5.5.5.5 特种水产养殖

特种水产养殖指利用水体养殖经济价值较高的鱼类，如罗非鱼、淡水白鲳、鳜鱼、乌鳢、鲟鱼、斑点叉尾鮰等，这些鱼类养殖主要靠人工投饲，经过驯化后可以投喂配合饲料。由于特种水产品养殖品种很多，这里仅对利用水库下泄尾水养殖虹鳟鱼和大水面养殖银鱼进行叙述。

1)流水养殖虹鳟鱼

因为需要向下游河道补水和市区供水，可以利用发电尾水进行流水养鱼，水库下泄水为底层水，长年平均水温 9.3 ℃，水温较低可以养殖冷水鱼类，如虹鳟鱼。虹鳟鱼俗称鳟鱼，属鲱形目鲑科，目前已有 86 个国家和地区引种养殖。虹鳟鱼体形呈长纺锤形，吻圆，鳞小而圆，背部和头部苍青色或深灰色，下腹部银白色。体侧、体背和鳍部有分散的小黑点，性成熟的个体体侧中部沿侧线有一条类似彩虹的紫红色彩带(由此而称为虹鳟)延伸至尾鳍基部，因此而得名。虹鳟鱼具有肉味鲜美、营养丰富、刺少肉多、食用价值高、生长迅速、人工繁殖简便易行等特点，目前已成为联合国粮农组织向世界推广的产量高而品质优良的四大淡水养殖品种之一，被列为高档鱼。

虹鳟鱼养殖技术如下：

(1)鱼池与流水。虹鳟鱼养殖一般均采取流水高密度饲养法，因此水流量大小就限定了养殖水面的规模。可以采取阶梯方式建设每池为 600 m^2 的养殖水面，以每秒注水量为 100 L 为宜。因水量充足，地形地势许可，宜采用并联水池的形式，鱼池建成水泥池，便于清洁管理和高密度放养。在鱼池的排布上，并联水池的饲养效果较串联水池为佳，但为了充分利用水量，通常多采用鱼苗池、鱼种池并联形式，亲鱼池、成鱼池采用串联形式。串联形式一般不超过 3 个，鱼池要有进排水口，安装拦鱼网，池底一般要有 1／100 的坡度，便于清理污物。

(2)鱼池的种类。养鱼池的种类按使用目的一般可分为鱼苗池、鱼种池、成鱼池和亲鱼池，在实际生产中，可以根据需要适当交替使用。鱼池的大小一般为：鱼苗池面积 10～30 m^2，水深 20～40 cm；鱼种池面积 50～100 m^2，水深 40～60 cm；成鱼池面积 100～200 m^2，水深 60～80 cm；亲鱼池面积 100～300 m^2，水深 80～100 cm。鱼池的高度一般应高出水面 20～30 cm。

(3)鱼苗培养。上浮鱼苗开食的最初一个月是虹鳟养殖中难度最大、技术性最强的阶段，这一阶段首先要注重成活，其次才是成长。由于鱼苗规格越大生命力越强，而且鱼苗长得快慢将直接影响今后的生长，因此对上浮苗的成长不能忽视。刚孵出的鱼苗很嫩弱，趋暗怕光，活动缓慢，因有卵黄囊供给营养，此时不需投饵。当卵黄囊吸收 2／3 以上，大部分鱼苗开始上浮觅食，此时要及时投喂营养丰富而且容易消化的食物，否则容易引起黑瘪病造成死亡。开始时可以投喂鸡蛋黄、水蚤、水蚯蚓等，也可投喂牲畜肝脏和生鲜肉等。饵料可以用 0.4 mm 网眼的细筛过后投喂，也可以涂抹在细铁丝网上挂在池中，让鱼苗自行取食。每天需投喂 6～8 次，每天投饵量为鱼体总重的 10%～12%。经 20 天的饲养后，一般虹鳟体长可达 2.5 cm，体重达 0.2 g，可以转到鱼种池内饲养。

(4)鱼种培育。鱼苗、鱼种的放养密度随鱼的规格、水温和注水量的不同而异。鱼苗通常在水温略偏低的条件下饲养不易得病，成活率高。平均体重要达到 1 g，在 15 ℃水温下从开食起约需 60 天，在 10 ℃水温下约需 75 天。再经 20～30 天，体重可达 2 g。随着鱼苗的成长和游泳能力的增强，可以适当增大水量。一般每饲养 10 万尾虹鳟鱼苗所需面积和水量见表 5-9。

表 5-9 每饲养 10 万尾虹鳟鱼苗所需面积和水量

鱼苗规格 (g)	所需面积 (m^2)	密度 (尾 / m^2)	注水量(L / s)		
			5 ℃	10 ℃	15 ℃
1	60	1 600	1	2	3
2	80	1 200	2	3	6
5	100	1 000	3	7	14
10	125	800	7	15	26
15	160	625	9	22	39
20	170	588	12	29	52
25	200	500	15	35	62

虹鳟鱼苗鱼种越小，其饲料中的蛋白质需要量越多，饲料转换率越高。随着苗种的成长，可逐渐减少饲料中鱼粉等动物蛋白的含量，增加植物蛋白的比例。苗种用的全价饲料，其营养成分为粗蛋白 40%～50%，粗脂肪 4%～15%，粗纤维 1%～3%，粗灰分 10%～16%，水分 8%～12%。虹鳟鱼饲料多加工成颗粒或碎粒状，投饵量根据鱼体规格和天气情况随时调整，虹鳟鱼苗的日投饵率见表 5-10。

表 5-10 虹鳟鱼苗的日投饵率(饲料干重占鱼重的百分率)

苗种平均规格		日平均水温(℃)						日投喂次数	粒径 (mm)
重(g)	长(cm)	6	8	10	12	14	16		
<0.2	<2.5	2.2	2.6	3.0	3.5	4.1	4.7	6	<0.5
0.2～0.5	2.5～3.5	2.1	2.5	2.9	3.4	3.9	4.5	6	0.5～0.9
0.5～2.5	3.5～6	1.9	2.1	2.6	3.0	3.5	4.5	4	0.9～1.5
2.5～12	6～10	1.5	1.7	2.0	2.2	2.6	3.0	3	1.5～2.4
12～32	10～14	1.1	1.3	1.5	1.7	2.0	2.2	2	2.4～3.0

在饲养过程中，由于苗种的体质和摄食能力不同等原因，生长不一致，鱼体有大有小，因此当鱼苗长到 2 g 时需要进行筛选分离工作。将筛选的苗种，按大小不同规格分别饲养，以防大鱼争食，影响小鱼生长。筛选工作每 20～40 天可进行一次，并根据苗种个体大小调整放养密度。

(5)成鱼饲养。为了得到较高的养虹鳟效益，需要在有限的鱼池面积、用水量方面争取获得最大的生产量。为此，应在全部鱼池里经常保持最大饲养密度和良好的饲料效益，使虹鳟鱼健康地成长。由于水量供给主要是氧气的供给，而氧气又和温度有关，因此水量、温度和氧气是影响饲养密度的三大要素。虹鳟鱼的饲养密度与所需水量见表 5-11。

表 5-11　虹鳟鱼的饲养密度与所需水量

规格(g)	所需面积(m^2)	密度(尾 / m^2)	注水量(L / s)			
			5 ℃	10 ℃	15 ℃	20 ℃
40	266	375	21	47	89	148
50	334	299	23	59	98	185
60	400	250	28	62	117	199
70	435	230	31	73	136	231
80	533	188	36	83	155	265
90	600	167	41	93	176	300
100	665	150	46	104	196	333
150	1 000	100	60	132	254	428
200	1 330	75	78	154	270	500

由于密养条件下鱼类的营养完全依赖于所摄取的人工饲料，所以饲料的质量是关键。为了使饲料的营养能满足鱼类生长的需求，要通过科学配合以使饲料中的蛋白质含量达到虹鳟鱼的需要量，使必需氨基酸保持平衡，提高饲料中蛋白质的营养价。虹鳟鱼鱼种和成鱼用的全价饲料，其营养成分中粗蛋白为 40% ~ 45%，粗脂肪为 6% ~ 16%，粗纤维为 2% ~ 5%，灰分 5% ~ 13%，水分 8% ~ 12%。日投饵量一般不超过鱼体总重的 3%，每日投饵 2 ~ 3 次。

池水的溶氧状况是密养下水质控制的重要指标，当水量充足时，无需增氧即可获得可观的生产量。通常注水率在 10～15(注水率=[注水量(L / s) / 饲养鱼重量(kg)] × 1 000)时饲养效益最好。

当注水率过小时，表明水量不敷使用，通过增氧来改善池水溶氧状况，使池水排水部的溶氧量控制在 5 mg / L 以上。

2) 大水面养殖银鱼

(1) 银鱼生物学特性。银鱼个体较小，其中个体最大的大银鱼体长仅 15 cm 左右，而个体较小的寡齿短吻银鱼体长仅 4 cm 左右，银鱼品种间的差异不太明显。常见的太湖银鱼身体细长近圆桶状，一般体长 6 ~ 8 cm，体裸且透明，头甚扁平，吻短，吻的两侧稍向内凹。侧线平直，背鳍位于臀鳍和腹鳍中间的上方。有一极小脂鳍，尾鳍叉形。生活在水体中上层，以大型浮游动物为食。银鱼寿命在一年左右，产卵后亲鱼死亡，银鱼生长较为迅速，生长速度随时间而有所变化。银鱼生长迅速，4 月份左右孵化的仔鱼，经过一个月生长，体长可达 2.5 cm 左右，两个月后体长可达 4 cm，4 个月后可达 5.5 cm 左右，达到成体长度。银鱼为一年生鱼类，当年即可达到性成熟，产卵期随品种不同而有变化。

(2) 经济价值。银鱼在我国分布较广，其个体虽较小但其味道鲜美，整体可食，营养十分丰富，是一种高蛋白、低脂肪、富含多种微量元素的水产食品，产品不论冰鲜或是晒干，均受到消费者的欢迎，是我国水产品出口创汇的主要品种之一。山东、辽宁、江苏、浙江及云南等地均有出口，主要销往日本。银鱼具有广泛的适应性，生长迅速，繁殖力强，饵料范围广，易形成自然种群，是大水面理想的增殖品种。

(3) 人工增殖。银鱼具有较高的经济价值，且适应性强，是我国引种增殖的一个重要品种，全国各地的银鱼引种增殖工作普遍地取得了可喜的成绩，且有扩大规模之趋势。目前，重要的引种对象为大银鱼，大银鱼属亚冷水性鱼类，主要适宜引种长江以北水域，尤其是大水面水库；太湖新银鱼北方也可引种。银鱼引种方式主要是移植受精卵，在短距离引种大银鱼时，移植亲体也可以取得较好的效果。

主要的人工增殖技术如下：

①亲鱼选择。为提高银鱼受精率，应选择亲鱼产卵盛期捕获亲鱼。一般南方早于北方，大银鱼早于太湖新银鱼。采捕时可用银鱼拖网，取鱼的时间视水温而定，以保持亲鱼鲜活为准。捕获到的亲鱼首先应分开雌、雄鱼，雄鱼臀鳍较大，形状不同于雌鱼，一般选取个体肥大，体长与成熟雌鱼相近即可。雌鱼应挑选卵巢充分发育的亲鱼。肉眼观察，临产亲鱼腹部膨大，柔软，成熟卵排出积聚于腹腔，卵粒饱满、透明，用手指轻压腹部卵粒能顺利流出体外。

②人工受精。受精卵是银鱼引种的主要材料，其质量的高低直接影响引种效果，人工受精技术运用好坏是决定受精卵质量的关键。一般采用干法受精，以提高受精率。在选好成熟亲鱼的基础上，先用镊子或小剪刀划破雄鱼腹部取出精巢，在小型玻璃器皿中用玻璃棒将精巢搅成糊状，立即将雌鱼的卵粒挤入精液内，同时用鱼尾搅拌，使精卵充分混合(为保证有足够的精液，雌、雄鱼比为 1∶3)，加入数滴生理盐水，稍微晃动后静置 2～3 分钟，然后用新水冲换 3～4 次，除去精巢组织及未成熟卵粒等杂物，最后将受精卵移入盛有过滤清水的面盆或培养缸中静水孵化。如果干法受精操作熟练细致，一般受精率可达 70%左右。

③运输。运输是银鱼引种的重要步骤。大银鱼引种可以移植受精卵，也可以移植成体。成体移植能较快提高大银鱼种群数量，投入少，见效快，适合于短距离移植。受精卵移植方法简便，效果稳定，适合长距离运输。采用受精卵的方法时，应选择银鱼产卵繁殖季节。为保证较高的运输成活率，运输方式最好采用充氧密封运输。运输用水须是经过过滤后的湖库水。运输过程应尽可能缩短时间。运输受精卵装袋密度根据距离远近和时间长短而定，时间长应减小密度，时间短密度可加大，运输过程中要防止阳光直射造成温度过高，要勤检查，如发现水质混浊恶化时，要立即换水充氧。有的采用双层密封好的尼龙袋作为运输袋，每袋装入 5 kg 过滤湖水，再装入 10 万～20 万粒受精卵，迅速充氧并扎紧袋口，然后装入铁皮箱或纸箱内，并在箱内四周用碎泡沫塑料塞紧备运。如果所运受精卵数量较少，也可采用敞口容器运输，优点是方便，但效果不如密闭运输好。在引种大银鱼亲体时，移植距离不宜过远。

④受精卵的投放及孵化。受精卵投放地点应选择水质肥沃，食物生物丰富，敌害鱼类少，水位稳定，风浪较小的地方，水深在 1.5 ~ 2 m 较适宜。如是沙石底质，可以采用多点投放受精卵，使其自然孵化，以提高孵化率。另外，控制好投放时的温度，要等运卵袋内水温与投放水水域水温一致后才能投放受精卵，而且调节水温时速度要慢。投放受精卵后，要设立专人管理投放水域，确保受精卵孵化不受干扰。

⑤移植增殖后的人工管理。银鱼移植后要加强管理，并且要对其生长、生活及种群数量上的变动规律进行调查和分析，调查方法可采取定时在选定的增殖区域采集标本，对其生长和成熟情况进行调查；也可在银鱼成熟期进行试捕。在调查和试捕的基础上进

行分析，然后决定是否再次投放及投放多少，对移植成功的水域，也要通过试捕决定合理的捕捞限额，保证留有足够的亲鱼，使银鱼种群得以保持和不断发展。在银鱼的繁殖季节，应划定禁渔区，规定禁渔期，实行银鱼产卵繁殖保护。

⑥捕捞。6 月至 9 月进行集中捕捞，用机动渔船拖网作业，库区渔民使用拖网、刺网和灯光诱捕作业。

5.5.6 盘石头水库渔业管理

盘石头水库蓄水后将是一个天然鱼库。由于大水面渔业利用具有低投入、高产出的特点，因此水库渔业发展思路是以保护及扩大鲤、鲫类等经济鱼类产卵场为重点，适度发展投饵网箱并打出盘石头水库渔产品品牌，实现水库渔产业化的可持续发展。

5.5.6.1 强化渔政管理

要加大执法力度坚持对经济鱼类产卵场的保护利用，维护水库正常的渔业生产秩序。依据《中华人民共和国渔业法》制定河南省盘石头水库渔业资源管理办法或规定，并根据办法或规定开展水库渔业管理工作。如强化水库渔业产权，实行养殖、捕捞许可制，建立封库休鱼制度、处罚制度等，有效地对水库资源进行增殖和保护。

5.5.6.2 做好渔业发展规划

主要是做好渔产量统计和渔获物分析，对渔产性能进一步调查，制定年度生产计划和技术措施。

5.5.6.3 适度发展水库网箱

水库水域辽阔，库湾众多，适合发展网箱养鱼、库湾拦网养殖，要制定盘石头水库渔业发展规划，以“公司+农户”的发展思路，逐步引导库区群众发展投饵网箱，主养杂食性或草食性鱼类(即草、鲤、鲫、鳜鱼等)。网箱养鱼从长远着想，应是逐步适度发展、控制规模，确保水体不受污染。根据中科院水库渔业研究所胡传林研究员提供的资料，水库网箱养鱼面积应控制在水域面积 0.7‰以内，由此推算，盘石头水库水域面积 13.3 km^2，可设置投饵网箱 14 亩，发展潜力很大。

5.5.6.4 抓好特色鱼类发展和品牌

根据水库天然水体鱼类不易发病、无污染特点，扩大宣传无公害渔产品，既要发展能满足大众需求的大众鱼类，也要根据市场需求养殖银鱼、虹鳟、鳜鱼等特种水产品，以扩大市场影响力。

5.5.6.5 完善管理机制

为实现盘石头水库渔业养殖可持续发展，必须加强和完善水库渔业管理机制，从长远考虑，管理机构与经营机构必须脱钩；同时要加强调控，立足水库水资源，适度发展。

第6章　水库水环境保护

6.1　绪　论

水资源是生态环境的基本要素，是生态环境结构与功能的组成部分。水资源的开发利用可以改变环境状况，开发合理得当，能使环境由荒野状态变成文明秀丽；开发不当，则会造成环境恶化和污染。目前，我国河流湖泊普遍遭到污染，且呈发展趋势。1998 年环保部门对我国 176 条城市河段检测数据显示，52%污染严重，部分河段鱼虾绝迹，主要污染指标为 COD、BOD_5、氨氮、挥发酚和石油类，其次为重金属。大部分河段不能满足Ⅲ类水质标准，生态功能严重衰退。除河流外，湖泊污染也呈迅速增长趋势。大型湖泊污染程度由重到轻依次为滇池、巢湖、南四湖、洪泽湖、太湖、洞庭湖、镜泊湖。滇池中氮、磷污染严重，富营养化问题突出，全湖水质劣于Ⅴ类，蓝藻泛滥日益严重。大量未经充分处理的污水被用于灌溉，已经使 1 000 多万亩农田受到重金属和合成有机物的污染。全国明显或重度污染的农田有 340 万亩，仅受重金属污染的耕地面积就占全国耕地总面积的 1／5。农业部在占国土面积 85%的流域内，对 372 个代表性区域进行取样调查，发现全国粮食总量的 1／10 不符合卫生标准。严重污染区主要农畜产品的超标率为：粮食 12%（水稻最高）、蔬菜 17.9%、水果 15%、肉类 8.6%（鸡肉最高、牛肉最低）、禽蛋 19%、鲜奶 2%。污水灌溉还造成粮食产量低，污染加大，营养成分下降。因粮食、蔬菜等被污染，北京居民中砷日摄取量已达到 WHO 规定的 120%。长期的污染水灌溉使病原体、致突变、致癌物质通过粮食、蔬菜、水果等食物迁移到人体内，造成人群中多种疾病大幅度提高。

除了湖泊水污染外，我国已建水库、在建水库也面临水体污染威胁，有的水库因为水体污染严重已失去供水功能。小浪底水库建成 6 年水体污染已十分严重，现已引起各方面重视。亚洲最大的沙漠绿洲红崖山水库，因上游干流来水连年偏少，上游污染物直接排入水库中，到 2003 年水库水质为劣Ⅴ类，被迫排出污水从黄河引水以改善水质。

水污染还对渔业造成极大的危害，致病菌、病毒、有害有毒物质导致养殖生物疾病及大量死亡。富营养化的湖泊、水库因藻类大量繁殖，溶解氧下降，使鱼虾缺氧窒息死亡。

我国水污染的原因，包括人口和经济增长、粗放型发展模式、无组织大面积排放污染物、污水处理率偏低，以及牺牲环境和资源去追求眼前利益等。

除了水体污染外我国水土流失危害十分严重，根据国务院公布的遥感调查结果，1989 年，我国土壤侵蚀面积为 367 万 km^2，占国土总面积的 38.2%。其中水蚀面积 188 万 km^2，每年流失土壤总量 50 亿 t，占世界年流失量的 19.2%。地表沃土的流失带走了大量有机物和氮磷钾养分，使土层越来越薄，直接导致土壤肥力下降，耕地面积减少。

新中国成立以来，因水土流失而毁掉的耕地已达266.7万km^2。经过治理虽然取得很大成绩，中东部地区水土流失问题有了一定好转，但由于"边治理、边破坏"，我国水土流失灾害仍然严重的情况并没有发生根本性的改变。

我国南水北调、西部大开发，实现和构建和谐社会都把治理水污染和生态环境建设放在首位，说明党中央认识到水污染、生态环境恶化治理任务紧迫性、艰巨性。目前我国2/3城市供水不足，其中严重缺水城市达到110个，全国城市缺水达60亿m^3。要实现水资源可持续利用，做到开源节流并举，必须把防治水污染放在根本地位。中共十六大提出全面建设小康社会的宏伟目标，必须做到改善生态环境，促进人与自然和谐，推动整个社会走上生产发展、生活富裕、生态良好的文明发展道路。

全国已建、在建水库，在实现水库防洪、发电、供水、养殖以及旅游目的时，也面临防止水污染和水土保持等生态环境建设的艰巨任务，作为水库管理者要把这项工作抓好并防范于未然。

6.2 水库环境建设

6.2.1 水污染防治

6.2.1.1 基本概念

水污染是指水体因某种物质的介入，而导致其化学、物理、生物或者放射性等方面特性的改变，从而影响水的有效利用，危害人体健康或者破坏生态环境，造成水质恶化的现象。

污染物是指能导致水污染的物质。有毒污染物是指那些直接或者间接为生物摄入体内后，导致该生物或者其后代发病、行为反常、遗传异变、生理机能失常、机体变形或者死亡的污染物。油类是指任何类型的油及其炼制品。

渔业水体是指划定的鱼虾类的产卵场、索饵场、越冬场、洄游通道和鱼虾贝藻类的养殖场。水质是指水与其中所含杂质共同表现出来的物理学、化学和生物学的综合特性。

点污染源是指人类生产生活过程中集中活动造成水污染主要来源，如城镇生活排污口、工矿企业集中排污口。

面污染源是指广大农田因使用化肥、农药等物质经雨水或灌溉回归水携带进入水体的污染源。

6.2.1.2 水库水污染种类与水库水体自净

1)水污染常规分析指标

水库水污染常规分析指标是反映水质状况的重要指标，是对水体进行监测、评价、利用以及污染治理的主要依据。常见水污染常规分析指标主要有以下几项。

(1)臭。臭味是判断水质优劣的感官指标之一。洁净的水是没有气味的，受到污染后会产生各种臭味。常见的水臭味有：霉烂臭味(主要来自生物体的腐烂)、粪便臭味、汽油臭味、臭蛋味(来自硫化氢)。化学品引起的臭味是多种多样的，如氯气味、药房气味(主要来自酚类的污染)等，饮用有臭味的水会引起厌恶感。在有臭味的水中生长的鱼类和其他水生生物也可能有异味，游览区的河水和湖水有臭味会影响旅游，水的臭味与水温有密切关系。

(2)水温。温度是水体的一项重要物理指标。日常监测中如发现水温突然升高，表明水体可能受到新污染源的污染。热污染也可能引起生物繁殖增快而使水体产生生物性污染。

(3)浑浊度。浑浊是悬浮于水中的胶体颗粒产生的散射现象,水的浑浊程度叫浑浊度。现行通用的计量方法是把 1 L 水中含有相当于 1 mg 标准硅藻土所形成的浑浊状况作为一个浑浊度单位，简称 1 度。浑浊度同胶体颗粒的物质种类、粒径大小、表面状态有关，计量浑浊度时应有浑浊度标准品作为对照，浑浊度测定一般采用浊度计法，浊度过低时可用目视法将水样与标准浑浊度液进行比较。地面水浑浊主要是泥土、有机物、微生物等物质造成的，浑浊度升高表明水体受到胶体物质污染，中国规定饮用水的浑浊度不得超过 5 度。

(4)电导率。水中存在离子会产生导电现象，电导率表示水中电离性物质的总量。电导率的大小同溶于水中物质的浓度、活度和温度有关，水的电导率用电导仪侧定。

(5)溶解性固体。水样经滤除悬浮固体后烘干，所得的固体物质称为溶解性固体。溶解性固体主要是溶于水的盐类，也包括溶于水的有机物、液体物质、能穿过滤器的胶粒和微生物。滤液的烘干温度与测定结果有直接关系，报告测定结果时要注明温度。一般规定的烘干温度有 110 ℃和 180 ℃两种。

(6)悬浮性固体。水样经过滤，凡不能通过滤器的固体颗粒物称为悬浮性固体。悬浮性固体是测定多泥沙的河水和某些工业废水的重要指标，悬浮物多，会堵塞管道、淤积河床水库。

(7)总氮。氮是组成生物体蛋白质的主要成分，也是生物界赖以生存的必要元素。总氮是指水中各种状态的有机氮和无机氮的总量，主要反映水体受污染的程度。

(8)总有机碳。通常记为 TOC，指溶解于水中的有机物总量，折合成碳计算。某种工业废水如果组分相对稳定时，可根据这种废水的总有机碳含量同生化需氧量(BOD)和化学需氧量(COD)等指标之间的对比关系来规定这种废水以总有机碳为指标的排放标准。这能够大大提高监测工作的效率。

(9)溶解氧。通常记为 DO，指溶解于水中的氧的量，以每升水中氧气的毫克数表示，溶解氧是评价水体自净能力的指标。溶解氧含量较高，表示水体自净能力较强；溶解氧含量较低，表示水体中污染物不易被氧化分解，鱼类也因得不到足够氧气窒息而死。这时，厌氧性菌类就会繁殖起来，使水体发臭。

(10)生物化学需氧量。通常记为 BOD，指地面水水体中微生物分解有机物的过程中消耗水中的溶解氧的量，是水体受有机物污染的最主要指标之一。

(11)化学需氧量。通常记为 COD，指水体中能被氧化的物质在规定条件下进行化学氧化过程中所消耗氧化物质的量，以每升样水消耗氧的毫克数表示。水中有机物的降解靠生物的作用，因此一般用生化需氧量作为评价水体受有机物污染的指标。

(12)细菌总数。它反映水体受到生物性污染的程度。细菌总数增多表示水体的污染状况恶化，但不能说明污染物的来源和性质，要结合大肠菌群的检定才能判断污染物的来源和作为饮用水的安全程度。

2)水库水污染种类

(1)有机污染。有机污染又称需氧性有机物污染，主要是指由城市污水、食品工业和造纸工业等排放含有大量有机物的废水所造成的污染。这些污染物主要含碳水化合物、蛋白质、脂肪、醇等有机物，在水中进行生物氧化分解过程中，需消耗大量溶解氧，当水中溶解氧降低至 4 mg / L 以下时，鱼类和水生生物将不能在水中生存。一旦水体中氧气供应不足，会使氧化作用停止，引起有机物的厌氧发酵，散发出恶臭，污染环境，毒害水生生物。水体有机物污染是水体污染中最常见的一种污染。

(2)无机污染。无机污染又称酸碱盐污染，主要来自矿山、粘胶纤维、钢铁厂、染料工业、造纸、炼油、制革等废水。酸、碱和无机盐类对水体的污染，首先使水的 pH 值发生变化，破坏其自然缓冲作用，抑制微生物生长，阻碍水体自净作用，影响水库建筑物和渔业生产。同时，还会增大水中无机盐类和水的硬度，给工业和生活用水带来不利影响。水体无机污染是造成我国大江、大河与湖泊、水库污染的主要因素。

(3)有毒物质污染。有毒物质污染又分为重金属污染和有机毒物污染。重金属污染主要来自电镀、冶金、化学工业等排放的废水中，它们所含汞、铜、铅、砷、铬等有毒物质进入水体后，在高浓度时，会杀死水中生物；在低浓度时，可在生物体内聚集，并通过食物链逐级浓缩，最后造成对人体的毒害。有机物质污染主要来源于各种有机农药、有机染料及多环芳烃、芳香胺等，对人类、鱼类及水生生物能造成急性中毒，有些导致慢性病、致癌、畸形、致基因突变等。

(4)富营养化污染。生活污水和一些工业、食品业排出废水中含有氮磷等营养物质，农业生产过程中，大量氮肥、磷肥随雨水流入河流、湖泊。大量氮磷进入水体造成藻类大量繁殖，水面被死亡藻类覆盖，形成水华，藻类死亡分解大量消耗水中的溶解氧，同时产生有毒物质，从而导致鱼类水生生物等窒息和死亡。

(5)病原微生物污染。病原微生物污染主要来自生活、畜禽饲养厂、医院以及屠宰肉类加工等污水，含有各类病毒、细菌、寄生虫等病原微生物，流入水体会传播各种疾病。

(6)其他水体污染。主要包括水体油污染和水体热污染、放射性污染等。水体油污染，主要因为水库上游库周倾倒废油或水上燃油船只过多排放油烟造成水体污染油，在水面形成油膜后，影响氧气进入水体，对生物造成危害并影响水库景观与鸟类的生存。水体热污染主要来源于热电厂等的冷却水，是热污染的主要来源，当水温升高时，易造成水体富营养加快和水中毒物毒性增强。放射性污染主要因为在原子能使用过程中，含有的放射物质随冷却水排放，人类饮用含有放射物质的水易引起基因突变。

3)水体自净与纳污能力

(1)水体自净能力。水体自净能力的定义有广义和狭义两种。广义定义指受污染的水体经物理、化学与生物作用，使污染物浓度降低，并恢复到污染前的水平；狭义定义是指水体中的氧化物分解有机污染物从而使水体得以净化的过程。

水库水体自净主要分为物理净化、化学净化、生物净化。物理净化主要是指污染物进入水体后，可沉降的固体逐渐沉积到水底，形成污泥、悬浮物、胶体和溶解性物质使污染物浓度降低。化学净化是指污染物受到氧化还原、酸碱反应、分解化合、吸附凝聚等使浓度降低。生物净化是指由于水体生物活动使污染物浓度降低。

影响水体自净过程的因素很多，其中主要因素有：收纳水体的地理、水文条件，微生物的种类与数量，水温、富氧能力以及水体和污染物的组成、污染物浓度等。容量大小与水体特征、水质目标及污染物特性有关。水体中蕴藏着宝贵的水环境容量资源，可以通过水体所具有的存储、输送转移、降解污染物的能力而使自身有所净化。

水库属环流型的水域，流动结构主要是以平面和立面环流的形式存在。对浅水型水域内的环流，其主要的外界驱动力是风；而对深水的水库和湖泊而言，除风之外，温度梯度及其变化往往也是形成立面环流的主要因素。由于该类水域相对而言与域外的交换较少(汛期等特殊情况除外)，水域纳污之后污染物主要在域内滞留，尤其是进入环流区的污染物，往往不易被水流带走。另外，该类水域的流速一般较小，使污染物在该类水域内的扩散作用相对加强，与外域的交换相对较弱。对水库环流型水域而言，纳污和自净能力较弱，一旦水库受到污染恢复起来非常困难。

(2)水体纳污能力与应用。水体纳污能力又叫水环境容量，是指水体在一定条件下所能容纳污染物最大数量。水环境实际容量由三部分组成，水环境总容量等于水环境对污染物稀释容量、水环境对污染物迁移容量和水环境对污染物净化容量之和。水环境对污染物稀释容量是由水体对污染物的稀释作用引起的，它与水的体积和污径比有关；水环境对污染物迁移容量是由水体的流动引起的，它与流速、扩散等水力学特征有关；水环境对污染物净化容量，主要是由水体对污染物的生物或化学作用使之降解而产生的。水体对于难降解污染物只有稀释容量和迁移容量，而无降解容量。对于难降解污染物，在不考虑水体扩散作用时，不存在迁移容量和净化容量。水环境容量主要用于水环境质量的控制，它是制定水库水资源保护规划和经济发展规划的依据。污染物的排放应该与水环境容量相适应，如果超出环境容量就必须采取措施，如降低排放浓度、削减排放总量、增加污水处理措施，或者通过改善布局合理地利用水环境容量，否则水体功能就会被破坏。实际应用主要在以下几方面：

①制定库区水污染排放标准，针对不同水环境容量，要制定不同的排放标准。

②进行水污染控制，防止水污染关键是控制向水体排放污染物的数量，控制方法主要有浓度控制、总量控制、污染全过程控制三种。总量控制是将排入某一特定水域的污染物总量控制在要求水平之下，以限制排污单位的污染物排放总量。

③水资源开发利用规划中的应用。水库建成后，要根据水库建库目的及市场需求进行综合开发利用或重点开发，水库水体容量是规划中需要考虑的基本要素。

6.2.2 水库水污染危害及防治措施

6.2.2.1 水库水污染危害

1)水库失去供水功能

对于大多数水库来说，兴建水库目的用于供水。新建水库前，尽管上游有少量污染物，经过原河道沉淀、砂卵石吸附、水草吸收使水体基本处于污染前状态。兴建水库后，随着水面升高，水库水体自净能力相对减弱，污染物与外界交换减少，有了充足水源保证后，随着水库开发或养殖业出现，在水库上游或库周会出现一些新的工业污染源。这些新的污染物一旦进入水体，超过水库纳污能力，会造成水库水质恶化，最终使水库失去供水功能。作为黄河下游水缸的小浪底水库，现在水体污染在感官上已较明显，而且污染在一天天加剧，已超过水库纳污能力，如果不着手治理和综合防治，再过几年下游将无法饮用黄河水。如作为哈尔滨宾县引用水源的二龙山水库因水库旅游开发没有统一规划，过度开发，造成水体氮、磷含量增加，目前已造成轻度富营养化，水库水体已失去供水功能。

2)水污染造成的直接危害

(1)工农业废水对人体健康危害。工业废水中的有害物质主要有化学毒物、有机需氧物、无机固体悬浮物、酸、碱、重金属、放射性物质、植物营养物、病原体等。工业废水污染水源后，可使水浑浊度升高，出现色、味、泡沫、油膜。长期生长在严重污染水质中的鱼类，鱼鳃及体内溶解大量有害成分，食用后导致中毒。水体污染物有毒增多直接导致水体生物死亡。一些有毒物质，如氰化物、有机磷化合物、重金属对人类、水产养殖具有直接毒害作用，少量就会导致鱼类、人类死亡。如 1987 年，因徐州钢铁厂、化工厂、电解化工厂等向运河、黄河故道排放污水，导致铜山县潘塘乡大龙口、团结两水库 3 500 亩水面污染，7 月中旬后死鱼 2.25 万 kg，同样，张集水库死鱼 8 万 kg，损失是惨重的。又如 1996 年 4 月，贵州省平坝县某磷业化工有限公司违法排放有毒污染物质砷，导致红枫湖上游羊昌河特大水污染事故，致使 407 人中毒，1 人死亡。有些有毒物重金属如汞、铅因水体稀释浓度不大没有被重视，但是这些有毒物质具有极强浓缩作用，常常通过生物链聚集，1956 年发生在日本熊本县水俣湾地区的水俣病，就是因该地鱼民长期食用含甲基汞的鱼而造成的汞中毒症，轻则表现为神经紊乱等症状，重则死亡。有些毒物是导致癌症的元凶，如作为海河流域支流的卫河原来是一条清水河，20 世纪 80 年代以来随着上游焦作、新乡造纸、制革等污染企业增多，90 年代后已鱼虾绝迹，河水发黑，生活在卫河两岸群众受到恶臭熏染，地下水受到污染，现在癌症死亡率在一天天上升，成为癌症死亡高发区，直接危及沿岸广大人民群众生命安全和社会稳定，鹤壁市境内浚县沿河村庄 2002 年被迫打下百米深井作为生活引用水。

(2)水库水污染对农业造成危害。水污染对农业的危害表现在农机具和农作物两方面，对农机设备危害是指含有酸、碱水对机械、管道有腐蚀作用，降低机械设备使用寿命。对农作物危害，是指水中污染物含量高能直接杀死作物，有的毒物通过聚集对人类产生毒害作用。有的恶化、改变土壤物理、化学性质最终导致农业减产或失去种植功能。

6.2.2.2 水库水污染防治

我国水库普遍存在污染现象，有些水库污染已达到十分严重地步，如黄河中游三门峡水库受到渭河水库排污影响，水库泄水呈浓黑的酱油色，水面上还不时泛起白色泡沫，水质劣于Ⅴ类。造成水库污染主要原因是因为“水利部门不上岸、环保部门不下岸”的管理体制，造成一些企业肆无忌惮地排污，一些地方污染排污企业恰恰是地方财政支柱，因此政府部门以种种原因支持企业生产，对企业排污和环保部门停产整顿指令置若罔闻。对于水库来说，一旦被污染恢复起来十分困难，为了防治水污染改善水质和水环境需要采取行政、法律、经济、教育和科学手段对水环境进行强化管理。

1) 加强水源地保护

水源地保护工程主要包括工程措施和非工程措施。工程措施主要有三大项：一是流域污染源治理工程，主要是对工业污染、镇区污水、村落粪便等进行处理；二是流域水环境整治与水质净化工程，主要是对河道淤泥和垃圾进行清理，对下游河道进行生态修复；三是流域水土保持与生态建设工程，主要是对一些废弃的矿区和采石场进行修复处理，栽种水源涵养林。

非工程措施：主要是采取预防性措施，如河道及水库附近不准堆放废渣建立有毒有害化学品仓库，农业生产不准用剧毒农药，水库取水口及其附近水域不准停靠船舶及游泳、养殖、捕捞等，不许投置粪便、垃圾、油类和有毒物品，建立水库入水口水质监测系统，成立水源管理机构，随时掌握水源水质动态。

2) 水体水质保护

加强水体水质保护措施，主要有以下手段：

(1) 法律手段。建立国家级、地方级水资源保护执行机构，制定水质管理政策，划出水源保护区、重点整理区，对重点城市、水域的水质污染防治，筹集资金，予以帮助。对某些严重危害水质的单位限期治理或勒令停产、转业或搬迁。通过法律、法令、法规等强制性措施，对违法者给予警告、罚款或责令赔偿损失。

(2) 经济手段。执行水污染奖惩制度，如对积极防治水污染而经济有困难的企事业单位，给予资金援助；对水污染排放超过国家规定标准的单位，按照水污染种类、数量和浓度征收排污费；对违反规定造成严重污染的单位，予以处罚；对利用废弃物质生产原料的产品，给予减免税或其他方面优待。

(3) 宣传教育手段。进行防止水污染的宣传教育，发挥社会公众监督作用，特别是要利用报刊、报纸、电影、电视、广播等多种形式，向公众宣传环境保护和防治水污染的方针、政策、法令等。

(4) 技术措施。技术措施主要包括制定水质标准、进行水质预测和水质预报、制定水质规划和综合防治规划等。

制定水质标准。水质标准是进行水库水质管理的依据，我国已制定《生活饮用水水质标准》、《农田灌溉水质标准》、《污水综合排放标准》等作为制定水库或流域水质管理依据。

进行水质预报和监测。对于水库入水口和重要河段要进行水质监测和预报以便随时掌握水库水质情况。

制定水库流域水质规划和区域性水污染综合防治规划。规划内容要包括水体纳污能力，合理利用水体自净能力以及对污水排放处理方案。

6.3 水库水土保持

6.3.1 水土流失方式和形态

水土流失的方式，从侵蚀的外力来看，主要有水力侵蚀、重力侵蚀和风力侵蚀三类。

黄河流域水力侵蚀很普遍，重力和风力侵蚀范围也很广，危害极大。我国云南、四川、陕西等省部分地区为泥石流高发区，2004 年云南德宏泥石流造成 26 人死亡，而且随着连降暴雨，泥石流造成许多山体滑坡，近万名群众无家可归，灾情十分严重。海河流域由于气候干旱多暴雨、土质疏松、地面坡度较大、植被覆盖稀疏、人口密度大、生产落后等，造成水土流失严重，如漳卫河水系为强度侵蚀地区。

水力侵蚀的形态主要有雨滴溅蚀、面蚀和沟蚀三种。溅蚀是雨滴从空中落下，打击地面裸露表土，破坏土壤表土，破坏土壤结构，溅起土粒，造成土壤颗粒位移的现象；面蚀是坡面上的薄层水流，在未形成股流前，使地表土发生片蚀及细沟流失的现象；沟蚀是坡面径流汇集成股流后，强烈冲刷坡面土壤，形成浅沟，并进而向切沟、冲沟、河沟等沟壑网络系统发展的现象。

重力侵蚀是斜坡上的土体或因地下水运动,或因雨后土壤水饱和引起抗剪强度减小，或因地震等原因使土体因重力失去平衡，产生位移或块体运动，并堆积在坡麓的土壤侵蚀现象。主要形态有崩塌、滑坡、泻流等。

风力侵蚀是由风力磨蚀、吹扬作用，使地表物质发生搬运及沉积的现象。其表现方式有滚动、跃移和悬浮三种。内蒙古黄河以南，陕西长城以北，地表风蚀、沙漠化现象十分严重。

6.3.2 水土流失对水库水资源影响

6.3.2.1 加剧了洪涝灾害

由于水库上游水土流失，森林、草场植被破坏严重，涵养水源的能力大大降低，同时地面缺乏工程拦蓄，每逢降雨，汇流时间缩短，大量地表径流直入河川，暴发山洪，造成灾害。严重的水土流失，已成为长江流域的首要环境问题，水土流失一方面加剧了暴雨径流汇集过程，尤其是在陡坡土薄，侵蚀后易石化、砂砾化的山丘地区，暴雨径流更为集中；另一方面，侵蚀泥沙下泄，长期淤积江河湖库，大大降低其调蓄和宣泄洪水的能力，抬高了洪水水位，加剧了洪涝灾害。黄河流域是水土流失最严重地区，因水库淤积严重大大降低了水库削峰调洪和径流调节利用能力。如 2003 年 8 月，渭河流域发生了历史上罕见洪水，因为下游三门峡水库淤积，致使水位抬高、潼关水位居高不下，造成华阴、华县等沿渭 5 县(市、区)56 万人受灾，12.9 万人一时间无家可归，直接损失 23 亿元，洪灾在一定时间内影响着当地人民群众的生产生活。

6.3.2.2 降低水源涵养能力

水土保持涵养水源是通过植被拦截降雨对降水进行再分配，通过植被根系改良土壤物理结构增加降雨入渗，使水分暂时储存的方式防止水土流失，暂时保存水分的一部分以土内径流的形式或以地下水的方式补给河流水库，起到调节河流流态和径流等作用。由于水土流失严重，水库上游水源涵养能力降低，造成非降雨季节干旱加剧，不少水土流失严重地区山泉枯竭，人畜饮水困难。如云南省巧家县 20 世纪 50 年代有山泉 3 020 个，到 1981 年已枯竭 708 个，其余山泉流量也在减小，数百户农民因缺水迁往外地。形成这种局面在很大程度上是由于当地政府为局部利益，甚至靠砍伐森林发工资，过度砍伐森林、缺乏统一规划造成的。

6.3.2.3 造成水库淤积，降低综合利用功能

因水土流失造成的水库、河道淤积在黄河、长江、海河等流域比较严重。黄河流域是我国各大江河中水资源开发利用程度较高的流域，然而水土流失造成的泥沙淤积对蓄水工程，主要是对水库寿命构成严重的威胁，大大降低其综合利用功能。黄河流域自1949年以来，已建成各类水库3 500余座，总库容523亿m^3。1950～1998年各类水库泥沙淤积量达143.23亿t，干、支流水库淤积量分别占淤积总量的56.7%、43.3%。三门峡水库建成后，因泥沙淤积严重，被迫改建和改变运用方式，其综合效益比原设计方案大大降低。陕西人大代表曾提出要停止三门峡水库蓄水发电、放弃其应有功能的建议。除了三门峡水库，黄河各支流水库淤积也十分严重，如作为太原市供水水源的汾河水库的库容为7.2亿m^3，1958～1988年已淤积了3.1亿m^3，占库容的43.0%。清水河、偏关河等支流水库库容损失率高达70%～80%，一些小型蓄水库坝，一般建成后5～10年就淤满，失去调蓄能力，被迫改为坝地使用。作为长江流域支流也存在水土流失造成水库、塘堰淤积现象。如白龙江下游碧口水电站，1975年建成蓄水，总库容5.21亿m^3，到1987年淤积泥沙占总库容的33.6%；大渡河龚嘴水电站1971年蓄水运用，总库容3.74亿m^3，到1987年累计淤积泥沙2.2亿m^3，占总库容的58.8%。有些地区如赣州1958～1980年建成43座小型水库，淤积泥沙平均占库容的24%，其中9座淤满失效。另外，海河流域的潘家口水库淤积有急速增加趋势，通过对潮白河流域30年水文资料分析，年平均入密云水库的泥沙为420万m^3；太行山区59座大中型水库到1993年已淤积近12亿m^3，占兴利库容的36%，降低了水库寿命，影响了水库的正常运行，威胁着下游的防洪安全。

6.3.2.4 制约地方经济发展

水土流失与贫困互为因果，凡是水土流失严重的地区都是贫困地区。由于人口增加，现有粮食不能满足社会需要，致使人们大量陡坡开荒、破坏林草植被，形成了“越垦越穷，越穷越垦”的恶性循环。土地资源在广种薄收的粗放经营下，土层变薄，地力下降，产出低下，很难解决温饱问题，导致了水土流失与贫困同步加剧发展。

6.3.3 水土保持工作建设成就与存在问题

6.3.3.1 水土保持成就

我国历来注重水土保持工作，新中国成立以来，在党中央、国务院的重视和关怀下，水土保持工作取得了显著成绩。为预防和治理水土流失，保护和合理利用水土资源，减轻水、旱、风沙灾害，改善生态环境，发展生产，《中华人民共和国水土保持法》于1991年6月29日经中华人民共和国第七届全国人民代表大会常务委员会第二十次会议通过。从此水土保持工作有了法律保障，并有法可依，明确国务院水行政主管部门主管全国的水土保持工作，县级以上地方人民政府水行政主管部门主管本辖区的水土保持工作，全国各大流域根据地方特点分别制定流域水保方案。水土保持工作以预防为主，通过鼓励全民植树造林、鼓励种草，扩大森林覆盖面积，增加植被，对荒坡开垦严格控制，在建设项目过程中，对环境影响大的要采取水土保持设施，并在项目审批时进行控制。针对流域水土流失严重情况，进一步加强治理工作，采取退耕还林、退耕还草等有力措施，同时国务院水行政主管部门建立水土保持监测网络，对全国水土流失动态进行监测预报，

并予以公告。

经过一段时间的治理，全国水土保持工作取得了显著成效。截至2000年底，全国累计水土流失综合治理保存面积85.9万km^2，其中修梯田和其他农田1 333万hm^2，栽种水土保持林、经济林4 800万hm^2，种草400多万hm^2，兴建上亿处蓄水保土工程。就水土流失严重的黄河流域来说，水土保持设施每年拦蓄泥沙能力15亿t，增加蓄水能力250亿m^3，减少入黄泥沙3亿t。通过小流域综合治理，发展高效农牧业，项目区160多万hm^2陡坡耕地退耕还林，实施封育保护面积10万km^2，基本解决了4 000多万人的温饱问题，为水土流失治理区社会经济的可持续发展奠定了坚实基础。

6.3.3.2 基本做法

(1)预防为主，依法防治水土流失。我国政府通过贯彻执行《中华人民共和国水土保持法》，建立健全了水土保持配套法规体系和监督执法体系。法律规定要制定水土保持规划，并纳入国家和地方经济、社会发展计划，长期持续开展此工作。规定了“谁投资、谁治理、谁收益”的政策，并切实保障治理者的合法权益，规定了“预防为主”的方针，加强执法监督，禁止陡坡开荒，要求在开发建设过程中必须同时规划水土保持，实行水土保持方案报批制度；规定在全国范围内建立水土保持监测预报机制，并予以公告；同时要求加强宣传和教育，增强全民的水土保持意识和法制观念。通过法律的执行，有效地遏制了人为水土流失。

(2)以小流域为单元，科学规划、综合治理。我国水土保持始终坚持和重视制定科学的水土保持规划，并以小流域为单元，根据水土流失的规律，因地制宜，实行山水田林路综合治理、综合开发，采取工程、生物和农业技术措施优化配置，因害设防，形成综合防治体系。对水土流失严重的地区，先从大江大河支流的小流域实施，分期分批重点治理，逐步推进，治理一片，巩固一片，见效一片。

(3)治理与开发利用相结合，实现三大效益的统一。在治理过程中，既注重自然资源的保护和培育，又重视资源的合理开发和利用，把治理水土流失和开发利用水土资源密切结合起来，把小流域的资源优势转化为经济优势，突出生态效益，兼顾社会和经济效益，实现三大效益的统一，使群众在治理水土流失、保护生态环境的同时，取得明显的经济效益。

(4)依靠科技，提高治理的水平和效益。我国水土保持工作十分重视理论与实践、科技与生产相结合，充分发挥科学技术的先导作用。因地制宜研究推广实用技术，加强国际合作与交流，积极引进先进的理论、技术和管理模式，狠抓科技成果的转化，同时对农民群众采取示范、培训等多种形式的科普教育，增强科学治理意识和能力，提高治理的质量和效益。

(5)建立政府行为和市场经济相结合的运行机制。通过制定优惠政策，实行租赁、承包、股份合作、拍卖“四荒”使用权等多种形式的治理责任制，调动社会各方面的积极性，建立起多元化、多渠道、多层次的水土保持投入新机制，形成全社会广泛参与治理水土流失的新局面。

6.3.3.3 存在问题

(1)水土保持工作质量不高。新中国成立以来，我国生态环境建设在水土保持、林业生态工程、防治荒漠化、草原荒漠化等方面虽然取得了很大成就，但是除重点区域以外，建设质量一般较差，标准不高，经过初步治理和基本治理并没有根本的改观。除了黄河流域以外，长江已逐渐成为第二黄河。有些小流域综合治理项目，由于投入不足，治理质量差，不能稳定地发挥预期经济效益、社会效益。一些地区由于树种选择及造林技术不当，植树造林的成活率、保存率还较低，甚至造林不见林，生态效益不明显。因此，在生态环境建设过程中除了完成规划治理任务以外，还要对已治理的和将要治理的项目、区域提高治理标准和治理的效益。

(2)水土保持管理条块分割。生态环境建设是某一区域、流域生态系统的保护、改良与合理利用。在水土流失严重的山丘区、黄土高原区，生态环境建设的核心是采取生物措施与工程措施相结合进行小流域治理。我国很多地方水土流失治理的教训就是条块分割，各部门各自为政，导致各项措施不能形成合力，综合治理效益难以充分体现出来，这种现象至今仍未改变。一个完整综合治理措施体系分割开来，由不同部门分别立项，申请国家投资，造成一个区域或流域的治理重复投资，治理面积与效益重复计算，违背生态工程综合性、整体性原则，影响综合治理的效益。

(3)人口增长和经济发展造成水土流失加剧。由于特殊的自然气候和地理条件，我国水土流失情况十分严重，特别是人口的迅速增加、土地资源的过度开垦以及大规模的开发建设，破坏了植被，人为加剧了水土流失。根据调查，每年因人为活动新造成的水土流失面积达 1 万多 km^2，开发建设造成的水土流失是一般情况下的几十倍甚至几百倍，而且后果非常严重。在山区，修建 1 km 的公路、铁路如不采取防护措施，将流失几万吨的弃土弃渣，并且直接进入江河湖库。在生态脆弱地区大规模的油气田和矿产开发，导致植被破坏、土地沙化，很难恢复。这些不仅恶化了生态环境，破坏了水土资源，而且加剧了洪涝干旱灾害，许多水利工程由于泥沙淤积大大降低了工程防洪效益，减少了使用寿命，湖库由于泥沙淤积降低了泄滞洪水能力，加重了洪涝灾害。尤其是开发建设过程中的弃土弃渣直接进入江河湖库，很难清理，损失的库容基本不能恢复，提高的河床很难再下降。中国是水资源严重匮乏的国家，北方更甚，而严重的水土流失使本来就比较紧张的水资源供需矛盾更加尖锐。由于生态恶化，可以改变小气候，影响降雨；由于生态恶化，使大量泥沙淤积到水库和湖泊，严重影响水资源的调蓄能力；由于生态恶化，使江河湖水含沙量越来越高，直接影响水资源的开发利用等，加重了旱情和旱灾损失。如黄河下游河道年年淤积，河道行洪能力越来越低，河床抬高，防汛形势越来越紧张。水土流失，特别是人为水土流失，对我们实现新时期治水思路是个重大障碍。根据有关资料，我国每年平均搬动和运转的土石方量达到 382 亿 t，占全世界总搬运量的 28%，远高出国土面积占全球 7%和人口占全世界 22%的比例。这样大规模的开发建设活动对自然生态系统扰动很大，极容易导致严重的生态灾难。这些年沙尘暴、洪涝灾害加剧，滑坡、泥石流等山地灾害频繁发生，与人为破坏植被、生态恶化有着密切的关系。为了遏制生态环境严重恶化的局面，党中央、国务院做出了一系列建设和保护生态环境的重大决策，实施了一系列重大生态建设工程，退耕还林、防治风沙、开展水土保持重点工程建设等，目的都是为了经济社会的可持续发展，促进人与自然的和谐相处。

(4)生态环境意识和法制观念淡薄。水土保持关键是搞好预防工作，虽然我国相继颁布了《中华人民共和国森林法》、《中华人民共和国水土保持法》等预防性法规，但在实践过程中由于宣传不够，一些部门、企事业单位和个人对生态环境的重要性、紧迫性认识不足，考虑问题仅局限于局部部门利益。重经济利益忽视生态环境保护，重建设轻保护，急功近利，以牺牲环境为代价换取一时经济利益的现象屡见不鲜，掠夺式地利用资源和环境的生产方式仍然十分普遍，这是导致长期以来一边治理、一边又造成新的破坏，生态环境恶化的趋势始终没有从根本上扭转的重要原因。此外，有些地方存在行政干预、有法不依问题，给执法工作带来很大的障碍。在落实水土保持法的具体规定上遇到阻力，如在水土流失重点防治区的管理上，在治理成果的管护、生态良好区域的保护和对农业开发、林木采伐的监督上，在对开山采石等小型项目的管理上，落实的结果都与水土保持法规定的要求存在很大差距；还有，"三同时"制度还没有得到全面贯彻落实，有的建设项目没有按照法律规定报批水土保持方案，有的建设项目虽然编报了方案但没有认真组织实施等。另外，目前水土保持监督执法能力不够强，是预防监督工作中最亟待加强的薄弱环节。一些地方在重治理轻监督、重要钱轻执法的思想指导下，造成监督管理不到位、管理机制不完善等，更突出的表现是机构能力建设不到位和执法人员素质不够高，所有这些问题都是造成水土流失情况恶化和治理过程中遇到阻力的主要原因。

6.3.4 水土保持对水库水源地作用

水土流失地区进行的水土保持工作是一项综合治理性质的生态环境建设工程。水土保持工作内容包括植被建设，但不能涵盖所有地区各种类型的植被建设。水土保持工作以保水保土为中心，综合采取合理利用土地(含退耕还林还草)、生物措施、工程措施和农业技术措施等手段，来达到改善生态环境和区域社会经济可持续发展的目标。水土保持以水蚀为主要防治对象，自然对水资源的各个方面有深刻的作用和影响。比起同地区单项的植被建设来，水土保持综合治理对水资源的作用和影响更为全面、显著，这可从以下几个方面加以分述。

6.3.4.1 增加蓄水能力，提高降水资源的有效利用

水土保持综合治理可更有效地拦蓄降水，有利于缓解山丘区农村人、畜饮水困难，增加土壤水分存储，提高抗御旱灾能力。同时，水土保持综合治理大大增加了植被(含作物)的面积和生物产量，改水分无效蒸发为有效蒸腾，提高了降水资源的利用率。黄河流域中上游部分地区经水土保持综合治理后，90 年代与五六十年代相比，平均每年多拦蓄了 3.17 万 m^3/km^2 降水，相当于 32 mm 的降水量，这个效果是相当显著的。地处半湿润地区的海河流域和湿润地区的长江流域，水土保持增加拦蓄降水能力比黄河流域还要成倍增加，但目前仅有小流域观察结果。海河流域的北京市延庆县汉家川流域，水土保持综合治理效果相当于增加拦蓄降水能力 112 mm。

6.3.4.2 削减洪水增加枯水期流量，提高河川水资源的有效利用率

由于水土流失综合治理增加了拦蓄流域内降水的能力，改变了地表径流和地下径流的分配格局和时序，从而能在一定程度上改变河川径流的年内分配，减少洪峰流量，增加枯水期流量。水土保持综合治理的削洪效应大小决定于雨情、地形、土壤、措施实效及流域大小等许多因素，但总起来看，在中小流域尺度内，这个削洪效应是显著的，可

达 30% ~ 70%。在大江大河的大流域内，洪峰形成决定于多项因素和条件，雨情(雨区范围、暴雨强度、持续时间和各支流降雨的时差等)成为洪峰形成的决定性因素，局部地区的水土保持削峰效应往往被掩盖起来而不能显示。但随着大流域内水土保持综合治理的区域显著增大和措施成效提高，它的削峰效应也必将在大流域内显示出来。

6.3.4.3 控制土壤侵蚀，减少河流泥沙

水土保持综合治理对于土壤水蚀采取了层层设防的手段，通过以坡改梯为主体的基本农田建设、林草植被建设、土壤耕作制的改进及沟底以淤地坝为主体的工程建设，可大大降低侵蚀模数，减少进入河川的泥沙量，效益是很显著的。在土厚易蚀的黄土高原，水土保持综合治理的减沙效应极为显著，一般小流域经过综合治理后，年侵蚀模数可从 1 万～2 万 t / km^2 下降到 3 000～5 000 t / km^2 的水平，如果治理措施得当而且治理年限足够长，把年侵蚀模数降到 1 000 t / km^2 的可允许水平以下是有可能的。在治理初始阶段，沟底工程及河川工程对拦沙起决定性作用，随着时间推移，基本农田建设工程及植被建设会起越来越大的作用。在中尺度流域，水保的减蚀效应仍很显著，如黄河中游一级支流无定河流域，面积为 30 261 km^2，水土保持治理面积占水土流失面积的 56.76%，90 年代与治理前相比，已减少河流泥沙 59.0%，而黄河干流由于治理率较低，目前的水土保持减蚀效应还不很高。据观测统计分析，黄河流域因水土保持综合治理而减少的入黄泥沙年均约 3 亿 t，占黄河多年平均输沙量的 18%。水土保持的减蚀效益在其他区域的河川也是显著的，但因地质气候条件不同，数值上有较大差异。长江流域的小流域综合治理后侵蚀模数可下降 70%左右，中流域治理后也可下降 40%～50%，但对长江干流的泥沙含量，由于目前水土保持综合治理的面积还不大，时间还不长，以及大流域内区域情况复杂等因素，水土保持的减蚀效应还没有显著地表现出来。从长江各一级支流由于不合理人为活动而使水土流失加剧的反向来看，水土保持工作的大面积有效推进必然也将使其减蚀效应在大流域范围内显示出来。水土保持工作是治理大江大河不可或缺的基础工作。

6.3.4.4 改善水环境，促进区域(流域)社会经济可持续发展

水土保持综合治理增加植被保护，拦蓄更多降水，减少土壤侵蚀，改善水源水质，能为治理区域(流域)的农林牧业生产发展创造良好的条件，也为增加群众收入、加快脱贫步伐、走上致富道路提供有力的支撑，这方面的事例不胜枚举。这说明，水土保持对水资源保护和利用具有积极的作用，即使水土保持综合治理要多利用一些水资源也是必要的、合理的。

6.3.5 水库水土保持主要措施

水库水土保持是指在水库水土流失区，为防止水土流失，保护改良与合理利用水土资源而采用的农业耕作措施、林草措施和工程措施的总称。

进行水土保持措施的主要目的是通过水保措施的实施而实现以下水土保持的功能：蓄水保土，保护水资源和土地资源不受破坏；对已遭到破坏的土地进行整治和改良，使之提高利用率和生产率；使水土资源得到合理开发利用，为发展生产提高生活水平服务。

6.3.5.1 水土保持措施

(1)水土保持工程措施。在合适的地方修筑梯田、山边沟、撩壕等坡面工程，合理

配置蓄水、引水和提水工程。主要作用是改变小地形，蓄水保土，建设旱涝保收、稳产高产的基本农田。

(2) 水土保持林草措施。主要目的是保护地面免遭水蚀与风蚀，植物的枝叶可以覆盖地表土壤，根系可以固持土壤，起到保持水土作用。在荒山、荒坡、荒沟、沙荒地、荒滩和退耕的陡坡农地上，采取造林、种草或封山育林育草的办法，增加地面植被，保护土壤不受暴雨冲刷。在水土流失严重的地区，大多是“三料”(燃料、饲料、肥料)俱缺，人民生活十分贫困，林草措施又是解决“三料”促进林牧副业与商品经济发展的重要物质基础。

(3) 水土保持农业技术措施。主要用于尚未修成水平梯田的坡耕面上，一般结合每年的农业耕作进行。有的可改变坡面的小地形，如垄沟种植、区田、圳田等；有的可以增加地面植被或改良土壤，如草田轮作，间作、套种等。这些耕作措施，都有一定的蓄水保土、提高农业产量的作用。

6.3.5.2　水土保持措施中应注意的问题

不同的水土流失部位，需采取不同的措施，不能互相代替。如治理坡耕地，必须修建各种类型的梯田，建林造草不能代替梯田的作用；开发治理荒山、荒坡与退耕地，必须造林、种草、种果树，不能单纯只修梯田；在沟中巩固并抬高侵蚀基点，拦蓄并利用坡沟的洪水、泥沙，必须在沟底修库坝，坡面的梯田林草不能代替沟道工程的作用。因此，各项水土保持措施，必须统一规划、合理布局、互相配合，发挥综合治理作用。

水土保持各项措施中，工程与林草、治坡与治沟是互相促进的。如梯田、坝地等基本农田要获得高产，需要有足够的有机肥料和农业投资，解决这个问题必须造林、种草，发展林牧副业和商品经济。许多水土流失地区广种薄收现象比较严重，农民为获得足够的粮食，垦种了宜林宜草的陡坡。而搞好工程措施，修建适量的基本农田，实现少种高产多收，可促进陡坡退耕、造林种草工作。沟中坝地高产，可以促进坡面林草发展，而坡面梯田，林草既可蓄水保土，又可为沟中坝库减轻洪水泥沙的危害，保证坝库安全。

6.4　水库生态环境建设主要任务

6.4.1　加强水库水环境建设

6.4.1.1　合理开发利用库区资源

兴建水库淹没森林、村镇和良田沃土，取而代之的是水体。广阔的水面为水产养殖创造了条件，水体的气候效应改善了库区周围作物生长环境，还有前景十分广阔的旅游、娱乐功能。兴建水库是资源的转换，这种转换除了引起生态系统变化外，对库区传统的生产方式和产业结构带来了巨大而深远的影响。为了合理利用库区资源优势，必须摸清水库引起的资源结构和环境的变化，调查库区及库区周围的水资源、土地资源、森林资源、气候资源和旅游资源数量、分布和可开发利用情况，从可持续发展的战略出发，制定资源开发规划，尽量做到合理利用、适度开发。

6.4.1.2　开发与保护并举

由于大多数大中型水库都是跨区跨县，各区县对水库资源的认识和开发方式不一致，这就要求必须协调开发规划，统一资源保护政令，严禁乱采、滥捕。对此，大型水库应建立统一的管理机构，加强对库区的宏观管理，制定库区开发与环境保护条例，必要时，可建立保护区，树立可持续发展的观点，遵循在保护的前提下开发，在开发中保护的方针，使库区生活、生产、生态良性循环，促进经济的持续稳定发展。

6.4.1.3 控制流域环境污染

必须站在流域的战略高度，把水库和流域作为一个整体来考虑。开展流域环境规划水土保持规划工作，要结合当地资源情况进行产业规划，对于新建项目必须开展环境影响评价，在建设中落实“三同时”，对于已经存在的污染源，要根据国家的产业政策，结合技术改造，按照“谁污染，谁治理”的原则限期治理。

6.4.2 水土保持的主要任务

水土保持主要任务有以下几项。

6.4.2.1 水土保持林建设

主要布设于深山绿化与水土保持区以及浅山水源保护与景观生态区的山区部分。25°以上的坡地全部退耕还林、还草，绿化全部宜林荒山，达成林种结构合理、布局合理、林分稳定的森林生态系统。

6.4.2.2 天然林保护工程

该工程布设于深山绿化与水土保持区以及浅山水源保护与景观生态区的深山部分。

6.4.2.3 中幼林抚育工程

中幼林抚育工程系指对中幼龄人工林进行的抚育。该工程主要布设于深山绿化与水土保持区和浅山水源保护与景观生态区。

6.4.2.4 水土保持工程建设

设若干条高标准、高质量的水土流失综合治理示范小流域，治理水土流失，发展坝地，垒谷坊坝，垒护树盘，建排洪渠，建拦河坝，修田间道路、衬砌渠道；规划治理水土流失面积，发展坝地。

6.4.2.5 风沙区综合治理工程

工程布设在风沙危害区，兴建和改造林网，更新改造果园，改造、开发农地，进行设施管护和设备更新。在小流域改造、开发沙荒地，使之成中等产量的农业用地，打井、衬砌渠道、修建小型蓄水池，进行水利工程配套建设。

6.4.2.6 山洪泥石流防治工程

山洪泥石流防治工程主要布设在受到山洪泥石流威胁的地区，安排搬迁避险。主要建设内容是固定上游滑坡体，疏通泥石流沟道，修建控制性拦沙坝、导流堤，加固排洪河道堤防，处理滑坡险区，对工程进行管护。

6.4.2.7 生态与节水农业工程

平原农业节水灌溉：主要任务是在平原农业区发展、推广节水灌溉技术，主要进行设备的更新与管护。

山区节水灌溉：工程主要布设于深山绿化与水土保持区以及浅山水源保护与景观生态区。

6.4.2.8 山区集雨工程

工程主要布设于深山绿化与水土保持区以及浅山水源保护与景观生态区。充分利用坡面、路面、田面、沟道等自然地形，修建集雨工程，拦蓄天然雨洪，解决粮果灌溉用水。规划建设五小节水配套工程建井站塘坝，解决灌溉问题。

6.5 盘石头水库水环境建设

6.5.1 盘石头水库环境状况

6.5.1.1 气象

盘石头水库所在地区位于暖温带半湿润季风气候，每年10月至翌年5月受极地大陆性气团控制，气候寒冷干燥，雨雪稀少，多晴寒天气；6～9月，蒙古—西伯利亚高压衰退，太平洋副热带高压增强，处于极地大陆气团与副热带海洋气团交接地带，气候湿润多锋面雨，耸立于它西部的太行山脉对夏季西行的东南湿热气流有抬升作用，在此常形成对流雨，致使库区气候特点具有冬寒多风、春旱、夏季湿热、秋高气爽的气候特点。

根据鹤壁市气象站多年资料分析，淇河流域多年平均气温 13.5 ℃，极地最高气温 41.7 ℃，极端最低气温零下 21.7 ℃。多年平均降水量 720 mm，汛期 6～9 月降水量占全年的 70%～80%，其他月份则降水量稀少。全年无霜期约 200 天，最大风力为 7 级，多年平均水面蒸发量为 1 700 mm，陆地蒸发量为 520 mm，年际变化不大。

淇河地处海河流域，本流域在太行山迎风坡，是暴雨多发地区，暴雨成因以台风为主、西南涡流为辅。盘石头水库上游桥上、南寨、要街、土圈等都出现过暴雨中心。1996年水库区口以上雨量站 24 小时最大降雨量为 771.5 mm。多年平均径流量 4.46 亿 m^3。盘石头水库上游中小型水库有弓上、要街、陈家院、三郊口、柿园、石门水库等。

6.5.1.2 库区地形、地貌、地质、土壤、地面物质、植被

盘石头水库库区位于太行山中高山与华北平原过渡区，淇河由西向东流经库区，两岸以低山带为主，土丘和垅岗地形仅分布在库区东部边缘。坝址区左岸山体宽厚，山顶较平坦，高程 270～280 m 以上为寒武系中统原层灰岩，形成陡壁，以下为寒武系下统灰页岩互层形成缓坡。高程 280～300 m 以上为寒武系中统原层灰岩，形成高达 90～160 m 的悬崖峭壁，以下为寒武系下统灰页岩多为缓坡。河谷为侵蚀岸、堆积岸，分布有漫滩和阶地。河底高程 180 m，由土和砂卵石组成。

库区土壤为灰石土、旱垆土、褐土三类。灰石土土层较薄，属灰岩风化残积物，主要分布于淇河两侧山坡地带，属荒草地；旱垆土分布于淇河两岸平坦地带，是本区的主要耕作土壤，地处较高部位，缺乏良好的灌溉条件。库区基岩裸露，松散堆积较少，固体径流源较少，水库淤积不严重。

水库所在区域植被类型属暖温带落叶阔叶林类型，属太行山植被区系。主要用材树种为泡桐、毛白杨、柳树、榆树、国槐等，经济林种有柿、核桃、枣、花椒、香椿、梨、苹果、山楂等。山地阳坡多为荆条、酸枣，阴坡以核桃、柿子、马荚为主，山下分布农田、泡桐、毛白杨、苹果。近 20 年太行山绿化中，栽种了油松、雪松、侧柏、刺柏等树

种。

6.5.1.3 库区人口、土地利用、经济社会水平

盘石头水库上游有关地区是山西陵川县，河南省辉县市、林州市。坝址以上控制流域面积 1 915 km^2，人口 88.8 万人，耕地约 5 万 hm^2。据 1995 年统计，上游粮食总产量约 28 万 t，农林牧副渔总产值 11.7 亿元，国内生产总值 34.7 亿元。

6.5.1.4 库区水土流失情况

按照水利部海河水利委员会“水土流失分类”标准划分，库区属石质山地轻度侵蚀区，局部属山地、丘陵微度侵蚀区。由于该区位于暴雨中心，地貌复杂，坡度陡，水土保持难度较大。当地政府与群众本着以治理水土流失、改善生态环境、进行太行山绿化工作为目标，调整产业结构，大力退耕还林，采取工程和生物措施，取得了一定效果。截至 1998 年，已发展水保林 0.153 万 hm^2，封山育林 0.08 万 hm^2，种植经济林 0.127 万 hm^2，用材林 600 hm^2，建成梯田 186.67 hm^2，淤地坝 69 座。

该库区地处于山区，经济相对落后，部分村民靠放牧、打柴为生，有的砍山林用于煤矿巷道支护，造成一定程度的水土流失，部分地区土壤被破坏，土层减薄，表土沙化或岩石裸露。根据调查，各流域每年剥蚀表土层 1.2 mm，同时流失大量氮、磷、钾和有机肥料，使土壤肥力降低，致使林副产品及农业产量减少，农民收入降低。另外是生态失调，土壤没有涵养水能力，一旦降雨在很短时间形成地表径流和汇流造成水土流失，部分地区易造成山体滑坡。水库下游鹤壁市鹤山区、山城区等，因为处于煤炭开采区，地表沉降和山体滑坡现象比较严重。

6.5.1.5 造成水土流失的原因

造成水土流失的原因有自然因素和人为因素。

(1) 自然因素。影响水土流失的原因首先是气候因素，其中以暴雨影响较为突出，暴雨击溅地表形成强大径流，造成面蚀和沟蚀，风、冻融、风化对土壤也有一定的侵蚀作用。其次地貌、地质和土壤也是导致水土流失的主要因素。其三，植被较差，该流域林稀草疏面积大，覆盖率低于 20%，退耕还林陡坡地和没有工程措施的坡耕地植被差，起不到涵水固土的作用。

(2) 人为因素。人类不合理的经济活动是加速水土流失的主要原因，据调查，在鹤壁市淇滨区 1960 年至 1962 年毁林造田和陡坡开荒，达到 1 000 hm^2。在“以粮为纲，广种薄收”运动中，破坏土壤的“储存库”和“调节器”，一遇暴雨泥石俱下，流失强度更加严重。开矿、采石、修路等生产建设活动，盲目扩大开挖面，破坏地表植被，随意堆放弃土、弃渣造成新的水土流失。此外，过度放牧也是水土流失的一个重要原因。

6.5.2 盘石头水库水环境建设

6.5.2.1 水污染状况

(1) 工业污染源。根据调查，库区上游支流淇河、淅河沿岸有造纸厂 17 家，其中分布在支流淇河南寨盆地有 7 家，其废水不直接排入河道；临淇盆地 12 家，其中有 9 家排出废水直接进入河道；支流淅河的合涧盆地有造纸厂 5 家，其中有 4 家直接向河道排放污水。年排放废水量 381.86 万 m^3，排放污染物主要以生物耗氧量和化学耗氧量计算，分别为

3 054.80 t、4 466.91 t。

支流淇河污染物接纳量占库区总量的 84.7%，支流淅河污染物接纳量占 15.3%，对淅河水质影响不大。2003 年底对淇河上游林州境内调查显示，河道因污水缘故已有明显泡沫，河水能见度非常低，已造成轻度污染。经过淇河干流峡谷河床泥沙卵石吸附和水体自净，水质又重新恢复。

(2)农业污染源。农业污染源主要来自农业生产喷撒农药和使用的化肥，根据调查，库周农药平均用量为 6.45 kg / hm^2，化肥用量为 1 351.5 kg / hm^2。这些农药和化肥随降雨径流流入水体，水库蓄水后农药残留对水库生物和生活饮水造成影响，化肥使用将造成水库富营养化。

(3)生活污水。库周人口较为稀疏，群众生活污水排放量不集中故影响不大，但是，在上游五龙镇、临淇医院以及屠宰、养殖等集中排放的污水，容易造成病原微生物污染。

(4)水库施工对水质影响。施工对水质的影响主要是由废水排放所致。废水排放包括生产废水和生活废水。盘石头水库建设期间，工区年平均用水总量为 160 万 m^3，据此计算，工区年平均生产废水排放量 100 万 m^3，生活污水排放 48 万 m^3。另外，因施工车辆排放油污、沙石料粉末等进入水体也对水体造成污染。

6.5.2.2　水质现状评价

根据支流分布、人口密度、污染源和交通状况，分别于库区干流及支流入库口设水质监测断面。水库蓄水后主要为鹤壁市及库周群众供水，根据河南省环保局批准的Ⅱ类水质标准，对 pH 值、总硬度、DO、COD、BOD、亚硝酸盐氮、硝酸盐氮、挥发酚、氰化物、砷、汞、六价铬、铅、镉、大肠杆菌进行评价，评价采用“单项指数评价法”，评价结果为：单项指数评价法采用地图叠加分类，即以整个水质监测断面为水质评价单元，通过某水质参数浓度代表值与该参数的水质分类标准值相对照，得出单项评价的最高级别作为该断面或分段的水质评价结果。

根据单项指数法，盘石头水库水质情况如下：

(1)pH 值。库区及上、下游河段的 pH 值实测范围为 7.5～8.5，其平均值为 8.2，符合地表水环境质量Ⅰ类标准(6.5～8.5)，水质偏碱性。

(2)总硬度。监测值范围为 155～255 mg / L，只有支流淇河后寨断面和河口断面枯水期略大于 250 mg / L，其余各断面均符合生活饮用水总硬度小于 250 mg / L 的质量标准。

(3)溶解氧。测定值为 5.0～10.3 mg / L，其中干流河段平均值为 7.8 mg / L，支流河段平均值为 7.2 mg / L，全年有 85%以上的测次符合Ⅰ、Ⅱ类水质标准。

(4)化学耗氧。库区及上下游河段有机物耗氧测量值在 8.8～36.0 mg / L 的范围内，干、支流各监测断面在枯、平水期均符合Ⅰ、Ⅱ类水质标准。

(5)生物耗氧量。库区及上下游测定为 0.4～3.6 mg / L，基本符合Ⅰ、Ⅱ类水质标准。

(6)氮。测值范围为 0～0.026 mg / L，符合Ⅰ、Ⅱ类水质标准。

(7)硝酸盐氮。其测定值为 0.05～1.86 mg / L，符合Ⅰ类水质标准。

(8)亚硝酸盐氮。测定值为 0.002～0.020 mg / L，符合Ⅰ类水质标准。

(9)五项毒物。库区及上、下游各监测断面挥发酚的监测值均为 0.001 mg / L，氰化物为 0.002～0.005 mg / L，砷为 0.004 mg / L，汞为 0～0.000 05 mg / L，六价铬为 0.002～0.010 mg / L，都符合Ⅰ类水质标准。

(10)铅。测定值为 0.000 5～0.018 mg / L，均好于Ⅱ类水质标准。

(11)镉。测定值为 0.000 1～0.006 mg / L，都符合Ⅰ、Ⅱ类水质标准。

(12)大肠杆菌。测定值为 10～1 046 个 / L，好于Ⅲ类水质标准。

根据评价结果分析，库区及上下游河段水质基本良好，个别测次的化学耗氧劣于Ⅴ类水质标准，主要发生在降雨季节。河道水量大的 8 月份，由于造纸厂排放污水和下游河段居住人口较集中，耕地较多，人群活动比较频繁，通过降雨冲刷，有机物质随径流进入河道，产生有机污染。

6.5.2.3 将来水环境状况预测

1)上游工业污染

在水库蓄水后，由于有充分水源保证，点污染将加剧，后靠移民及原来乡镇小企业将加大用水企业发展，特别是发展污染水体严重的造纸业、制革、冶炼、化肥厂等。一旦这些企业成长并发展，将会造成新的水体污染并超过水体自净能力，水库水体污染后将在很长时间内难以恢复。邻近流域小南海水库、彰武水库因近年来工农业飞速发展，库区周围兴建了不少厂矿和乡镇企业，如安阳化肥厂、西方山玻璃厂、善应乡硫磺厂以及数座小煤矿，致使大量废水废渣倾入库内，造成水质污染。如 1982 年发生安阳化肥厂氨水溢漏入库，造成鱼类及水生物死亡，污染的水体水质逆变，破坏了水库的生态环境。过去水库鱼虾成群，现在大大减少；昔日冬季白天鹅结群来库栖息，现已绝迹。水库水质的变化对库周及下游人民饮水构成威胁。

2)水库旅游水体污染

据预测，旅游作为一种新兴产业，中国在未来 20 年内将成为第一大旅游国。盘石头水库风景区作为潜在旅游资源正被规划和包装，随着休闲、健身和参观的人们纷至沓来，如果没有统一规划和采取相应措施将对水体造成人为污染。如东北二龙山水库因近年来旅游业发展，库区周围有餐饮服务企业 26 家，其中汇水区附近有 16 家，而仅水库周边汇水区内的宾馆、饭店、度假村年接待游客即达 50 万人次。大量未经处理的生活污水随径流直接进入水体，对水库水质造成严重污染。1994 年以前，二龙山水库水质基本符合国家地表水的Ⅱ类至Ⅲ类标准。而近年来，二龙山水库水体有机物急剧增加，总氮、总磷含量持续上升，超出Ⅲ类水标准，由潜在的富营养化发展为轻度富营养化。据宾县水务局负责人介绍，随着水库周边旅游业的广泛开发，二龙山水库水体污染愈发严重。为了保证居民吃上放心水，宾县政府及水务部门已计划放弃二龙山水库作为城市饮用水水源，并将新水源的建设提到日程上来，计划选址在宾州镇西南部三道岗兴建新水库。新水库启用后，二龙山水库将仅作为农业灌溉用水和旅游业景观用水而存在。因此，作为以供水为主要目的的盘石头水库在制定发展旅游规划一定要先做好环保规划。作为鹤壁市主要水源的盘石头水库一旦受到污染，恢复起来将十分困难，因此在蓄水初期一定要做好环保规划工作。信阳南湾水库在此方面做得很好，既利用水体发展旅游产业，又注重了环保规划。

3) 养殖水体污染

由于盘石头水库上游处于林州境内，在统一管理上会有一定的不便，如果上游养殖数量不加控制，动物粪便直接排入水库水体，容易引起水体富营养化。有关部门近年对 100 余座水库的水质评价表明，13 座水库为富营养性，22 座水库受不同程度污染，这些受污染的水库往往是城市供水的重要水源，鱼类养殖不加控制是导致富营养化的原因之一。

水库建设过程中，要定期化验水质，对生产生活污水集中处理，对废油进行集中回收，不允许直接倾倒河道；水库在建设完成转入管理期后，作为管理者要借鉴外地经验以及鹤壁市淇河封闭式管理规定等办法，制定盘石头水库库区及周边防治污染的管理规定或办法。另外要加强水质监测，一是进行监测点布设，为了解污染物来量，在水体内的分布，在水库进水口、出库口布置采样点，按照水流方向，在库心区、岸边区、纳污区等布设采样断面和采样点。二是根据监测评价目的和水体功能对监测数据进行分析，如对水体 pH 值、悬浮物、DO、COD、挥发酚、氰化物、NO_2-N、总氮、大肠菌群等按照地面水Ⅱ类标准编写环境质量报告书。

6.5.2.4 制定盘石头水库水源地保护管理办法

盘石头水库建成后每年可向鹤壁市工农业供水 1.35 亿 m^3，将来水源充足还可以向南水北调补水，对鹤壁市的城乡环境建设、国民经济发展将起到决定性作用。为了保证盘石头水库Ⅱ类或者Ⅰ类水质，加强对水源地保护非常重要。为保证有法可循，要制定具体的水源管理办法。

1) 主导思想

既要考虑水质水量的保护又要考虑当地经济发展。上游已经建成不少企业，不让他们生产是不现实的。在充分发挥自然河道净化作用同时，考虑到水体污染是生产企业造成的，污染问题还要靠它们自己解决。在建设生产过程中，要严格遵守城乡建设、经济建设和环境建设同步发展，只顾局部利益、眼前利益是不可取的。

2) 主要依据

要根据《中华人民共和国环境保护法》、《 中华人民共和国水污染防治法》、《河南省乡镇企业管理办法》以及其他有关条例制定水库水源地保护管理办法，对上游山西、新乡、安阳等地还要根据地方文件、条例进行制定。

3) 水质标准

考虑到上游农村、工矿企业、城镇生活的客观情况，水质标准暂定Ⅱ类地表水。

4) 适用范围

主要是河南省境内的新乡、安阳，跨省的地区需要进行协调。

5) 水源保护区分级界限

移民迁移线 261.69 m 高程以内为一级保护区；由于库区周围向水坡，降雨很快流入水中以及容易流入库区背水坡为二级保护区；三级保护区为水库控制流域面积 1 915 km^2。

6) 保护工作内容

(1) 水量保护。在全流域内植树造林涵养水源，正确解决开发利用与资源保护两方面的矛盾。

(2)水质保护。一级保护区内不准建立水利设施以外的其他设施，不准在水上下进行任何污染水体的活动。二级水体保护区域内不准新建具有直接排放污水或引起水体污染的工矿企业。对原有污染企业要按照管理规定，结合水体自净采取污水处理措施，必要时采取关、停、转、迁等措施。三级保护区内大力植树造林，防止水土流失，涵养水源，提高对污染物的净化能力。严格按照国家和省的有关法律、条例，不准建设以下项目：生产含有在自然环境中不易分解的剧毒物质如六六六、滴滴涕等；生产含有能在生物体内蓄积的剧毒物质如汞、砷、铅制品等；生产含有致癌成分的如联苯胺、多氯联苯、放射性物质等。

7)如何实现水源地保护

因为盘石头水库上游在安阳、新乡，河流发源地在山西，因此保护水源工作难度很大，为实现水源地保护必须要各级政府及相关部门齐心协力才能实现，既要有统一机构进行日常管理，又要有相关单位机构进行配合以实现水源地保护目的。

第7章　水价制定与实施

随着近代社会经济的迅猛发展和人口的急剧增长，人类需要越来越多的资源以满足人们日益增长的物质文化生活的需求。大工业经济时代以后，资源短缺的问题逐渐暴露并变得越来越尖锐。传统的经济发展模式以最大限度地开发自然资源、最大限度地创造社会财富、最大限度地获取利润为目标的传统西方经济学思想原理为指导，因此人类对自然资源进行着无度开发。同时，由于不注重环境和生态保护，在造成矿产资源短缺的同时，森林面积迅速减少、草原逐渐退化、很多物种资源濒临灭绝。由于工业废气的超标排放导致温室效应，引起全球气候变暖，干旱与洪涝灾害频繁发生，再加上污染的加剧，使得水资源短缺问题日益严重。

世界上很多国家正面临着水资源危机。在人类还没有彻底解决温饱的时候，脏和渴又成为第二贫困威胁着人类的生存与发展。水资源短缺问题将成为21世纪制约人类可持续发展的关键因素之一。从长远来看，随着科学技术的进一步发展，淡水资源短缺问题是可以解决的，如海水淡化技术的开发，进一步降低成本使该技术能够迅速投入商用等。但在当前很短时间内，我们还需要运用科学的水资源管理方法来解决目前的水资源短缺问题，其中关键之一是要做到水资源的合理配置和保护，这就需要对水权、水市场进行研究，其中对水价的研究尤其重要。

合理的水价应该包括资源水价、工程水价和环境水价三个部分，本章将着重讨论其中的资源水价和工程水价部分，并具体探讨淇河盘石头水库的供水价格制定与实施。

7.1　水资源价值与水价研究概述

为了从根本上弄清水价的问题，首先要了解什么是水资源价值。下面就水资源价值的涵义、国内外对水资源价值以及水价的研究进展情况做简单介绍。

7.1.1　水资源价值的涵义

水资源是一种和人类关系密切的自然资源，广义上是指人类可以直接或间接使用的各种水和水中的物质，能作为生产资料和生活资料的天然水，在社会生产中具有使用价值和经济价值的水都可称为水资源；狭义上的水资源是指人类能够直接使用的淡水。天然水资源是支持生命生存和发展不可或缺的物质，是支撑生态、环境等资源的母体资源，是基础性的自然资源。

自从20世纪全世界范围内出现日益严重的水资源危机以来，学术界对水资源价值的研究越来越关注，国际上对采取用经济杠杆来调节水资源供需矛盾的呼声日益高涨。通常认为，价格是价值的货币表现形式，价值是价格的源泉。然而，对于像天然的水资源这样的非劳动产品，不能用简单的这种关系来套用，应从西方经济学的效用价值论进行诠释。水资源的价格并非是凝结在水资源中无差别的劳动的货币表现形式，而是反映了水资源的稀缺性，并且体现所有权在经济上加以实现的一种经济行为。从经济学的角度讲，水流是土地的附属物，我们可以把它作为土地来理解。因此，用地租理论讲，水资源价值是地租的货币化，是水资源使用者为了获得水资源使用权需要支付给水资源所有者的一定货币额。

目前，国际上普遍认为，提高水价、减少污染和浪费是解决水资源危机的重要调控手段。水资源价值研究的一个最重要的目的就是对资源水价，即水资源费的科学界定，它在水资源经济管理中具有重要地位，关系到水资源的可持续利用。因此，水资源价值研究具有重要的意义。

7.1.2 水资源价值研究概述

7.1.2.1 国外水资源价值研究概述

在国外，关于直接探讨水资源价值的文献并不多见。杨格和格雷 1972 年考察了几项试验，认为水的价值不可能超过最经济水源的边际成本。1974 年秘鲁对灌溉用水的水资源价值进行了估算，采用的方法是余差法和线性规划法。余差法的基本原理是：每公顷土地中的净收入分为两部分——水资源收入和土地收入，并运用余差法计算了三个流域的水资源价值。线性规划法是用数学方法来确定水资源价值，其实质就是影子价格法。1978 年，西格雷夫和欧绸亚提出了在不同组合条件下最佳解和水资源的价值，他们还介绍了线性规划模型的推算方法。

20 世纪 80 年代，水资源危机加剧，许多学者考虑用经济杠杆调节水资源供需矛盾。1984 年，Fakhraei 研究了在随机供水情况下价格稳定性和水量配给规律。他认为定额分配水资源经济效益未曾从随机供水角度加以分析，他给出了两种形式的定额量，并推出可获取最大利润的长期价格。它所需的参数较少，只需要知道需求分布状况即可。1986 年，Mercer 分析了水资源定价后市政水利部门利润率情况；1987 年他又研究了城市用水定价和干旱对策，其内容是通过对若干家庭用水户进行观察，估算了需水量与价格、收入、家庭人口的关系，短期的需水弹性表明，边际价格上升不到 40%即可减少用水量 10%。1989 年，Moncur 对水资源价格在干旱条件管理中的作用进行了深入的分析，分析结果表明，当水价有足够的弹性时，通过征收干旱附加税调节用户用水，可避免限量供水所带来的一系列问题，干旱附加税可促进采取节水措施。

到了 90 年代，采用经济杠杆管理水资源的研究日趋活跃。1991 年，Schneider 研究了一定用户需水量的弹性变化，为进一步研究节约用水提供了有益的经验；Murdock 分析研究了用水预测中社会经济和人口统计特性的作用，它指出人口统计和社会经济变量如住户年龄、种族、家庭成员的组成对用水量有很大影响，在研究户均用水量时，这些因素通常比经济、气候和其他自然因素重要得多。Murdock 将需水量与社会经济相结合，拓宽了水资源价值研究中所涉及的范围。美国在 1991 年对水资源价值研究具有一定的开拓性，Hanse 对美国河流旅游价值国家评估进行了介绍和研究，它从一个侧面反映了水资源价值，但这并不是水资源价值的全部内容。美国得克萨斯州格朗德河下游河谷的水市场与水权转让的实践，为水资源价值的实现开辟了新的空间。水市场的建立，主要目的是提高供水利用效率，进行水资源重新分配，大城市购买农民的水权以增加用水，这是水资源管理的一种新模式，水市场机制应予以肯定。Biiswas 曾预言，解决 21 世纪水资源危机出路之一就是对水资源进行标价和成本回收。1992 年，关于水资源价格与用水之间的关系研究依然占有一定的地位。Michael 利用边际价格模型、平均价格模型和希恩的价格征收模型研究了美国南部和西部地区价格弹性，其结果是弹性高，结论有点出人意料，水资源保护似乎不能减少用水量，值得注意的是通过公共教育在西部地区减少了用水量。R.Askley 探讨了居民最大和非最大用水量，结果表明，需水最大价格弹性是非最大价格弹性的 2 倍。水资源定价是当今水资源研究热点之一，1995 年 9 月 26 ~ 30 日在瑞典召开的城市地区水综合管理国际研讨会上，水资源和废水定价被列为重要的一项议题。

7.1.2.2 国内水资源价值研究进展

我国开始出现水资源供需矛盾是在 20 世纪 70 年代，为了解决这种矛盾，通常采取多修水利工程的办法。但由于水污染的加剧，使有限的水资源更加短缺，迫使人们采取新的办法节约用水，如改进生产工艺、调整工业布局等。进入 80 年代后，随着经济的飞速发展，对自然资源需求的无限增加导致了对大自然的掠夺性开发，同时由于缺乏有效的保护管理机制，产生了一系列的环境问题，严重地威胁了人们的生存环境，也制约了经济社会的进一步发展。在这种情况下，有限的自然资源如何得到充分合理的使用，并维持自然资源本身的再生产的问题引起广泛关注。自 1985 年起，我国学术界就自然资源有偿使用和价格问题发表了一系列文章。起初自然资源有偿使用的探讨着重于石油、天然气、土地、矿产等资源，对于水资源有偿使用的研究所涉及的不多，其主要原因为长期受水资源是“取之不尽、用之不竭”的传统观念影响。我国水资源价值的研究在资源核算的带动下才得到迅速开展。1988 年初，我国提出资源核算及其纳入国民经济体系课题研究，其中包括水资源核算及其纳入国民经济核算体系研究子课题。1989 年 4 月，国务院发展研究中心技术经济组会同伊春市人民政府在伊春市举办了国际自然资源核算培训班，就资源核算的基本理论、主要原则和具体方法进行了研讨，外国专家还介绍了本国及其他国家的研究现状、操作与实例研究成果。该培训班对我国的资源核算具有极其重要的意义，促进了水资源价值研究。

在水资源价值应用方面，由于水资源等自然资源价值理论方面的研究尚未完全彻底展开，因此应用方面的研究成果还很少见，只是零星的或者阶段性研究成果。温善章等运用影子价格法研究了黄河一些河段水资源价值。中国环境与发展国际合作委员会资源核算与价格政策工作组利用边际机会成本理论研究水资源定价模型，他们选择两个典型地区，即北京作为长期缺水区的代表，上海作为丰水区的代表，分别进行了水资源价格测算并提出了水资源价格政策。

由以上可以看出，我国在水资源价值方面的研究已经取得了一定进展，但是不能忽视的是，它还存在许多问题有待进一步研究，其主要表现在以下几个方面：

(1)水资源价值理论研究有待进一步深入和完善。理论上对水资源等自然资源价值来源问题尚无统一认识，马克思的劳动价值论与西方效用价值论是当前讨论的焦点，水资源等自然资源价值实质是什么还不明确。如何建立具有中国特色的资源价值论体系，是摆在科学工作者面前一项亟待深入研究的课题。由于对水资源等自然资源价值来源尚不明确，加之理论的出发点不同，由此而建立起的资源价值模型存在很大差异。

(2)水资源价值研究力度有待加强。尽管我国的资源价值研究始于 1985 年，但是主要集中于矿产、天然气、森林等方面，对于水资源价值研究未引起足够的重视，这或许与水资源的更新方式有关。地表水资源更新主要依赖于降水，因而长期认为水资源是“取之不尽，用之不竭”的资源。水资源的危机虽已引起有关部门的关注，但是由于水资源涉及面极其广泛，与社会经济生活的多方面密切相关，水资源的管理无疑是政策性比较强的工作，特别是水资源具有流动性，存在地表水、地下水、土壤水、大气水、植物水等相互转化，在其“量”的把握上是有一定难度的，并且水资源极易受污染，使其“质”非常重要，因而水资源价值研究任务是十分艰巨的。

(3)水资源价值研究侧重于水资源量的供需状况，淡化或忽视了水质对水资源价值的影响。水资源是水资源量与质的高度统一。水质对水资源价值有很大影响，特别是污染严重的水资源，不仅使可使用的水资源量减少，甚至使水资源失去原有功能。因此，在水资源价值研究中不考虑水质的影响是一很大缺陷。

(4)研究人员专业素质和研究手段亟待加强。水资源不仅是不可缺少的自然资源，而且也是生物赖以生存的环境资源，因而水资源在社会、经济、环境、政治领域均占有极其重要的地位。水资源价值研究涉及领域广泛，它涉及到众多学科，如数学、物理学、化学、生物学、资源学、气象学、水文学、地质学、环境科学、社会科学、经济学、环境经济学等。目前从事水资源价值研究的人员主要是环境经济专业方面的，水利工作者涉及不多，环境学方面也是很少量的，这与水资源价值研究所涉及领域很不协调，得出的结论也就难以被普遍接受。从研究手段来看，主要局限于资料收集，然后采取适当的数据处理，由于资料陈旧，计算烦琐，以致结论的可信度不高。

(5)水资源价值研究范围不够全面。水资源价值具有两重性，即正价值和负价值，在水资源价值研究中，只重视水资源正价值研究，忽视了对水资源给人类带来不利影响的负价值研究，这样使水资源价值研究过于片面，难以全面评估和正确掌握水资源价值。水资源价值是正价值和负价值和谐统一，两者之间相互影响，相互作用，相互耦合，形成耦合价值，关于这方面的研究目前尚未开展。此外，水资源时空价值研究不够。水资源价值是时间、空间的函数，时空的变化导致水资源价值变化。在国内外的研究中，尽管注意到了这种现象，但没有进行深入细致的分析。

(6)缺乏“灾难性”水资源价值研究。水资源价值受多种因素的影响，每一因素的变化对水资源价值都会产生扰动。当某一因素发生异常变化时，水资源价值会出现巨大变化，即发生突变。水资源价值研究中没有考虑这一异常现象，只是在正常情况下进行的，这是不全面的。特别是现在突发污染频繁出现，使水资源价值变化更加明显，加强此方面的研究，对于预防或促进水资源价值突变具有重要意义。

7.1.3 水价研究与实施概况

为解决日益加深的水资源短缺的矛盾，许多国家正努力寻求各种有效方法以更好地配置水资源，并采取各种措施鼓励节水，其中既包括工程措施也包括经济措施。多年的研究和实践证明，适宜的水价可准确反映水资源的稀缺性、经济性和社会承受能力，研究并制定出适宜的水价是水资源有效配置和鼓励节约用水的有效方法。合理水价的制定是一个非常复杂的系统工程，涉及到广大消费者的切身利益，关系到供水部门的运行模式，与水资源的可持续开发利用息息相关。因此，开展系统的水价调研工作，借鉴国外有效的水价机制，对我国制定合理的水价政策，促进节约用水，推动国民经济的发展是非常必要的。

7.1.3.1 国外水价研究与实施概况

许多国家根据各自不同的水资源条件、需水状况和社会经济发展状况，制定了各不相同的水价制度。目前，国际上较流行的水价体系有统一水价、固定水价、累进水价、累退水价、两部制水价和季节性水价等。下面以一些典型国家和地区为例，说明各国的水价实施情况。（《水权与水价》，李晶、宋守度、姜斌等编著，2003）

1) 制定水价的原则

由于各国在社会、经济、管理及生活等方面存在着较大差异，因此各国制定水价的出发点和侧重点不同。如英国制定水价原则是注重成本、兼顾公平和区别对待原则，强调征收的水费能反映供水及排污的成本，对各类用户无歧视和偏向，同时对不同用途、不同地区及不同标准的用水区别对待，实行不同的收费结构和水价。法国制定水价的原则是收支平衡原则和依责、权、利定价。美国制定水价的总原则是不以盈利为目的，但要保证水利工程投资的回收和运行维护管理、更新改造所需费用的开支。加拿大联邦水价制定的基本原则是用水户支付能力原则，它的特点是综合考虑用水户的支付能力与意愿，最大程度地谋求用水户的理解与合作。加拿大由于水资源较丰富，水价对成本因素考虑不足，因此在发达国家中水价是最低的。发展中国家比较典型的国家是印度尼西亚，其制定水价的原则是水价由政府控制，总体上要求回收运行成本，政府补贴和其他补贴并行，供水机构的利润受政府控制。

总的来说，合理的水价制定原则应该包括：成本补偿原则、合理利润原则、反映市场变化及时调整原则、用户公平负担原则和提高资源配置效率原则等。

2) 水价制定及调整政策

水价的制定和调整程序与一个国家政治制度、经济体制和水资源管理机制密切相关。水价的制定与调整有的国家不受政府行政干预的影响，如美国和日本；有的是国家进行宏观指导性干预，如英国和法国。美国是董事会制下的公众听证会，法国是地方行政长官制下的对话或听证会，日本是地方议会制下的审议会，均较民主。

3) 水价构成

在水价的构成中，一些发达国家征收水资源费，说明水资源的重要性以及对水资源开发利用的重视程度，大多数国家征收污水处理费，说明水资源的保护和开发两者不可偏废。关于成本的回收，运行管理费一般都考虑在内，但投资费用的回收，各国存在较大差异。

英国的供水费用由水资源费和供水系统的服务费两部分组成。法国的水费主要包括水资源费、污染费、税费和有关成本等。印度尼西亚从水源取水的水费通过缴纳相应的取水服务费来实现，取水服务费有用水补偿费、灌溉服务费和水利基础设施运行与维护费三种。另外，印度尼西亚政府正在考虑征收水资源服务费。

4)水价结构

水价结构一般分为农业水价、工业水价及生活水价。

(1)农业水价。由于农业在社会经济发展中具有特殊地位，各国均将发展灌溉农业、保障粮食自给作为社会经济发展的基础，因此在政策上予以倾斜，体现在水价上给予一定的优惠。目前国际上农业水费计价方式主要有按灌溉面积和按用水量征收两种，在一些缺水国家和农业在国民经济中占主导地位的国家，还有一些独特的方式：如缺水的西班牙，农业水价采用国际上生活用水常用的两部制水价；以色列农业用水除按供水成本征收外，还采取累进水价。此外，灌溉方式(自流还是提灌)对印度和巴基斯坦的农业水费有影响。

美国联邦农业水价采取维持供水简单再生产的基本原则,并未完全按商品原则定价。农业水价充分考虑了农民对水价的承受能力，灌溉供水基本费用由基建投资、运行维护费以及所有未支付的运行维护费的利息组成。另外，为降低用水量以减少污水的排放量，还采用了鼓励节水的水价结构。1989 年加利福尼亚灌区采用了分级水价结构，当每平方米的用水低于或等于 1 m^3 时，水价为每立方米 0.45 美分，超出规定用水量后，水价将提高到每立方米 1.2 美分。

法国虽然农业人口仅占总人口的 4.9%,农、林、渔业产值仅占国民生产总值的 3.4%,但农业用水及其水价的制定都与流域或地区水资源开发规划紧密结合，以保持水资源的供需平衡。农民缴纳的灌溉水费包括输水费、灌溉设备费和劳动服务费等。

(2)工业水价。各国的工业用水水价差距较大。一些国家如印度，将工业水费作为对其他用水补贴的财政来源或对工业征收较高的污水处理费，因此工业水价较高；而有些国家如法国，由于采用从水源直接取水的自供水系统或使用回用水，工业水价较低；有的国家还采用累退水价。西班牙的工业水价随城市规模而定，中小城市与生活用水同价，大城市采用两部制水价，其中计量水价又分为累进和统一费率。

(3)生活水价。对于生活用水水费，大多数国家实行计量水费，少部分国家(如英国)采用非计量水价。水价中有固定水价、统一水价、累进水价、累退水价、两部制水价和季节性水价等。此外，生活用水水价还受地理位置、城镇规模、供水水质、供水服务质量和供水管理方式等因素的影响。

7.1.3.2 中国水价探索与实施

新中国成立以来，我国水费实施发展过程，大体经历了以下三个阶段。

1)第一阶段 1949~1964 年

这段时间基本上是无偿供水。新中国成立初期，我国水利工作的重点集中在水利工程建设方面，对已建工程的经营管理重视不够。国家拨款修建的水利工程供水无偿服务于全民，水利管理单位的经费和工程维修费基本靠国家拨付。农村用水不收费，各取所需。由于当时水资源供需矛盾并不明显，因此人们误认为水是取之不尽、用之不竭的。农业用水采用耗水巨大、效益最小的漫灌，城市用水也是象征性的收费，“水长流，水被污”的现象非常普遍。直到 1964 年，水利电力部在江西省召开了全国首次水利管理会议，提出了水费征收和管理的试行办法，才结束了无偿供水状况。

2) 第二阶段 1965～1984 年

1965 年国务院批转《水利工程水费征收使用和管理试行办法》，改变了无偿供水的状况，逐步推行了供水水费制度。该办法规定："凡发挥兴利效益的水利工程，其管理、维修、建筑物设备更新等费用，由水利管理单位向受益单位征收水费解决。水费标准，应当按照自给自足、适当积累原则，并参照受益单位的受益情况和群众的经济力量合理确定。"这在当时发挥了一定的积极作用，但是因为过多考虑了不加重于民，尤其是用水大户——农民的负担，没有考虑供水成本，因此水价过低，不符合商品定价的原则，加之有的地方群众经济力量差等原因，水费很难收缴，水利工程难以实现"自给自足、适当积累"的基本原则。此外，历时十年的"文化大革命"的冲击，致使水利产业部门的工作进程基本停顿。由于长期采取无偿供水或低价供水政策，造成水利工程收费极端困难，维修管理、设备更新费用严重不足，许多单位连简单的再生产都难以维持，同时不利于合理用水和节约用水，造成严重的水资源浪费。为此，水利部 1982 年 2 月向国务院呈交了《关于核定水费制度的报告》，报告指出，制定水价应以供水成本和利润为依据。

3) 第三阶段 1985 年以后

1985 年 7 月 22 日，经国务院批准并以国发［1985］94 号文《关于水利工程水费核订、计收和管理办法的通知》转发全国遵照执行，此后许多省市都对供水成本进行了测算，并拟订了水费改革方案。《水利工程水费核订、计收和管理办法》明确指出："为合理利用水资源、促进节约用水，保证水利工程必需的运行管理、大修和更新改造费用，以充分发挥经济效益，凡水利工程都应实行有偿供水。工业、农业和其他一切用水户都应按规定向水利工程管理单位交付水费。"还规定："水费标准应在核算供水成本的基础上，根据国家经济政策和当地水资源情况，对各类用水分别核定。"并指出了供水成本的内容。从此，我国的水利工程从不收费和低标准收费，进入了有偿供水、核算成本、按量收费的新阶段。

1988 年 1 月 21 日，全国人大常委会通过了第一部《中华人民共和国水法》，该法第 34 条第二、三款规定："对城市直接从地下取水的单位，征收水资源费；其他直接从地下或江河、湖泊中取水的，可由省、自治区、直辖市人民政府决定征收水资源费。水资源费的征收办法，由国务院规定。"水资源费概念的提出，引起了许多学者的关注，学术界对其实质进行了不同程度的探讨，它对于水资源价值研究具有极其重要的参考价值。

但是，在实际工作中，水价制定与管理仍存在许多问题，水价计征十分困难，特别是随着社会主义市场经济体制的逐步形成，《水利工程水费核定、计收和管理办法》已逐渐不能适应形势发展的要求，影响了水利事业的可持续发展。为适应形势发展的需要，1997 年国家颁布了《水利产业政策》，其中第三章"价格、收费和管理"中指出："国家实行水资源有偿使用制度，合理确定供水、水电及其他水利产品和服务的价格。新建水利工程的供水价，要按照满足运行成本和费用、缴纳税金、归还贷款和获得合理利润的原则制定。原有水利工程的供水价，要根据国家的水价政策和成本补偿、合理收益的原则，区别不同用途，在 3 年内逐步调整到位，以后再根据供水成本变化情况适时调整。"

2000 年 8 月，国家计划委员会、财政部、农业部联合发文(财规［2000］10 号)进一步明确水费为营利性收费,水价才真正具有了市场经济条件下的价格的概念。(《水资源经济》，杨培岭、任树梅、李云开等编著，2003)

2002 年 8 月 29 日，第九届全国人民代表大会常务委员会第二十九次会议通过新的《中华人民共和国水法》(2002 年 10 月 1 日起施行）。新水法第四十八条规定：直接从江河、湖泊或者地下取用水资源的单位和个人，应当按照国家取水许可制度和水资源有偿使用制度的规定，向水行政主管部门或者流域管理机构申请领取取水许可证，并缴纳水资源费，取得取水权。第四十九条规定：用水应当计量，并按照批准的用水计划用水。用水实行计量收费和超定额累进加价制度。第五十五条规定：使用水工程供应的水，应当按照国家规定向供水单位缴纳水费。供水价格应当按照补偿成本、合理收益、优质优价、公平负担的原则确定。

新水法颁布后，国家发展和改革委员会与水利部联合发布了《水利工程供水价格管理办法》(以下简称《水价办法》)，自 2004 年 1 月 1 日起正式施行。这是我国水价管理法制建设方面的又一重大突破,标志着我国水利工程供水价格改革进入了一个新的阶段。《水价办法》是适应社会主义市场经济的要求，在广泛调研、充分吸收国内外水价改革经验的基础上形成的，核心内容是建立科学合理的水利工程供水价格形成机制和管理体制，促进水资源的优化配置和节约用水。《水价办法》明确了水利工程供水的商品属性，彻底改变了长期以来将水利工程水费作为行政事业性收费进行管理的模式，依法将水利工程供水价格纳入了商品价格范畴进行管理；规范了水利工程水价形成机制以及核价的原则和方法，明确水利工程供水价格按照补偿成本、合理收益、优质优价、公平负担的原则制定，并根据供水成本、费用及市场供求的变化情况适时调整；要求实行超定额累进加价、丰枯季节水价和季节浮动水价制度，逐步推广基本水价和计量水价相结合的两部制水价制度。同时，为减轻农民水费负担，根据农业用水的特殊性，规定农业用水价格不计税收和利润。《水价办法》还规定了水利工程供水价格的管理权限，明确了相关各方的权利义务和法律责任。

《水价办法》的实施，将对促进水利工程供水价格改革，维护正常的水价秩序，保护供用水双方的合法权益，合理利用和保护水资源，建设节水型社会发挥重要的作用。

7.2 水资源价值

从上一节我们简单了解了水资源和水资源价值的涵义，以及水资源价值研究的重要意义，为了弄清水资源价值的具体内涵，下面就从水资源的特性入手，详细介绍水资源价值及其影响因素，以及水资源价值研究的相关理论。

7.2.1 水资源的特性

现如今的商品社会中，由于许多商品的生产过程需要用水，因此水也就具有了一定的经济价值。为了用水，从开辟水源地到把水输送到用水户，以及中间对水的净化处理等，都需要投入一定的人力、物力和财力，这种经过加工送到用户手中的水就增加了经济价值，这样的水就具有了商品属性。但因为水是人类生存的最基本条件之一，具有社会公益性，有时又不能完全以商品来对待，在水的分配上，不能完全按经济法则办事。因此，水是一种特殊性质的商品。同时，水资源存在时空差异性和随机变化性，这些会影响到水的供需状况，从而影响到水资源的经济特性。此外，水质的不同、取引水工程措施不同等也影响到水的价格。因此，与其他资源相比，水资源具有其自身的特性。

7.2.1.1 不可替代性

水是自然生态环境的基本要素，它不仅是人类和其他一切生物生存和发展的必要条件和基础物质，也是国民经济建设和社会发展不可或缺的资源。其他资源，如矿产、石油等，可以有别的替代产品或人造产品，但水是不可替代的。科学发展到今天，人类虽然能人工合成胰岛素、人造纤维、人造器官等，但从实用意义上说，还不能人工造水。水资源既是生活资料又是生产资料，在国计民生中的用途相当广泛，各行各业都离不开水。随着人口的增长、经济的发展和人类物质文化生活水平的提高，人类社会对水的需求日益增长，水资源已经成为经济发展的一个重要制约因素。在当今世界，对水的认识是把其纳入国家综合国力的重要组成部分来对待，国际上公认水是未来繁荣昌盛和社会稳定的一种关键自然资源。

7.2.1.2 可再生性

自然资源可划分为可更新资源和可耗竭资源两大类。水资源属于可更新资源，具有可再生性。其可再生性主要通过全球水文循环来完成。在太阳能的作用下，水从地球表面，特别是从海洋蒸发到大气中，经过大气的输送、冷凝，然后又降落到地面，一部分渗入地下，一部分经汇流从江河流入海洋。如此在海洋、空气、陆地间周而复始，年复一年的演变，使淡水具有自然的再生性供人类世代享用。水资源经人类开发利用后可以通过大气降水得到补给，并在一定范围内保持动态平衡。它不像地质历史时期形成的矿产资源那样，总量一定，越用越少，水资源可以循环再生、恢复，能得到永续利用。水资源的质还表现为可改善性。水质的改善既可根据水体的生态环境和物理化学特性，利用水体的自净功能和水文地质环境对水体的净化能力来达到，也可通过人为技术措施来实现。

7.2.1.3 稀缺性

尽管水资源是可再生的，而且地球上水资源总量是十分巨大的，约为 13.86 亿 km^3，地球表面约 71%的面积被水所覆盖，但其中的 97.47%是咸水，全球淡水储量约为 0.35 亿 km^3，只占地球水总储量的 2.53%，而且主要分布在冰川、永久积雪以及地下。考虑到现有的经济和技术能力，理论上可以开发利用的淡水不到地球总水量的 1%，实际情况还要远远低于此理论值。因此，虽然地球上总水量非常丰富，但适合饮用的淡水是十分有限的，相对于人类无限的需求来讲，水资源是稀缺的。水资源的稀缺性，主要表现在供需矛盾上。随着工农业生产的发展和人们生活水平的不断提高，人类对水资源的需求量越来越大，但某一地区可利用的水资源总量是有限的，因此必然导致供需矛盾的发生，水资源的稀缺性是必然存在的。

我国水资源总量为 2.8 万亿 m^3，占世界水资源总量的 7%，但我国用世界上 7%的水资源养活了占 21%的人口，中国人均占有水资源量只有世界平均水平的 30%，属于水资源紧缺的国家。

7.2.1.4 水资源时空分布的不均匀性

水资源的演变受水文随机规律的影响，年、月之间的水量均发生变化，有丰水年、枯水年、平水年之分，有连续的丰水年和连续的枯水年情况，也有丰水年和枯水年交替变化。空间分布的不均匀性是指水资源存在着空间分布上的差异，靠近江、河、湖的地方水资源丰富，沙漠地区则水资源贫乏。我国一般夏秋季降水较集中，而冬春季降水偏少；广大的西北和华北地区水资源稀少，南方地区水资源相对较多。北方地区的耕地面积占全国的 64%，但水资源量仅占全国的 18%，黄、淮、海河的开发程度已超过 50%，海河甚至达到了 90%，而全国目前平均水资源开发利用水平为 19%。实践证明，一个流域水资源开发利用程度超过 40%就会出现水体自净能力下降、水质变坏、河口自然条件恶化等生态环境问题。

7.2.1.5 供水的区域性和市场的垄断性

由以上可知，水商品的供给是有时空限制的。因此，水利基础产业部门一般只能根据自然水资源分布状况，从事适宜的水利建设来生产水商品。水商品的供给区域比较固定，多半具有流域性的限制。水资源不能像其他商品一样，在市场上广泛流通，水市场具有明显的区域性，受输水工程范围的限制。有时为了解决缺水问题而修建跨流域调水工程，如引黄济津、南水北调等工程。这类工程虽然实现了水商品长距离运输与供给，缓和了区域水资源的不足，但一次性投资非常大，建筑物多，建设线路长，涉及面广，建成后运行管理不便，地区间容易发生水事纠纷。

由于供水受区域性影响极大，水资源市场自然而然形成垄断，区域内只有一家或少数几家供水企业从事水资源开发利用，水价为垄断价格，不存在市场竞争，供水市场几乎完全是供方市场，水只有区域价格，没有全国价格和国际价格。因此，水的交易具有区域垄断性。

7.2.1.6 开发的整体性和利用的综合性

水资源是基础性的自然资源，是支撑可持续发展的土地资源、森林资源、草原资源、物种资源以及气候、旅游等资源的母体资源。水把地球生物圈中的人类和动植物紧紧联系在一起，形成了一个相互依存、相互促进、相互制约、彼此协调的系统。人类协同万物在整个地球上繁衍生存、持续发展。因此，如何保全、保护好这一系统，是人类为之奋斗的目标和衡量人类一切行为的标准。

水资源的利用是综合性的。水资源的利用往往是城乡生活及工业供水、防洪、除涝、航运、水产养殖、水力发电、农田灌溉、旅游观光、水土保持、水环境保护等功能的综合。水利工程一般为综合利用建设项目，一个水利工程往往要实现以上的几个功能目标。这就要求在进行水资源项目规划和设计时，既要考虑区域内水资源的总体状况，又要兼顾各部门和各种利用方式间的差异，一定要实现区域水资源的合理开发利用。这种区域水资源利用功能的综合性和差异，也决定了不同地域水资源价值和价格的不同。

7.2.1.7 供水的多来源性

由于水资源以固、气、液三相存在于大气、地表和地下，因此人类对水资源的开发和利用方式也是多途径的。目前，限于科学技术的发展水平，人类广泛大规模开发利用的水资源有河川径流和地下水两种，还有少量的污水回用、海水利用、土壤水利用和雨洪利用等。由于不同水源的水质和利用方式的不同，导致了不同的开发利用模式，形成了不同的水市场价格。水的多来源性导致的不同水源开发利用方式和开发成本的差异均影响水价。

7.2.1.8 利害双重性

水的可供开发利用和可能引起灾害，决定了水资源在经济上的利害双重性，这是降水和径流的时空分配不均造成的。作为自然资源，水是人类生产和生活不可缺少和不可替代的物质基础，是人类生存的基本条件。同时，水也是一种环境资源，是生态系统中最活跃的因子，是自然界能量转换和物质运输的载体。但另一方面，水有时又会带给人类自然灾害的困扰，如洪、涝、旱等灾害，以及水质恶化导致疾病等。水多、水少、水污染都可给人类带来巨大的灾害，洪涝和干旱是目前世界上最严重、发生频率最高的自然灾害。当人类科学技术发展到一定水平后，人类逐渐学会通过工程和其他措施来改造水环境，使之向有利于人类的生活和生产的方向转化，但有时也会因在一些问题的认识上不够全面，违背了自然规律，出现事与愿违的情况。水资源开发利用不当也会引起人为灾害，如垮坝事故、次生盐碱地、水质污染、环境恶化等。水资源的综合开发利用应达到兴利和除害的双重目的。

7.2.1.9 市场固有性

水资源与人类的生存和发展密切相关，随着社会生活和工农业生产的发展，人类对水商品的需求量不断上升。一方面，由于世界人口数量的不断增加，人均占有水资源数量在相对减少；另一方面，由于水污染又使得可利用的水资源数量在相对减少。因此，水商品具有很强的市场占有率。并且，一旦水商品在某一地区占领市场后，供需双方的交换对象都无可选择。这是其他产业资方拥有者所青睐的特点。只要水文年份正常，水商品的供给与需求弹性都不大。只有在特殊的水文年份(如大旱年或洪水年)，水商品供求间的矛盾会很突出。

7.2.1.10 商品的公共性和非公共性

前边提到水是一种特殊商品，公共性和非公共性是水商品的特性，水是一种公共商品又不完全是一种公共商品。一般来讲，纯公共商品的生产和销售是政府的责任；私人商品则通过市场来运行。但大多数与水有关的行为，并不是严格的公共商品或私人商品。若要使水资源有效合理的利用，常常需要政府的干预和调控。前边讲到水资源的开发利用是综合性的，常常是多目标混合在一起，既包含着公共商品的性质也包含着私人商品的性质。如以综合利用水利工程为例，假设水库具有防洪、灌溉、发电、供水、旅游、水土保持、水产养殖等功能，其中防洪、旅游、水土保持属于公共商品，对所有的组织和群众及个人开放，而灌溉、发电、供水、水产养殖等既具有公共商品的性质，又具有非公共商品的性质。

7.2.2 水资源价值的影响因素

水资源是人类生存、社会经济生活不可替代的自然资源，水资源价值的研究涉及到众多领域，其影响因素大体上可分为自然因素、经济因素和社会因素三类。三种因素之间是相互影响、相互作用、相互耦合的，这就使得水资源价值变得复杂化。

自然因素是决定水资源价值的重要因素之一，就理论而言它是非人工控制的。如水资源的时空分布，它决定了水资源态势、水资源的丰度和品质、水资源的开发条件及特性等。

经济因素在水资源价值形成过程中占有不可或缺的地位。无论水资源态势怎么强，如果不去开发利用，不与经济因素结合起来，水资源价值充其量表现为生态价值，其经济价值无法体现。水资源与社会经济的有效结合，是水资源价值产生的源泉。因此，水资源价值与经济因素密切相关。流域经济学的兴起，即以河口或港口城市为依托，以主要江河为枢纽，形成整体经济发展之态势，并成为世界各国、各地区经济发展的重要支柱，就是明显例证之一。

社会因素在水资源价值形成过程中同样占有重要的地位。水价问题是一个是涉及社会发展方方面面的重要问题，合理的水价形成机制与水价体系的建立，应根据不同国家、不同地区的历史、社会、经济、政治、法律等诸多因素，全方位进行具体分析和综合考虑，才可能建立一个相对合理的水价体系。

下面从水资源量、人口数量、经济因素、水质等方面具体说明。

7.2.2.1 水资源价值与水资源量

水资源价值与水资源量存在着不可分割的必然联系。水量是评价一个地区或流域内水资源丰富程度的重要指标。水量的多少是指在正常情况下，当地地表水可以自产多少，本地流入外地多少以及这些水量的年际变化和本地区分布情况，此外还包括当地水资源的可控制程度。

对于水资源价值与水资源量的关系，美国詹姆斯（L. Danglus Tames）和李（Rbrt. R. Lee）提出了如下公式：

$$Q_2=Q_1(P_1/P_2)^E \tag{7-1}$$

式中 Q_2——调整价格后的用水量；

Q_1——调整价格前的用水量；

P_1——原水价；

P_2——调整后的水资源价格；

E——水资源价格弹性系数。

式（7-1）从量的关系上说明了水资源价值与水资源量是紧密联系在一起的，体现了水资源价格与供求之间的关系。

供水量在很大程度上取决于其天然资源量。因此，水价问题可能会出现两种情况：在某些地区，水资源量较为丰富，供大于求，这时供求关系将是水价的主要控制因素；在另外一些地区，水资源量贫乏，可用水量有限，供小于求，且异地调水的成本很高，这时若还要进行全成本核算，水价会相当高，因而此时水的定价问题就会变得比较复杂，必须考虑水资源的特殊性。

7.2.2.2 水资源价值与人口

水资源价值与人口有密切的关系，这主要表现在以下几个方面。

1)人口的增加使生态环境恶化，影响水资源价值

人口与环境问题是世界性问题，特别在发展中国家这两个问题更为严重。中国政府清醒地认识到人口、资源环境问题在很大程度上制约了我国国民经济持续快速健康地发展，因此对此极为重视，先后将计划生育控制人口增长和改善保护环境定为基本国策。综观历史发展进程，人口与环境相互作用，导致生态环境发生巨大变化。根据经济学基本原理，当水资源能充分满足人类自身需求条件时，生态环境的恶化对水资源价值的影响是不显著的；但是，当水资源随着人口的增加出现短缺时，生态环境的恶化对水资源价值就产生较大影响。环境的恶化意味着水资源的短缺加剧，因而最终影响水资源价值。其主要体现在：

(1)人口的增加使土地超负荷使用，开垦荒地破坏自然生态环境，生产更多的粮食需要更多的水，使水资源供求紧张。

(2)人口的增加需要更多的能源，能源开发和使用危害之一就是大气污染加剧带来酸雨及温室气体等问题，进而影响水资源的量和质。

(3)人口的增加使森林覆盖率急剧减小，森林的主要功能有涵养水源、防止水土流失等，它影响水资源。

(4)人口增加加剧矿产资源的开发，矿产资源的大规模消耗，是导致资源危机的重要原因，也加速了水土流失，破坏了地下水的自然循环，同时加剧水资源污染。

2)人口增加直接耗水量增大，加剧了水资源供需矛盾

人类生存离不开水。据有关资料显示：公元前一个人一天耗水 12 L，到了中世纪增长到 20~40 L，18 世纪增长到 60 L，当前欧美一些大城市每人每天耗水达 500 L，最高在 600 L 以上。它表明人类耗水量与生活水平有密切的关系，随着生活水平提高，耗水量也在增加。

人口数量的增长不仅使人均水资源占有量相对减少，而且对水资源的需求量(或消耗量)会相应增加。因为一般来说，某一地区水资源总量通常是一定的，需水量的增加意味着供需矛盾的加剧。此外，需水量的增加同时也说明了污水排放量的增加。人本身就是一污染源。据估算，在目前生活水平条件下，每日每人排放 COD、BOD、氨氮、总磷分别为 50、25、2.5、0.5 g，随着生活水平的提高还会有所增加。这说明人口的增加使水质污染，更加剧了水资源的供需矛盾。

综上所述，水资源价值与人口有密切的关系。在研究水资源价值时，决不能忽略人口这个因素。

7.2.2.3 水资源价值与经济因素

水资源与社会经济密不可分。水资源是利用最广的自然资源，绝大多数经济活动都与水有关，随着水资源短缺问题日益加深，水资源已成为国民经济持续快速健康发展的“瓶颈”。有专家预测，21 世纪水资源产业将成为基础产业。

水资源短缺对经济的影响主要表现在三个方面：水资源流向产值高的部门，如弃农保工是常见的；农业结构向低耗水型转变；工业内部结构也向低耗水型转变。

因此，水资源与经济系统是相互作用不可分割的，经济结构影响着水资源价值。

7.2.2.4 水资源价值与水质

水质(Water Quality)是水体质量的简称，它标志着水体的物理、化学、生物特征及其组成的状况，它是水体环境自然演化过程中和人类在集水区域内活动程度的反映。水质与水资源的功能是紧密地联系在一起的，从水资源功能来看，大体可分为生活用水、水产养殖、工业用水、农业灌溉、航运、景观旅游、环境用水(纳污净化)等七类。

水资源功能不同，单位水资源量所创造的价值是不同的，即水资源在不同部门对国民经济的贡献存在着差异，其价值不同。一般地说，水资源功能决定于水质，好的水质功能多样，而水质差则功能单一，甚至失去原有功能成为废水。

水资源受到污染，所造成的损失是巨大的。为了治理水资源污染，人类花费巨大的资金，投入大量的劳动，这种价值的投入是为了尽可能恢复水资源原有功能而进行的。多年来，我国政府为了恢复水资源功能进行了不懈的努力，据估算，我国 1990~2000年废水治理总费用达 760 亿元，占同期国民生产总值的 0.79%。它说明我国在维护水资源水质方面所投入的物力是相当巨大的，现有的水资源含有人类的劳动。投资的增加，从一个侧面说明了水质与经济发展相互依赖的关系。一方面，经济的发展污染了水资源，使水质变差；另一方面，经济的发展积累了资金，同时促进科学技术的发展，为水质的恢复和改善打下了雄厚的物质基础。二者矛盾的统一，反映了资源价值与水质的关系。

应该注意的是，从经济学原理来看，水资源价值并不是由单一污水资源恢复到原来程度所需要的费用所决定的，它与区域整体的水质等其他因素有关。(《水资源经济》，杨培岭等，2003)

7.2.3 水资源价值理论

目前，国内外关于水资源价值的理论研究很多，下面就其中主要的边际效用价值论、马克思的劳动价值论、存在价值(非使用价值)论和地租论等进行简要的介绍。

7.2.3.1 边际效用价值论

效用价值理论认为，一切生产无非都是创造"效用"的过程，但人们获得效用却不一定非要通过生产，效用不但可以通过大自然的赐予获得，而且人们的主观感觉也是效用的一个源泉。"边际效用"是指人们所能消费的某种商品中，给人们所带来的最后一种效用。边际效用价值论主要观点如下：

(1)价值起源于效用，效用是形成价值的必要条件，效用和稀缺性结合起来构成了商品的价值。效用是物品能够满足人们需要的某种属性，而价值是人们对物品效用的主观评价。但只有在物品相对于人的欲望来说稀缺的时候，才构成人的福利的不可缺少的条件，从而引起人的评价。

(2)边际效用是衡量价值量的尺度。

(3)效用是由供给和需求之间的状况决定的，其大小与需求强度成正比例关系，物品的价值最终由效用性和稀缺性共同决定。

(4)边际效用递减和边际效用均等。人们对某种物品的欲望程度随着享用该物品数量的不断增加而递减，随着物品的不断供给，其边际效用可降低为零。这就是边际效用递减规律。但由于许多物品的供应是有限的，人们必须有意识地把各种欲望的强度进行比较，将有限的物品分配在一系列不同种类的欲望中。不管几种欲望最初绝对量如何，只有最终使各种欲望满足的程度彼此相同，才能使人们从中获得的总效用达到最大，此即边际效用均等定律，也称边际效用均衡定律。

运用边际效用价值理论很容易得出水资源具有价值的结论。因为水资源是人类生活不可缺少的自然资源，无疑对人类具有巨大的效用；此外，自 20 世纪 70 年代以来，水资源供给与需求之间产生了尖锐的矛盾，水资源短缺已成为全球性问题，水资源满足既稀缺又有用的条件，因此水资源具有价值。但效用价值论决定价值的尺度是效用，效用本身是一种主观心理现象，无法从数量上精确地加以计量。此外，该理论将商品价值这个客观的社会历史范畴划分到主观的个人心理范畴，完全割裂了商品的价值同劳动之间的关系，削弱了价值本身所固有的物质内容。

7.2.3.2 劳动价值论

马克思的劳动价值论论述了商品的价值和使用价值的对立统一关系，首创了劳动二重性理论，指出价值与使用价值共处于同一商品体内，使用价值是价值的物质承担者，离开使用价值，价值就不存在了。使用价值是商品的自然属性，它是由具体劳动创造的；价值是商品的社会属性，它是由抽象劳动创造的。

马克思经济学对商品的定义是指用以交换、能满足他人某种需要的具有价值和使用价值的劳动产品。随着全球性水资源短缺问题的出现，水有价值已是为世人所接受的客观事实。另外，经水利产业生产部门开发利用的自然水资源，经过投入资本和劳动，增加了水的使用价值。由此可见，水具有价值和使用价值，符合马克思的商品理论。

运用马克思的劳动价值论来考察水资源的价值，关键在于水资源是否凝结着人类的劳动。目前在这一点上，存在着不同的观点。有一种观点认为，处于自然状态下的水资源，是自然界赋予的天然产物，不是人类创造的劳动产品，没有凝结着人类的劳动，它没有价值；另一种观点则认为，当今社会，已不是马克思所处的年代，人类为了保持自然资源消耗速度和经济发展需求增长相均衡，投入了大量的人力物力，水资源等自然资源已不是纯的天然自然资源，它有人类的劳动参与，打上了人类劳动的烙印，具有价值。经济社会发展所面临的资源环境危机早已表明，水资源等自然资源仅仅依靠自然界的自然再生产已远远不能满足现实高速经济发展的需求，我们必须付出一定的劳动参与自然资源的再生产和进行生态环境的保护。水资源等自然资源价值就是人们为使社会经济发展与自然资源再生产和生态环境保持良性平衡而付出的社会必要劳动，从生产、使用价值与价值补偿等角度来看，水资源等自然资源不再是自然之物，它包含了人类劳动，所以水资源等自然资源具有价值，其形成是为了补偿水资源等自然资源消耗与使用的平衡所投入的劳动。

上述两种观点都是从水资源等自然资源是否物化人类的劳动为出发点展开论证的，但所得出的结论却截然不同。认真分析两种结论相反的原因，主要是归结于劳动价值论是否适用于现代的水资源等自然资源。第一种观点没有考虑资源环境等现实问题，如果立足于经济尚不发达，环境问题还不突出，资源相对于人类的需求丰富的年代，无疑是正确的，马克思所处的年代正是这样的年代；第二种观点则立足于 20 世纪后半叶的现实，经济高度发达，资源环境问题成为世界面临的大问题，资源的供给已难以满足日益增长的经济需求，必须参与自然资源的再生产，这样不可避免地投入人的劳动，水资源等自然资源具有价值正符合马克思的劳动价值的观点。事实上，立足于劳动价值论下的两种不同的结论都没有解决水资源等自然资源被无偿使用的问题。前者认为水资源等自然资源没有价值，因而衍化出没有价格的结论，水资源等自然资源被无偿使用，导致掠夺性地开发，破坏了生态平衡；后者尽管谈及水资源等自然资源具有价值，但价值的补偿只是对所耗费的劳动进行补偿，同样也没有涉及到对自然资源本身被耗费的补偿，它虽然在一定程度上通过经济杠杆调节作用限制了水资源等自然资源的使用，但最终的结果同前者一样，水资源等自然资源被无偿使用了。因此，运用单纯的马克思的劳动价值论解决水资源等自然资源的价值是有一定困难的,我们必须予以发展或寻求其他更好的途径。

无论是西方的效用价值论，还是马克思主义的劳动价值论，都没有完全解决好水资源价值问题。我们必须在深刻理解马克思的劳动价值理论和西方效用价值理论基础上，建立适应现代化需要的资源价值理论，彻底改变“资源无价”的传统价值观念，为水资源等自然资源价值核算提供科学的理论依据。正如英国皇家学会会员艾伦·科特雷尔教授指出的：“无论什么样的社会形式，都必须承认有限的、会枯竭的自然资源都有价值。因此，必须从这样或那样的形式给资源制定价格，以便限制消耗和给予保护关心。”

7.2.3.3 存在价值或非使用价值论

存在价值或非使用价值是现代西方资源经济学和环境经济学对资源价值的认识。存在价值是由 Krutilla 于 1967 年在自然资源配置决策中提出来的。存在价值认为自然资源和环境资源是永久财富(决定于采取的管理措施)，能为人类提供舒适或在某些情况下提供消耗性服务。水资源的存在价值论是要人们从水资源的环境价值和生态经济角度来认识它，这是符合现实情况的。

存在价值认为资源是一种财富，因为经济学的价值是从人们的选择中产生的，把自然资源的存在价值作为财富，是所选择的政策影响这些财富的事实中衍生的。存在价值的定义基于提供服务的资源可利用性(或存在)和控制个人如何获取这些服务之间的微妙联系，提出了区分总价值、使用价值和存在价值的机制。但将任何资源总价值分离为使用价值和非使用价值,是为了估计这些价值的货币价值量。资源的非使用价值(存在价值)只有当决定资源特性如何影响个人对资源决策时相关。由此可见,存在价值(非使用价值)不是一个完全的价值理论，而是人们为了计算资源价值的价值量时区分出来的，而且它没有一个客观的价值标准。但是在计算资源价值时，它不失为一个较好的方法。

7.2.3.4 地租论

地租是土地所有者凭借土地所有权获得的收入。地租理论的发展经历了漫长历史发展阶段，在中世纪文献中就已提及地租概念，但它的发展一直很缓慢，直到 19 世纪 60 年代才有科学的系统论述，地租理论是马克思《资本论》的重要组成部分。在西方经济学中，“土地”一词并非纯指土地这一单纯的自然资源，它的概念非常广泛，泛指水资源等一切自然资源。英国经济学家马歇尔(Alfed Marshall)曾明确指出，土地是大自然无偿资助人们的陆上、水中、空中、光和热等物质的总称。马克思对此也有明确的论述：“考察一下现代的土地所有权形式，对我们来说是必要的，因为这里的任务总的来说是考察资本投入农业而产生的一定的生产关系和交换关系……为了全面起见，必须指出，只要水流等有一个所有者，是土地的附属物，我们也把它作为土地来理解”（《马克思恩格斯全集》，第25卷，第694～695页）。因此，地租理论同样适用于水资源。

1）水资源级差地租

级差地租指生产条件较好或中等土地所出现的超额利润。按马克思的级差地租理论，级差地租分为级差地租Ⅰ与级差地租Ⅱ。级差地租Ⅰ是等量资本投在不同等级的同量土地上所产生的个别生产价格与调节市场价格、垄断生产价格之间的差额，对水资源而言，是较优等水资源投资的收益与劣等水资源投资收益之间的差额。如果等量的资本不是同时投在质量不等的同量土地上，而是连续地追加在同一土地上，那么，由于连续追加投资的不同生产率而产生的级差地租，就是所谓的级差地租的第二形态，即级差地租Ⅱ。

由于水资源的时空分布极不均匀，且产业结构相差很大，污染源的分布也有差异；并且，水资源的态势、丰度等不同；这样，同量的资本投在不同的水资源上，所获得的收益是不同的；或者连续追加资本到同一水资源上，其生产率亦有差别。因此，产生水资源级差地租。如两个企业A、B，A占有、使用较好的水资源，而B所占有、使用的水资源较差，则A企业的水的生产成本比B企业水的生产成本低，从而A比B获得的超额利润大。显然，这部分超额利润不是A企业管理经营的结果，而是因为它利用了优等的水资源，在不征收水资源级差地租情况下，这部分利润没有到水资源所有者手中，而是无偿地被使用者所有。例如，山东省跨流域调水工程引黄济青工程成本为0.5元／m^3左右，正在规划实施的引黄济烟（台）等工程成本则更高，但一般工程供水成本仅为0.1～0.2元／m^3不等。这里水资源级差地租是很明显的。

水资源级差地租形成的根本原因就在于水资源的态势、丰度、质量不同及开发利用条件的不同。级差地租理论是马克思经济理论的重要组成部分。有学者认为，水资源价格确定应以级差地租为前提。但将级差地租理论应用于水资源价格的制定存在一定困难，主要原因如下：

（1）水资源难以形成一个宽广的市场，它不像其他产品，通过运输在全国甚至世界范围内流通调剂，如前所述，水市场存在区域性和垄断性。

（2）水利是国民经济的基础产业之一，其价格的形成受国家政策的影响很大。水资源是不可替代的资源，其价格的形成还受经济收入影响，超过用户的承受能力是难以长久的。

（3）从目前我国现实情况来看，我国的水价还未完全走上市场经济的轨道，水价的制定大部分只能满足运行管理费用，很难做到按水资源条件去确定价格，生产水资源的单位无论所运用的水资源优与劣，都难以获得超额利润。

2）水资源绝对地租

最早在著作中提到绝对地租的是资产阶级古典经济学流派，但它们所谈的地租只是剩余价值的一种形态，真正论述绝对地租的是英国古典经济学家亚当·斯密，它将所有权与地租联系起来，但他所提出的概念是初步的。马克思在总结批判前人成果的基础上，确立了科学的绝对地租概念。绝对地租是指土地所有者单凭土地所有权获得的地租。水资源所有权，即水资源的垄断存在，主要因为：

第一，水资源是人类生活不可缺少的资源，它是关系到国计民生的大问题。

第二，水资源尽管在一定条件下可以再生，但是它的数量是有限的，经济发展需求与水资源供给存在很大矛盾，而且水资源的可供给量不是由经济制度本身所决定的。水资源所具有的生产性、不可替代性和稀缺性，使水资源所有权的垄断成为可能。为了有效、合理地利用水资源，并在市场经济条件下，水资源所有权在经济上得以实现，就必须对水资源的使用者收取一定的费用，这种凭借水资源所有权所取得的收益，就是水资源绝对地租。水资源绝对地租的实现，也就是水资源所有权的实现。它要求不管水资源是如何丰富，也不管水资源开发条件多么劣等，使用具有明确所有权的水资源都应该向所有者缴纳一定的地租，即付出地租转化而来的水资源价格。

另外，目前理论界又提出污水资源地租的概念，其核心问题反映的是环境水价即污水处理费的征收问题，这里不做具体介绍。

基于马克思的地租理论，1993 年国家科学技术委员会社会发展司的“水资源核算研究报告”认为，自然资源的存在和拥有是人类赖以生存和发展最重要和最基本的物质基础。自然资源是构成社会财富的基本要素，是有价值的。自然资源本身的价格或价值是资本化了的或资源化了的地租，地租理论适用于水资源的价值量核算。水资源所有权可以产生地租，它的价格就是付给其所有者——国家的资源地租。因此，确定商品水资源的价格，必须考虑绝对付费问题。这种费用不是耗费在水上面的劳动，而是为水资源的所有权支付的资源地租，它是水资源价格的重要组成部分。地租是自然资源价值的一种体现，地租理论对确定水资源价格有很大的帮助。

7.3 水价制定与实施

上一节从理论上介绍了水资源具有价值以及如何确定水资源价值的问题，并且知道了水是一种特殊性质的商品。那么下面就具体介绍水商品价格，即水价的制定与实施。

7.3.1 水价的几个基本概念

水价是水利经济良性循环的纽带，科学地认识水价，建立科学的水价体系，不仅有利于水利经济的健康发展，而且有助于水资源的合理配置和高效利用，对缓解水资源危机起到积极的推动作用。合理水价的制定是一个非常复杂的系统工程，影响水价的因素非常多，不仅牵涉到广大消费者的切身利益，而且与水资源的可持续开发利用息息相关。

下面，我们首先介绍有关水价的几个基本概念。

1）成本水价

成本水价即水商品的生产成本。客观地讲，成本水价应该是水商品价格的下限，是制定其他价格的基础和依据。当前，正常条件下的农业用水的价格就是水商品的成本价格，即成本水价。

2）理论价格

理论价格又叫理想价格或合理价格，它是根据马克思的价格理论，以产品的社会成本加合理盈利额制定的。理论价格可能不是马上可以实施的，但它能为调整现行的不合理价格指明方向。一般在理论价格的基础上，参照供求状况和国家政策制定实际价格和计划价格，所以理论价格又叫基础价格。通常所说的生产水价即水商品的理论价格。

3) 目标水价

目标水价也叫决策水价，它以理论价格为基础，考虑其他经济、政治等因素而确定的价格。目标水价可以促进生产和流通，鼓励合理利用各种资源，调节生产比例和效益分配，指导消费，使国民经济取得最大经济效益。在水利工程供水中，许多水价都是目标水价。当前，农业用水采用的成本价和工业用水采用的成本加盈利水价实质上都是目标水价。

4) 影子水价

影子价格是一种理论价格，是真实价格的一种度量，它是指在最优的社会生产组织和充分发挥价值规律作用的条件下，供求达到平衡时的价格。从影子价格的定义可以看出，影子水价是反映区域内水的一种平均临界价格，它指的是在一定的区域内和一定的供水水平下，由于多年平均有效供水增加(或减少)一个单位而造成的区域国民收入相应增加(或减少)量。影子水价是市场条件下供需动态均衡时的重要价格信号，为实际水价的制定提供了理论依据。

5) 均衡水价

理论上，均衡水价是指在市场经济条件下，水资源供需达到动态均衡状态下的水市场供水价。按照经济学定义，在均衡价格下，水市场是处于均衡状态的。若市场水价大于均衡价格，说明水市场存在一定的稀缺，供不应求，将刺激供应增加，导致价格下降，市场重新处于均衡状态；反之，若市场水价低于均衡价格，则水市场存在一定的剩余，供大于求，将减少供应，致使价格上升，市场也将重新处于均衡状态。因此，若市场发展完善，市场具有趋于均衡的内在机制。高价抑制消费，低价鼓励消费。同时，由于价格直接反映在生产者的收入中，对生产也起着调节作用，高价鼓励增加生产，低价抑制生产。

在市场经济条件下，均衡水价应是明确体现水资源供求关系的合理价格。但由于水商品市场具有不同于其他商品的市场运行规律，如垄断性、区域性和公益性等，目前均衡价格仅仅是重要的区域水价制定的参考。

7.3.2 水价的构成

2000 年 10 月 22 日，水利部部长汪恕诚在水利学会年会上提出水价可分为资源水价、工程水价和环境水价三个组成部分，在水资源配置较好的发达国家也都是这样做的。因此，在制定水价时要充分考虑这三个方面的因素。

1) 资源水价

资源水价是体现水资源价值的价格，也可以叫水权价格，它包括对水资源耗费的补偿，对水生态影响的补偿和为加强对短缺水资源的保护、促进技术开发的投入(其中应包括促进节水、保护水资源和海水淡化技术进步等的投入)。根据自然资源有偿使用原则，国家对资源的开采要征收相应的资源税。在我国，对水资源的开采是由水主管部门征收水资源费。《中华人民共和国水法》第四十八条规定：“直接从江河、湖泊或者地下取用水资源的单位和个人，应当按照国家取水许可制度和水资源有偿使用制度的规定，向水行政主管部门或者流域管理机构申请领取取水许可证,并缴纳水资源费,取得取水权。”

水资源费的制定标准应体现以下内容：国家对水资源拥有产权，水企业开发利用水资源是国家水资源产权中使用权的转让，水资源费应该包括水资源使用权的转让费；区域水资源的稀缺性；区域水资源开发利用的间接费，包括水文监测、水源地保护及相关的科技投入费用等;水资源开发利用的外部成本。水利部水政水资源司 1995 年制订的《水资源费测算技术大纲》中规定，水资源费按有偿使用费和使用补偿费两部分进行测算，水资源使用补偿费分两种：一是水量补偿；二是水质补偿。

水资源费是法定价格，不随市场变化，但其定价也要考虑以下问题：

(1)要加大水资源费的征收力度，逐步提高征收标准。

(2)提高征收标准要适时、适地、适度。要考虑征收对象的承受能力及其所利用的水资源的状况，考虑到城乡差别、地区差别和气候变化。

(3)提高水资源费要建立预警制度，使用水户尤其是企业有所准备，有时间调整适应。

2)工程水价和环境水价

所谓工程水价就是通过具体的或抽象的物化劳动把资源水变成产品水，进入市场成为商品水所花费的代价，包括工程费(勘测、设计和施工等)、服务费(包括运行、经营、管理、维护和修理等)和资本费(利息和折旧等)的代价，具体体现为供水价。所谓环境水价就是经使用的水体排出用户范围后污染了他人或公共的水环境，为污染治理和水环境保护所需要的代价，具体体现为污水处理费。

工程水价和环境水价是在政府通过特许经营管制的不完全市场中的水价，它的确定大致应遵循以下原则：

(1)实行民主协商制度，增加水价制定的透明度。水市场是一个不完全市场，水行业带有较强的垄断性质，政府又通过特许经营进行管制，因此由政府、水企业和水消费者三方组成流域和城市的水务委员会，进行民主协商，增加水价制定的透明度不仅是必要的，也是符合三方根本利益的。

(2)充分考虑农业用水户的承受能力。对农业水价的调整应该严格遵循适时、适地、适度的原则，对于确实负担不起的，也要微提水价，促进节水意识的提高。宁夏自 2000 年 4 月把农业水价翻了一番，从 0.6 分 / m^3 提高到 1.2 分 / m^3，节水 5 亿 m^3，近总用量的 15%，农民反映可以承受，有的还由于用量大大减少反而减轻了负担。

(3)要建立水价提高的预警制度。各地根据水资源的供求状况，充分在水务委员会中协商，做出水价规划，发出预警，增强各类用户的心理承受能力。同时做好设备、技术、资金等准备。此外，水价调整也不宜过于频繁。

(4)水资源统一管理是合理水价机制形成的保证。水资源统一管理主要体现在“加强流域水资源的统一管理、保护”和在城市实现城乡水务一体化管理的水务体制上。从科学上讲，有了这两个统一管理才能实现水资源的供需平衡，只有在这一基础上才能形成合理的水价制定机制。

7.3.3 水价的实施

水价征收制度的选择是定价目的的体现，对水资源的开发利用具有重要的影响。收费制度的选择将决定是鼓励用水还是节约用水，是否满足了基本需求，是否促进水资源的有效利用以及能否保证水企业的正常运行等问题。下面简单介绍一下国际上较流行的水价体系。

1）固定水价

固定水价是指不考虑用水量的变化，每月或每年用户按照用水规模（居民生活用水一般用家庭人口数或住房面积、农业用土地面积）支付一定的费用。由于价格结构单一，征收较方便，目前我国在农业用水中应用较普遍。但固定水价最大的问题是用水浪费十分严重，不鼓励节约。

2）两部制水价

两部制水价是根据水利工程供水特点，为了兼顾供水单位和用水单位双方的利益，将供水价格分解成容量水价和计量水价两部分，分别作为容量水费和计量水费的收费标准。

所谓容量水价就是对净水、给排水、治污工程设施成本的补偿。这种补偿应根据用户的定额或预定量确定和收取，与用户实际上用不用水和用多少水无关，否则，大多数用户用水量变化很大，净水、给排水、治污企业就不敢投入，也无法经营了。实际上用户的定额或预定量就是商业契约，在市场中就应该有付出。

容量水费按容量水价和设计水量或多年平均供水量计收，用户只要购买了水权，不管是否用水都要向供水单位缴纳容量水费。计量水费按计量水价和实际供水量计收，其用途是用于补偿供水工程的变动费用、经营者利润及税金。容量水价和计量水价可根据固定成本和变动成本及相关的供水量计算求得，也可根据供需双方协商确定。

3）累退水价

累退水价以不同用水量的级别制定水价，第一级的水价将比第二级的水价高，第二级的水价将比第三级的水价高，依此类推。在这种收费制度下，当用户的用水量增加时，用户所付的单位水价将越来越少，即当消费水量逐步增加时，供水成本随生产水量增加而减少。级数的设置一般根据当地的具体情况。累退水价的计算一般基于成本，而且符合规模经济的成本变化规律。通常认为，递减水价不鼓励节水，但在某些情况下不一定正确。如果小用户的用水量所占的比例较大，累退水价将对小用户征收较高的水价，有利于促进节水和成本回收。因此，节水并不在于选择实施何种水价种类，而是在具体的水价制定时所采用的措施。

4）累进水价

累进水价是指无论是农业用水还是工业和城市生活用水都要实行定额供水，在定额之内用水，按现行的水价收费，当用户超定额用水时，实行累计加价制度，进行惩罚性收费。不同的用水类型其累进幅度应有所不同。一般农业用水超过定额水量部分，按原水价标准的 2 倍收费。工业和生活用水，超计划 10%、20%、30%、40%、50%以内的，超计划用水分别按原水价的 2、4、6、8、10 倍收费；对超过计划 50%以上的，限量供水直至停止供水。遇特殊干旱年，如发生超计划用水，还应加大倍数。对超计划用水多收的水费，不归供水企业和水利工程管理单位所有，应全部上缴国家财政，由国家统一安排用于水资源工程建设和管理。

5）浮动水价

浮动价格是在国家统一定价的基础上，允许生产企业或经营单位，视市场供求和生产经营情况，在允许的范围内自行调整的商品价格。浮动价格能比较灵活地反映供求和商品生产劳动消耗的变化，促使企业及时调整生产或供销计划和改善管理。

浮动水价应以理论水价或成本水价为基准上下浮动，浮动的幅度应有限制，应使按浮动水价供水的水价多年平均值大致等于或略高于按多年平均用水量计算的成本加盈利的水价或成本水价。

6）单一计量水价

单一计量水价就是根据用水量的大小按方计收水费，每一单位的用水量的价格都相同。单一计量水价是我国目前在城市生活用水中普遍实施的水费征收方式，比较简单和容易计算，收费易于管理和推行，但从供水成本考虑，由于单位用水量间供水成本的差别，单一计量水价将存在不同用水量用户间的互相补贴问题。

7）基本生活水价

基本生活水价是为了保证低收入者的基本生活用水而设置的，一般第一级别的水价设置在低收入者的支付能力范围内，同时提供低收入者最低的生活用水量。此类水价不能在非生活用水中应用。

8）动用死库容水价

动用死库容供水，会对水利工程和渔业资源产生较大的影响，因此应加倍收费，以对水利工程管理单位进行合理补偿。其水价应按正常水价的2倍左右计收。

9）高峰水价

高峰水价是指预测外自然水荒、非正常干旱时期，水库蓄水量迫降，而又适逢大量用水的时期所制定的高峰用水水价。

10）对地下水的保护价

地下水是储备水资源，较深或深层地下水难以或不可能再生，根据优先利用可再生资源的原则，应该优先使用地表水，对地下水实行保护性的高价。

11）跨流域调水水价

跨流域调水要逐步改变国家无偿投入的情况，实行工程建设和经营管理的股份制，进入市场，要进行科学、准确的调水水价预测，没有主要用户对预测调水水价的承诺，跨流域调水不能开工。

12）污水处理价

目前，污水处理费征收尚不普遍，已征收的仅为0.2～0.3元/m^3，没有到位，不仅不能补偿污水处理工程建设的投入，甚至不能保证污水处理设施的正常运行。应该把污水处理价格逐步提到包括工程费、服务费和资本费用在内，实行薄本微利，污水处理才能进入市场。以后在监测计量许可的情况下，对于大企业用户也应根据污染率实行阶梯式的污水处理价。

7.4 盘石头水库水价制定与实施

基于前面介绍的有关水价的理论，本节将结合淇河盘石头水库实际，具体介绍水利工程供水价格的制定与实施。

7.4.1 鹤壁市国民经济概况与淇河水资源概况

2000年，鹤壁市国内生产总值为85.2亿元；2001年为95亿元，比上年增长11.4%；2002年达到105亿元，比上年增长11.5%。按2000年价格计算，2005年国内生产总值预计将达到135亿元，年均增长10%以上，城镇人口将达到60万人。

鹤壁市水资源总储量23.5亿 m^3，年过境水达6.15亿 m^3，从其境内流过的淇河上游固体径流来源较少，属少沙河流，且污染甚微，水质较好。盘石头水库位于淇河中游，多年平均入库径流量4.06亿 m^3。

2003年对鹤壁市主要供用水企业(市自来水公司、市火电厂、市水泥厂)进行的用水情况调查结果显示：市自来水公司山城区供水公司每年自工农渠取水1 700万～1 800万 m^3，淇滨区供水公司每年自淇河取水约500万 m^3，两项合计为每年2 200万～2 300万 m^3；电厂一期年用水约1 400万 m^3，正在建设的二期投产后预计用水年增加1 300万 m^3，三期预计用水年增加2 500万 m^3，电厂三期全部建成投产后年需水量合计将达到5 200多万 m^3；市水泥厂一、二期合计年用水量约128万 m^3，三期投产后，水泥厂年需水量总计将达到约200万 m^3。根据以上资料分析，加上其他用水户如矿务局电厂、化肥厂等的用水量约700万 m^3，鹤壁市目前工业及城市生活年用水量约为4 500万 m^3，电厂二期、三期和水泥厂三期投产后，需水量将增加到8 400多万 m^3。盘石头水库初步设计预测2010年鹤壁市的工业及城市生活用水将达到1.35亿 m^3。

7.4.2 盘石头水库供水价格制定与实施

7.4.2.1 水价制定的原则和依据

盘石头水库水价的制定以国家新颁布的《水利工程供水价格管理办法》(以下简称《水价办法》)为依据，并适应现代的管理理念与消费观念，遵循既要保证供水与用水双方的利益，又要保证水资源的可持续利用的原则，制定科学合理的水价。

《水价办法》规定，根据国家经济政策以及用水户的承受能力，水利工程供水实行分类定价，按供水对象分为农业用水价格和非农业用水价格。

农业用水指由水利工程直接供应的粮食作物、经济作物用水和水产养殖用水。农业用水价格按补偿供水生产成本、费用的原则核定，不计利润和税金。

非农业用水指由水利工程直接供应的工业、自来水厂、水力发电和其他用水。非农业用水价格在补偿供水生产成本、费用和依法计税的基础上，按供水净资产计提利润，利润率按国内商业银行长期贷款利率加2～3个百分点确定。

在特殊情况下动用水利工程死库容的供水价格，可按正常供水价格的2～3倍核定。

盘石头水库是利用日本国际协力银行贷款和国家开发银行贷款兴建的水利枢纽工程，按照《水价办法》水价核定原则及办法规定利用贷款、债券建设的水利供水工程，供水价格应使供水经营者在经营期内具备补偿成本、费用和偿还贷款、债券本息的能力并获得合理的利润。

水价制定中牵涉的几个概念解释如下：

（1）供水生产成本是指正常供水生产过程中发生的直接工资、直接材料费、其他直接支出以及固定资产折旧费、修理费、水资源费等制造费用。

（2）供水生产费用是指为组织和管理供水生产经营而发生的合理销售费用、管理费用和财务费用。

（3）利润是指供水经营者从事正常供水生产经营获得的合理收益，按净资产利润率核定。《水价办法》第十条规定：非农业用水价格在补偿供水生产成本、费用和依法计税的基础上，按供水净资产计提利润，利润率按国内商业银行长期贷款利率加 2 ～ 3 个百分点确定。

（4）税金是指供水经营者按国家税法规定，应该缴纳并可计入水价的税金。

7.4.2.2 供水成本及费用测算

1）工程总投资及其构成

盘石头水库概算总投资 9.98 亿元，其中包括：

（1）日本国际协力银行贷款 67.34 亿日元（按当时汇率人民币 1 元≈16 日元，折合人民币 4.21 亿元）。

（2）国家开发银行贷款 1.087 亿元（含建设期利息 1 008 万元）。

（3）中央水利拨款 0.5 亿元。

（4）地方自筹资金 4.183 亿元。

2）投资分摊

盘石头水库总投资 9.98 亿元，其中发电工程专用投资 4 091 万元，防洪、灌溉、供水共用工程投资 9.57 亿元。投资分摊办法，先用库容比分摊防洪和兴利共用工程投资，后按供水与灌溉用水量分摊兴利投资。分摊的比例是防洪 47%，兴利 53%，其中，供水 63%，灌溉 37%。在分摊投资中，防洪和灌溉投资由自有资金承担，供水和发电投资主要用贷款资金，供水与发电贷款额按分摊的投资比计算（《盘石头水库初步设计报告》）。财务投资分摊成果见表 7-1。

表 7-1 盘石头水库财务投资分摊成果 （单位：万元）

<table>
<tr><th>项目</th><th>防洪</th><th>供水</th><th>灌溉</th><th>发电</th><th>合计</th></tr>
<tr><td>投资</td><td colspan="3">95 709</td><td>4 091</td><td>99 800</td></tr>
<tr><td>库容比（%）</td><td>47</td><td colspan="2">53</td><td></td><td></td></tr>
<tr><td>水量比（%）</td><td></td><td>63</td><td>37</td><td></td><td></td></tr>
<tr><td>分摊投资</td><td>44 983</td><td>31 957</td><td>18 769</td><td>4 091</td><td>99 800</td></tr>
<tr><td>分摊利息</td><td></td><td>6 979.17</td><td></td><td>836.25</td><td>7 815.42</td></tr>
<tr><td>占比例（%）</td><td></td><td>89.3</td><td></td><td>10.7</td><td>100</td></tr>
</table>

3）总成本费用测算

总成本费用应满足下式：

$$P_w=P_n+P_z+P_t+P_l \tag{7-2}$$

$$P_n=P_g+P_f+P_c+P_h+P_q \tag{7-3}$$

式中　P_w——总成本费用；

P_n——年运行费用；

P_z——折旧费；

P_t——摊销费；

P_l——利息净支出；

P_g——工资；

P_f——福利费；

P_c——材料、燃料动力费；

P_h——维护费；

P_q——其他费用。

下面对年运行费用进行测算：

工资 P_g：根据初步设计报告，项目建成后职工人数为 170 人，人均工资为 1 万元／年。

福利费 P_f：按工资总额的 14%。

材料、燃料动力费 P_c：按年用电 50 万 kWh，电价 0.3 元／kWh，则燃料动力费为每年 15 万元，材料费为 1 万元，共计 16 万元。由于金额较小，为简化计算，近似认为保持不变。

维护费 P_h：维护费按大修理费的 1.5 倍计列，共 1 186 万元。

其他费用 P_q：按国民经济投资的固定资产 3‰估算，为 288 万元。

则年运行费：$P_n=P_g+P_f+P_c+P_h+P_q=1\ 684$ 万元。

另外，折旧费 P_z：固定资产折旧费为 2 245.5 万元(固定资产形成率取 90%，综合折旧率取 2.5%)。

摊销费 P_t：无形资产按照 10 年平均摊销，递延资产按照 5 年平均摊销。第 6 ~ 10 年摊销费为 1 282 万元，第 11～15 年摊销费为 855 万元。

国际国内贷款本息：

(1)外资本息。日元贷款总额为 67.34 亿日元，其中购买材料及设备部分贷款金额为 60.53 亿日元，年利率 1.3%，期限 30 年；购买电机及咨询部分贷款金额为 6.81 亿日元，年利率 0.75%，期限 40 年，平均利率为 1.245%。建设期为 10 年，从 2008 年开始还本，平均每年归还本金 1 985 万元，利息 524 万元。另外还有转贷业务费折合人民币 1 416.71 万元。

(2)内资本息。开行贷款总金额为 10 870 万元，贷款利率为 6.21%，期限 10 年(含宽限期 5 年)，从 2008 年开始还本，平均每年归还本金 2 174 万元，利息 626 万元。

4)总成本费用分摊

由以上分析，盘石头水库正常年平均总成本费用(不计贷款本息)为：$P_w=P_n+P_z+P_t=4\ 478$ 万元。

总成本费用分摊办法按各部门投资比例进行分摊。由于防洪功能不能给管理单位带来经济效益，所以将该部分运行成本费用也分摊到供水和发电当中，则年总成本费用分摊成果为：灌溉供水 1 342 万元，工业及城市生活供水 2 784 万元，发电 352 万元。

7.4.2.3 盘石头水库工程水价核定

盘石头水库供水水价包括农业供水水价、工业及城市生活供水水价和发电供水水价，以下测算出的水价均为库区取水口水价。另外，资源水价由水行政主管部门征收，这里暂不计入水库供水价格之内。

1）农业水价核定

盘石头水库设计灌溉面积 2 万 hm^2（30 万亩），按灌溉定额 6 075 m^3 / hm^2 计算，年灌水量 12 150 万 m^3。

按农业用水价格核定原则，盘石头水库供应农业用水水价应满足下式：

$$P=P_{wn} / Q_n \tag{7-4}$$

式中 P——农业水价；

P_{wn}——农业供水总成本费用；

Q_n——农业设计供水量。

则 $P=P_{wn} / Q_n=1\,342 \div 12\,150=0.11$（元 / m^3）。

2）工业及城市生活水价核定

按非农业用水价格核定原则，盘石头水库供应工业及城市生活用水水价应满足下式：

$$P=(P_w+P_r+P_s) / Q \tag{7-5}$$

式中 P——工业及城市生活水价；

P_w——总成本费用；

P_r——利润；

P_s——税金；

Q——工业及城市生活设计供水量。

《水价办法》规定，利润率按国内商业银行长期贷款利率加 2 至 3 个百分点确定。2004 年商业银行的长期贷款（5 年以上）利率为 5.76%，盘石头水库供水利润率按银行贷款利率加 2.5%计算，为 8.26%。

根据国家有关政策，农业灌溉供水不征收营业税，工业及城镇生活供水按 6%的税率征收营业税，城市维护建设费率为营业税的 5%，教育费附加为营业税的 2%，则综合税率为 6.42%。另外，供应未经过加工的天然水不征收增值税。

计入贷款利息之后，工业及城市生活供水总成本费用为 3 934 万元。

根据盘石头水库初步设计，水库建成后，每年向鹤壁市提供工业及城市生活用水（Q）为 13 500 万 m^3。

则工业及城市生活水价应满足：

$P=P_w+P_r+P_s=3\,934 / 13\,500+8.26\%P+6.42\%P$

$P=0.35$ 元 / m^3

3）发电供水价格核定

《水价办法》第十一条规定：“水利工程用于水力发电并在发电后还用于其他兴利目的的用水，发电用水价格（元 / m^3）按照用水水电站所在电网销售电价（元 / kWh）的 0.8%核定。”

盘石头水库电站布置在坝后，供水发电后，发电用水继续供下游工农业及城市生活用水。盘石头水库电站批准的上网电价为 0.3 元／kWh，则盘石头水库发电供水水价应为 0.002 4 元／m^3。

4)盘石头水库资源水价

2004 年开始实施的《水价办法》将水资源费列入了水利工程供水生产成本当中。目前，鹤壁市未出台相应的地表水水资源费的征收标准，盘石头水库资源水价可参照鹤壁市地下水及临近地市水资源费征收标准执行。

由于我国水资源在空间分布上存在巨大的差异，因此全国各省市水资源费征收标准的差别很大。据 1993 年资料，全国有几十个城市的水资源费超过 0.20 元／m^3，如大连市为 0.40～0.60 元／m^3，包头市为 0.34～0.58 元／m^3；北京市的水资源费也已调整到 0.16 元／m^3；上海市为控制地下水的开采，制定的水资源费标准与自来水价格相同，为 1.0 元／m^3；黑龙江省水资源比较丰富，水资源费标准也提高到 0.30 元／m^3；江苏省位于江淮地区，水资源更为丰富，现在收费标准也达到 0.30 元／m^3，其中无锡市自备井的水资源费不分用途已达 0.71 元／m^3。

目前，全国各地市为保护和节约水资源，保证水资源的可持续利用，纷纷出台相应政策调整水资源费的征收标准，充分发挥水资源费的经济杠杆作用。山东省德州市 1997 年水资源费调整为 0.30～0.50 元／m^3后，年用水量减少 2 000 万 m^3；淄博市从 1986 年确定征收水资源费以来，到目前已调整过 4 次，地下水资源费由 0.06 元／m^3依次调至 0.10 元／m^3、0.30 元／m^3、0.50 元／m^3、0.90 元／m^3，大大促进了节约用水工作，1997 年与 1986 年相比，工业万元产值取水量由 190 m^3／万元降到 76 m^3／万元，工业用水重复利用率由 49%增至 94%。

与河南省毗邻的安徽、山西和河北等省份也先后调整了水资源费的征收标准。据悉，安徽省调整后新的征收标准为：取用地表水，淮河流域以及合肥、滁州市收费标准为 0.06～0.08 元／m^3；其他地区为 0.04～0.06 元／m^3。取用地下水，井深小于 50 m 的浅层地下水，收费标准为 0.10～0.20 元／m^3；井深大于和等于 50 m 的中深层地下水，收费标准为 0.20 ~ 0.35 元／m^3。取用地下热水、矿泉水以及其他经济价值较高的水，按深层地下水的最高标准的 2 倍执行。山西省目前水资源费地表水由以前的 0.06 元／m^3提高到了 0.30 元／m^3，地下水由 0.12 元／m^3提高到 0.50 元／m^3。河北省在制定水资源费征收规划时充分考虑本地水资源与外调水资源的合理配置，保证外调水资源的充分运用，以扼制地下水资源的恶性超采，拟定的水资源费征收标准为：地表水 0.50 元／m^3，地下水 1.00 元／m^3左右。

近年来，由于人们对水资源管理和保护意识相对薄弱，地下水与自来水价格比差较大等原因，鹤壁市地下水乱开滥采现象十分严重，扰乱了地下水正常管理秩序。同时，因地下水严重超采引起的地下水漏斗面积增大、地面沉降、地下水位下降、地下水污染等现象日益严峻。目前，鹤壁市地下水漏斗区范围已覆盖全市，城市地面出现明显沉降，地下水位下降直接导致了水利工程效益衰减、灌溉面积减少、生态环境恶化等一系列问题。为有效保护和合理开发利用有限的水资源，在参照河南省周边地市地下水资源费标准、充分考虑鹤壁市用水单位承受能力和全市水资源使用现状的基础上，对鹤壁市水资源费征收标准进行了新的调整，大幅提高了地下水资源费征收标准。调整后，鹤壁市市区地下水资源费由 0.12 元 / m^3 调整为 0.40 元 / m^3；两县水资源费由 0.12 元 / m^3 调整为 0.30 元 / m^3。

盘石头水库资源水价参照鹤壁市地下水资源费 0.40 元 / m^3 考虑，与其他北方缺水地区水资源费征收标准相比仍是比较低的。

7.4.2.4 盘石头水库水费的征收办法

1) 农业用水水费的征收

目前农业水费计价方式主要有按灌溉面积和按用水量征收两种。盘石头水库灌溉用水通过天然河道输送到下游灌区，若按用水量征收水费的方法，在计量方面存在一定的困难，为兼顾下游灌区用水户的利益和确保灌溉用水水费的足额征收，灌溉用水水费可采用按灌溉面积征收的方法。

盘石头水库设计灌溉面积 2 万 hm^2，年净供水量 7 326 万 m^3，则每公顷灌溉净供水量为 3 663 m^3。按农业用水水价 0.11 元 / m^3 测算，每公顷应收水费 402.9 元，2 万 hm^2 耕地年应收水费 805.8 万元。

盘石头水库在进行水量分配调度时，在灌溉季节通过河道向下游灌区输水，非灌溉季节可在保证下游生态用水的前提下，减少输水量，以保证工业及城市生活用水需求。

2) 工业及城市生活用水水费的征收

相对于农业用水的固定水费征收方法，工业及城市生活用水可实行计量水费。工业及城市生活用水有专门完善的供水设施，便于控制和计量，在水库输水洞尾水渠末设置一个计量装置即可实现供水量的准确计量。目前，供水主要是通过与水库相接的工农渠向鹤壁市供水。水库建成后，对于较大的工业用水户，如经过扩建后的火电厂年需水量在 5 000 万 m^3 以上，可考虑修建专门的供水管线进行供水。

另外，工业及城市生活用水水费的征收，可根据北方水库水资源短缺的具体情况，结合当前水价实施的形势，灵活制定供水价格。如实行累进水价、季节浮动水价、高峰水价等。

3) 发电用水水费的征收

盘石头水库电站拟采用整体转让的方式，建成后由鹤壁市电力公司接手经营，水库向其收取发电用水水费。由于在发电用水计量方面存在技术困难，水费的征收可通过电站的年实际发电量与用水量之间的关系，测算出每发一度电应收的水费值。根据盘石头水库初步设计报告的数据测算，电站在额定工况下每发一度电用水 9.99 m^3，按此数计算，电站平均每发一度电水库可向其收取水费 0.024 元。

以上拟定的水价均为水库供水口价格，不是用水户实际应缴纳的水费价格。工业及城市生活用水户应缴纳的水费中还包含输水成本费用、水资源费以及污水处理费等相关费用。

7.5 盘石头水库供水价格展望

为了满足社会经济发展的需要和重新审视水的价值，世界上许多国家正在对水价进行大幅度改革，其中最具代表性和借鉴意义的是发展中国家和缺水国家的水价改革，其焦点集中在提高水价、培育和发展水市场、促进供水私有化进程等几个方面。中国水星国际咨询集团公司最近公布的2001～2002年度国际水报告与水价调查显示，在被调查的14个国家（澳大利亚、比利时、加拿大、丹麦、芬兰、法国、德国、意大利、荷兰、南非、西班牙、瑞典、英国和美国）的水价正在提高，趋势表明，居民与商业用户需要准备支付更高的水价并接受潜在的低安全保障性能的供水服务。这家咨询公司的主席Richardsoultanian说，报告中的多数国家的水价的增加都在他们各自的通货膨胀率之上。调查认为，只有荷兰的水价有0.5%的小幅度下降。南非的水价增加幅度最大。在过去的一年里，南非的水价大幅度地增加了20.4%。

美国的某些城市，特别是亚利桑那州的FortSmith，波士顿，特拉华州的丹佛，纽约的Binghamton，VA的Roanoke，蒙大拿州的Duluth，纽约的Albany以及洛杉矶等城市已经经历了超过10%的水服务费用的增长。（世界范围内许多国家均调高水价，2002-12-02 9:51:00，中国水网）

目前，我国正在致力于建设节水型社会，社会各界开始充分认识到水价这一经济杠杆的积极调节作用。据《人民日报》报道：经国务院批准，国家计委、财政部、建设部、水利部、国家环保总局等五部门最近联合颁发了《关于进一步推进城市供水价格改革工作的通知》，提出了推进城市供水价格改革的相关政策措施。通知提出，城市供水价格改革工作的重点，是建立合理的水价形成机制，促进水资源保护和合理利用。一是调整水价要与改革水价计价方式相结合，要求全国省辖市以上城市在2003年底前、其他城市在2005年底前对居民用水实行阶梯式计量水价；取消部分地区实行的用户用水最低消费（月用水流量底数）的规定；对非居民用水实行计划用水和定额用水管理及超计划、超定额累进加价办法。二是针对不同城市的特点，实行季节性水价，以缓解城市供水的季节性矛盾。三是合理确定回用水（中水）价格与自来水价格的比价关系，加快城市污水处理和回用水设施建设。

2002年河南省计委出台了《关于进一步推进城市供水价格改革的意见》，意见称从明年开始将对严重缺水的城市逐步实行季节性水价；11月1日全省省辖市居民用水“最低消费”标准将被取消，年底前将彻底取消城市居民“用水包费制”。意见称从11月开始，河南省将逐步对城市居民生活用水实行阶梯式计量水价，并推行抄表到户计量计价办法。严重缺水的城市，可结合水源丰枯情况，开始实行季节性水价，以缓解城市供水的季节性矛盾。自2002年11月1日起，取消市县实行的不利于节约用水的用户用水“最低消费”（月用水量底数）规定，2002年底前彻底取消“用水包费制”。各级用水管理部门还要合理确定回用水价格和自来水价格的比价关系，建立鼓励使用回用水代替自然水源和自来水的价格机制，促进城市污水处理的综合利用和回用水设施建设。

另据《联合早报》引述中国国家计委官员的讲话称，中国北方城市的水价还应该继续上调，以便为南水北调工程筹集资金，预计今后3到5年，北方城市的水价将上涨1倍。国家计委农村经济发展司司长杜鹰在向媒体介绍有关南水北调工程实施情况时说，工程的资金主要来自中央预算内拨款、银行贷款和受水地区以“水价附加”的方式建立的南水北调工程基金。杜鹰说，目前中国北方城市居民的用水支出平均只占居民生活总支出的 0.2%，而有关调研表明，用水支出即使占到居民支出的 2%，居民也能接受，而且水价大幅上调后必然会增强居民的节水意识。

目前，北京、上海、广州、沈阳等城市开始实施定额用水超量加价的措施。定额用水是指根据制定出的一定用水量，每个单位和家庭用水，每月有基本定额，在定额内享受便宜的基本水价。用水超过定额部分，用户将支付较高的价格。

与鹤壁市毗邻的安阳市是河南省供水价格改革试点单位。经河南省发展计划委员会批准，安阳市人民政府发布了《安阳市城市供水价格改革暨调整方案》，方案规定：城市居民生活用水基础水价每立方米由 0.8 元调整为 1.0 元，从 2002 年 6 月 1 日起实施。安阳市此次还将行政事业单位用水由现行的每立方米 1.0 元调整为 1.2 元；工业用水由现行的每立方米 1.0 元调整为 1.3 元；经营服务用水由现行的每立方米 1.5 元调整为 1.9 元。此外，安阳市还在全省率先将不利于居民节水的月用户水流量底数取消，并在水价调整后，积极推行阶梯式水价。对已实行抄表到户的居民生活用水，每月每户用水量 12 m^3 以下（含 12 m^3）部分，按 1.0 元／m^3 的水价计收，13～19 m^3（含 19 m^3）部分按 1.5 元／m^3 的水价收，20 m^3 以上部分按 3.0 元／m^3 的水价计收。

2003 年 8 月 1 日，鹤壁市正式颁布实施《鹤壁市用水定额（试行）》。该定额的实施将为鹤壁市计划节约用水工作的开展提供科学的依据。鹤壁市也将开始实施定额用水超量加价的措施。《水价办法》开始实施以后，鹤壁市自 2004 年 7 月 1 日起，调整了城市供水价格，新调整的水价标准为：生活用水基础水价调整为 1.15 元／m^3。同时，对居民生活用水实行阶梯式计量收费，每户每月用水量在 12 m^3 以内（含 12 m^3）按基础水价 1.15 元／m^3 计收；13～16 m^3 部分（含 16 m^3）按 1.8 元／m^3 计收；16 m^3 以上部分按 2.40 元／m^3 计收（以上价格调整均不含污水处理费）。目前，实收水费中所含污水处理费已涨到 0.60 元／m^3。

北京市是地处北方典型缺水地区的大城市，《水价办法》实施后，北京市也加快了水价改革的步伐。2004 年 6 月 3 日，北京市召开了水价调整听证会，会上有关部门提出了《北京市调整水价并实行阶梯式水价初步方案》。经价格听证后，北京市出台了新的水价调整方案，决定从 2004 年 8 月 1 日起调整本市水资源费、污水处理费征收标准并相应调整水利工程供水价格、自来水供水价格。此次水价调整主要涉及占北京市总供水量 55%的工业用水、生活用水和环境用水，占全市用水量 45%的农业用水没有涉及。调整后北京市综合水价由每立方米 4.01 元调整为 5.14 元，其中居民用水每立方米原价 2.90 元，现价 3.70 元；行政事业用水原价 4.40 元，现价 5.40 元；工业、商业用水原价 4.40 元，现价 5.60 元；宾馆、饭店、餐饮业原价 5.40 元，现价 6.10 元。另外，洗车业用水每立方米由 21.20 元调整为 41.50 元，生产纯净水企业用水每立方米由 21.20 元调整为 41.50 元。按居民人均用水量 3 m^3／月计算，调价后影响居民每人每月增支 2.40 元，每人年均水费支出达到 133 元；以 2003 年北京市人均可支配收入 13 882.6 元计算，水费支出占可支配收入的 1%左右，是可以承受的。据介绍，北京市水资源费上调 0.50 元后，按 80%征收率计算，扣除远郊区县财政预留，全年预计可增收 4.50 亿元，达到 11 亿元左右，主要用于开发、保护、养蓄水资源，推广节约用水措施和筹集南水北调基金；污水处理费上调 0.30 元后，主要用于污水处理行业污水管线的运行及建设。

2002年12月27日，举世瞩目的南水北调工程正式开工。水利部副部长张基尧说，南水北调工程的水价将本着“还贷、保本、微利”和“定额用水、差别水价、超额累进加价”的原则确定，并按容量水价和计量水价征收，但是不会超过用水户承受力范围。南水北调工程将依据国家有关规程规范，按供水水量和输水距离，逐段分摊投资，在成本分析的基础上测算各分水口门的水价。据初步测算，东线干线山东省分水口门的平均水价约每立方米0.60元，中线黄河以南干线分水口门平均水价约每立方米0.20元，黄河以北干线分水口门平均水价约每立方米0.70元，中线水到北京分水口门水价大概是每立方米2.2元。南水北调中线工程在鹤壁市境内穿过，其主干渠距盘石头水库的距离约为40 km。盘石头水库可以此为契机，积极参与中国这一最大的水市场，则盘石头水库供水价格还将有很大的上升空间。

由以上分析不难看出，根据国际国内水价改革形势，结合北方水库水资源实际情况，盘石头水库可以灵活掌握水价制定原则，各类用水均应实行定额管理，超定额用水实行累进加价，并逐步推行基本水价和计量水价相结合的两部制水价，以及实施丰枯季节水价、高峰水价以及动用死库容水价等，并且要在立足鹤壁市供水市场的基础上，以南水北调工程为契机，着眼于豫北地区乃至整个华北地区供水的大市场，则盘石头水库的供水效益将是巨大的。

第8章　水法与水资源管理

水作为自然生态环境的基本要素，是自然生态系统中最活跃、影响最广泛的因素，它是人类及其他一切生物生存的必要条件，同时也是人民生活和经济社会建设发展的基础性自然资源和战略性经济资源。随着社会的发展、工农业水平的提高，人类对水资源的开发力度越来越大，特别是现代化大生产的出现，对水资源的庞大需求已经使人们原以为“取之不尽，用之不竭”的水资源成了紧缺资源。同时洪水、水资源短缺及水污染等问题也日益威胁着人类社会的用水安全。很显然，原来依靠习俗和乡规民约等对水资源的分散与自行管理已经无法满足生产力发展的要求，并且有可能毁灭人类赖以生存的水环境。为了整个水资源的可持续发展，必须在全社会范围内，对水资源进行系统管理，规范整个社会成员的用水行为，并对水资源进行有效的保护。因此，依法治水已经成为社会发展的必然。

8.1　水法概况

广义上的水资源管理，是指人类社会适应、利用、开发、保护水资源与防治水害活动的动态管理以及对水资源的权属管理。法律作为国家制定或认可，并靠国家强制力实施的社会规范与水资源的管理的结合，就形成了水法。水法属于法律范畴，它具备法律的基本特征，具有指引、评价、预测和教育等作用，是行政法的一种部门法。它是用来规范用水行为和秩序，保障公民、法人或其他组织的开发、利用和保护水资源的合法权益，促进水资源的利用和保护，以实现社会和国民经济可持续发展的战略。立法是水资源管理发展到一定阶段的必然产物，是水资源管理的重要手段之一。从各国的实践看，以法律形式代替行政命令并且按综合利用和系统开发的原则管理水资源，是水资源管理上的重大进步。

8.1.1　水资源管理的目的和主要方法

水与人类活动密切相关，广泛存在于地表、土壤、地下，但我们所称的水资源指的是能够被人类利用或可能利用的水源，它一般指的是某一地区逐年可以恢复和更新的淡水资源。自从人类社会出现，为了合理的利用水源和消除水害，人类就对水资源进行着不同方式和内容的管理。水资源管理是在水资源开发利用与保护的实践中产生，并在实践中不断发展起来的。随着人类开发水资源的程度越来越大，对水资源认识的不断加深，人类管理水资源的方法也日益多样化，管理的内容也越来越广泛。

社会化大生产出现后，特别是第二次世界大战以来，随着生产力的提高和人口的增加，人们需要的水资源空前增长，对水资源的影响也日益加深。世界各国不同程度地出现水资源紧缺、水体遭到污染、洪水泛滥，以及掠夺式开发引起的一系列地质和生态灾难等问题，例如地下水降落漏斗、地下水源地破坏、地面塌陷裂缝、海水倒灌等，这些都促使着人类对水资源产生了新的认识，同时也对水资源的管理产生了深远的影响。现在我们认为,水资源管理就是为了保护人类和所有生物赖以生存的水环境和水生态系统，以水资源的承载能力为限，合理开发水资源，提高水的利用效率，强化计划节约用水管理，建立节水型社会，通过水资源的优化配置，满足经济社会发展的需求，以水资源的可持续利用支持经济社会的可持续发展。

由于水资源存在的广泛性和用途的多样性，水资源的影响渗透到环境的各个方面。因此，水资源管理不仅涉及到自然、社会、经济等方面，还和人类社会发展密切相关，要达到上述的目的，就必须采取多种方法，相互配合、相互支持。综合利用法制、行政、经济、技术、宣传等多种手段，对水资源进行系统管理。

8.1.1.1 法制手段

法制手段就是通过国家立法，对水资源及涉水事务进行强制性管理，规范水资源开发秩序，优化水利资源，消除和防止水害，保障水资源的可持续利用，保护自然和生态系统平衡。它包括立法和执法两方面的内容。一是将人们在水资源管理过程中产生的、行之有效的管理手段和原则以法律的形式固定下来，并制定相应的惩处措施,做到水资源管理的规范化，达到有法可依的目的。在我国,立法包括人民代表大会立法和国务院及各部委制定的行政法规和规章。例如《中华人民共和国水法》由全国人大颁布，《河南省(水法)》实施办法》由地方人大颁布，《中华人民共和国河道管理条例》由国务院颁布，它们都是水法规体系的有机组成部分。二是严格执法，利用国家强制力，保障法律的实施。对违反水资源管理法规、规范、标准，危害水资源及其环境的行为提起公诉，甚至追究法律责任，对损害他人权利、破坏水资源及其环境的单位或个人采取批评、警告、罚款、责令赔偿损失等法律措施，违反刑法的，追究其相关人员的刑事责任。它包括行政执法和司法执法。

8.1.1.2 行政手段

行政手段就是国家的各级水行政管理机关依据行政法规和机关职能配置赋予的权力，对水资源进行管理和保护的一种手段。它包括依据法律和国家发展的总体目标，制定水资源管理战略和政策，公布水资源及其管理的现状；划定各种水资源功能区域并进行保护；鼓励扶持水资源保护和节约用水的活动；调节水事纠纷等内容。现在国家各级水行政主管部门实施的水资源公报制度就是具体的行政手段之一。

8.1.1.3 经济手段

经济手段就是通过对不同用途的水、定额内外的水实行不同的水价和税收，以及利用各种奖惩措施，通过市场来控制水资源的分配，促进合理用水、节约用水和保护水资源，利用经济杠杆对水资源的开发利用进行调节。在计划经济时代，我国很少利用经济手段管理水资源，水利工程供水通常是无偿或低于成本价，一方面造成水资源浪费严重，另一方面水利设施病残老化，甚至无以为继。随着我国市场经济制度的确立，水利也走向了市场，经济手段已经成为水资源配置和促进人们节约用水的最通用、最重要的手段之一。目前，用水实行计量收费和超定额累进加价等经济手段已经普及，有些地方在进行包括水资源使用权有偿转让在内的经济手段的尝试工作，取得不错的效果。

8.1.1.4 科技手段

科技手段是通过科学技术进步，研发新型设备，提高水资源的开发利用率，减少水资源的污染、损耗和水害的发生。它主要包括科学地制定水资源检测、评价、规划、标准体系，推广先进的利用和管理技术，研发新型污染处理设备、抢险救灾设备和组织相关的科研活动等。科技水平的高低，科技手段运用的程度，直接关系到水资源管理状况。例如水文预报的精度和预报期的增加，提高了水库调度的科学性；防渗漏等工程技术的进步，推土机、挖掘机、装载机等现代施工机械的应用，使利用工程管理水资源水平有了极大的提高。

8.1.1.5 宣传手段

宣传手段就是通过报纸、电台、网络等各种方式宣传水资源的重要性，使人民群众了解水资源管理的内容和方法，提高人民群众的水危机认识和水资源科学知识，在整个社会形成自觉惜水、爱水的良好社会风尚，将合理利用水资源、切实保护水资源转化成人民群众的自觉行动。联合国设立的"世界水日"和我国设立的"中国水周"，都是为了加强水资源宣传力度。每年这个时候，各地都举办一系列的讲座、宣传教育等活动，就是这一手段的具体运用。

上述各种手段并不是孤立存在的，它们互相配合和转化，相互支持，都是水资源管理领域不可或缺的方法。在我国水法中，就将许多成熟的行政、经济、科技、宣传等手段以法律方式确定下来，形成了法制手段。这些手段的法制化，又直接促进了以上各种手段的普及和规范。

8.1.2 依法管理在水资源管理中的必要性

依法管理水资源是水资源管理发展到一定阶段的产物，是依法治国在水资源管理方面的具体体现，它是水资源管理的根本手段。对水资源实行法制管理是由水资源本身的特点以及人类面临的水资源危机决定的。

就我国而论，随着我国经济和社会的发展，水和水相关问题日益突出，包括水资源短缺、干旱缺水、洪涝灾害频繁、水污染严重、水环境恶化等多方面，使得水问题越来越成为我国经济和社会发展的制约因素。特别是水资源短缺已经成为不争的事实，我国水资源储量虽然有 2.8 万亿 m^3，但人均淡水资源量仅 2 131 m^3，相当于世界人均的四分之一，被列为世界上最贫水的 13 个国家之一，其中我国北方黄、淮、海 3 个流域人均水资源仅为全国人均的 1 / 5。预计 2030 年，我国人口将增至 16 亿，人均水资源占有量将减少到 1 760 m^3，每年的农业收成和工业产值都因缺水造成重大损失。目前，我国有 15 个省、自治区、直辖市人均水资源量低于严重缺水线，有 7 个省、区人均水资源量低于生存的起码线。2003 年我国 600 多个城市中，400 多个城市存在供水不足问题，其中比较严重的缺水城市达 110 个，全国城市缺水总量为 60 亿 m^3（翟浩辉）。全国农村有 2 000 多万人和数千万头牲畜吃水困难。专家预言，2010 年后我国将进入严重缺水期，2030 年我国缺水将达 400 亿 m^3 至 500 亿 m^3。另外，人为的因素造成本已稀缺的水资源更加紧张。农业浇水，大水漫灌，全国农业灌溉水的利用系数大多只有 0.3 ~ 0.4，灌溉水的生产效率不足 1.0 kg / m^3，也就是说现在全国农业用水中的绝大部分是白白浪费了；而先进国家灌溉水的利用系数已达到 0.7～0.8，灌溉水的生产效率为 2.0 kg / m^3。工业用水浪费也十分严重，1998 年我国工业万元产值用水量为 103 m^3，是发达国家的 10～20 倍。工业用水的重复利用率仅为百分之三四十，而发达国家为百分之七八十。不仅如此，我国的水污染也已十分严重。资料显示，近年来全国年排放污水量近 600 亿 t，其中大部分未经处理直接排入水域。在全国 700 多条重要河流中，有近 50%的河段、90%以上的城市沿河水域污染严重。根据中国水资源公报(2002)河流水质在 12.3 万 km 评价河长中，Ⅰ类水河长占 5.6%，Ⅱ类水河长占 33.1%，Ⅲ类水河长占 26.0%，Ⅳ类水河长占 12.2%，Ⅴ类水河长占 5.6%，劣Ⅴ类水河长占 17.5%。许多原本清澈的江河湖泊之水被污染得不宜饮用。由于对水资源的无节制索取、不合理开发，造成水土流失、湖泊萎缩、江河断流、水体污染、土地沙化、生态恶化，人为加剧了水资源短缺的矛盾。

更有有识之士大声疾呼，如果还不珍惜，世界上最后一滴水将是我们的眼泪。另外，由于水资源保护力度不够，水土流失日益严重，破坏性的江河洪水对人们的生命财产构成了严重威胁。

水资源危机要求我们必须管理好水资源，而水资源涉及到社会的方方面面，人们的活动又时时影响着脆弱的水资源。因此，水资源仅仅依靠“人治”，靠政府的行政指令、宣传教育和人们的自律是不行的，必须制定完备的法律，对水资源进行依法治理，依靠法律的强制力，约束人们的用水行为。只有这样，才能实现水资源的可持续利用，才能使水利事业得到可持续发展。

8.1.3 水法的产生及其分类

水法是随着人类社会进入农业社会、大规模利用水资源而产生的。在人类社会发展初期，洪水肆虐，人类深受洪水之害，人类为了自身的生存和发展，必须团结起来共同对付水灾，我国最早的保护和开发水资源可追溯到“三皇五帝”时期，特别是大禹治水的故事更是广为流传。这些防治水害的活动就是最早的水事活动。特别是人类开始定居并发展农业以后，人与土地和水的关系日益密切，为了协调利用水资源，在水事关系日益复杂的情况下，有效利用水资源，必须对水事活动进行管理，这就是最早的水资源管理。为了使各自的行为有一个准则，并使水资源管理规范化，就产生了最早的“水法”。这些水法随着解决用水矛盾，水利工程的规模扩大和复杂化，政治经济集中程度使土地和水的占有权变更，人口增加和技术进步使国家活动内容扩大等，不断丰富着其内容，现在水法已经成为调整人们在开发、利用、保护和管理水资源的过程中所发生的各种社会关系的法律规范。

水法根据不同的标准有不同的分类，从世界范围看，许多国家的水法体系可分为三类：一是习惯法体系，它起源于宗教，主张水由一个共同体管理，遵守水法的公共性和严格的水分配原则。二是传统法系，它以近代私有制为基础，主张在国家的监督下，水资源为私人专用。三是现代水法体系，主张在国家控制下管理水资源，实施以公共利益原则和市场原则相结合的水政策。从内容上看，大致归纳为两种类型：一类以英、法等欧洲一些国家为代表，制定一个基本水法，内容包括水资源开发、管理、保护等方面的基本政策；此外还制定有专项法规，如英国 1973 年水法，规定了水务局的设置、职能及水管理任务等；法国 1964 年水法侧重水的分配、防止污染等。另一类以美国、日本等国为代表，根据水资源利用和管理的需要制定针对各种目的的法规，但似乎没有一个基本水法。如美国水工程的规划、拨款、建议和管理几乎都通过立法确定。自 1824 年国会批准第二个有关水的法规“河道和港口法”至 1983 年里根政府批准的“水土资源开发利用研究的经济与环境原理和指南”，其间共制定有关水的法规数十个。日本著名的水法有河川法、特定多目标法、水资源开发促进法、水污染防治法等。基本水法通常涉及到水资源管理的各个方面，但规定比较原则；专项水法则是在水资源利用的某一特定的方面，进行法律约束，规定的较为具体。

8.1.4 世界范围内水法的概况

随着农耕社会的出现和不断发展，水法也随即产生并不断丰富其内涵。如日本古代水法可追溯到中国唐代的《水部式》(水法)，明治维新后开始制定河川法；英国水法始自 15 世纪解决供水问题的需要，19 世纪开始制定水工程条例、公共卫生法等。但在水法发展历史上，习惯法、穆斯林水法、罗马水法以及欧洲民法系统中的水法原理对水法产生的影响最大。自 20 世纪，特别是 20 世纪下半叶以来，是国际水法历史发展最重要时期。这一时期世界各国的水资源被广泛开发利用，用水量迅速增加。水利与防洪之间、灌溉与城市和工业用水之间、水电与航运渔业用水之间、用水与水质水环境保护之间等，矛盾越来越多，从而促进世界各国的依法治水。水资源开发利用带来的综合利用、用水管理、投资分摊、环境保护、组织体制等一系列问题都反映到水法中来，许多国家，包括发达国家都在修订水法，或制定新的水法。这一时期成为现代水法形成和发展时期。现在，随着世界全球化的发展，水资源的利用和管理也逐渐突破行政边界的束缚，各国政府间、地区间的协作日益紧密，水资源立法工作也具有全球化趋势。例如，1975 年欧盟为欧洲制定了用于提取饮用水的河流和湖泊标准，1980 年为饮用水制定了具有约束力的质量目标，1991 年颁布了城市废水处理法令，1996 年制定了综合污染及预防控制法令。国外现代水法有很多共同性：一是水的共有制，加强政府对水资源的管理和控制。例如在前苏联和东欧一些国家，就明确规定水资源的国家所有制。二是开发与保护相结合。水法保证水资源的保护又不妨碍水资源的开发，体现了对控制污染和维护生态平衡的重视，引入了“谁污染，谁承担责任”的经济原理。三是减少水害的影响，体现兴利与除害的统一。例如对防洪、水土流失、污染都做出了规定。四是对整个水资源进行系统管理，统一调度。五是实行用水许可与水权登记制度。例如在贝宁、加蓬、毛里求斯等国，规定使用水以前必须先有行政指令，国家成为水权的授予者。六是水费和水税，体现用水有偿性原则，鼓励节约用水。各国的水法并不是一成不变的，它随着水资源供需状况以及对水资源认识的程度而不断地发展完善。下面简要介绍几个典型国家的水法。

8.1.4.1 美国水法

美国没有全国性、综合性的水法规，水资源由联邦和各州共同管理，水资源所有权归各州所有。联邦和州均可根据需要，分别制定适合全国和适合本州的水法。因此，美国的水法不尽相同，例如美国西部和东部的水法就有显著差别。西部地区水法叫做“优先用水法”，谁先用，谁优先；连续使用，不使用就丧失水权，当水资源不足时，先削减用水权低的用户。用水权的高低由用水时间的长短、距离水源的远近等因素决定。用水时间越长、距离水源越近用水权越高，反之越低。同时，水权可以销售和转让。东部可命名为“沿河用水法”，这种水法原则规定凡在河流及湖泊两岸拥有土地者有权合理用水。在缺水的州，大家都要同等的减少用水量。同样，也有同时使用“优先使用权”和“沿河使用权”的州。目前它主要有以下水法：《采矿法》(1866)，《土地法》(1970)，《沙漠土地法》(1877)，《水资源规划法》(1965)，《水质控制法》(1965)，《联邦水污染控制法》(1972)，《洪水灾害防御法》(1973)，《水土资源规划原则与标准》(1973)等。运作最为成功、堪称典范的当属1933年颁布的《田纳西河流域管理局法》，依据此法建立起来的精简、有效、权利大、有独特运行机制的流域机构，对协调田纳西河流域的水资源保护、经济发展和环境保护起到了积极作用。它作为一个国家机关，董事会成员由总统提名，国会任命，拥有很大的行政管理权利，它有独立自主权，直接向总统和国会汇报工作。管理局负责对全流域的水利工程和环境治理进行统筹安排，该流域的7个州不得干涉。由于有法律作保障，管理局能根据流域的资源状况和可持续发展要求，制定包括防洪、航运、发电、灌溉、农业生产、植树造林和环境保护等内容的综合性方案。由于管理局的有效运作，在20世纪50年代就实现了水资源利用率90%的目标，较好地协调了产业发展与环境之间的关系。

8.1.4.2 法国水法

法国于1935年颁布了《地下水保护法》、1962年颁布了《关于管理用水》的法令，其后陆续颁布了一系列的法令规范水的制度、分配、防止水污染、建立管理机构、进行跨部门协作等，它的第一部综合性水法于1964年颁布。1992年，法国对原来的水资源管理进行了完善和补充，通过了新水法，逐步形成了完整的水法规体系。它规定水是国家的共同财产，水资源的保护、利用和可用资源的开发应以公共利益为目的并遵守自然平衡法则。任何人在法律、规章及以前制定的法律规范内都有使用水的权利。

新水法最显著的特点：一是按流域划分管理单元，将全国按河流水系分成六个流域，成立流域委员会和水管理局。流域委员会根据国家政策制定区域的水政策，负责制定地方的水收费额和流域水资源管理计划，主要以经济杠杆实施管理，它不是常设机构，每年召开1～2次会议。水管局是流域委员会的执行机构，负责水资源的日常系统管理。二是以经济杠杆为主要管理手段，实行用水付费，排污者多倍付费的原则，另外，任何改变水系统状态，包括水量、水位改变、部分淹没、河床改变等，都要收费。

老水法和新水法颁布后，建立起完善的水资源管理系统，使法国的水生态得到了改善，即使在人口特别密集的巴黎地区，饮用水源的质量也能满足水质的国家计划。此外，还编制了新的改善河流水质的国家计划。

8.1.4.3 日本水法

日本水法相当完善，在涉及水资源管理的各个方面制定了内容繁多的法律。有《河川法》(老)(1896)、《水害预防组合法》(1908)、《国有水体围垦法》(1922)、《海岸法》(1956)、《电力开发促进法》(1952)、《水资源保护法》(1951)、《水质污染防治法》(1970)等，比较重要的有20多部法律。特别是1964年颁布的新河川法，是日本对河流进行管理的基本法律。新河川法规定河流属公共财产，任何有意使用河川水资源的人都要取得河川管理者的允许。

日本政府按水功能用途统筹分管的模式管理水资源，涉及水资源开发利用的机构有建设省、农林水产省、通商产业省、厚生省和国土厅，它们在统一规划的前提下各负其责。其中国土厅负责制定水资源长期供需计划及有关政策，并在各部门起协调作用。新河川法规定，河流分级由政令公布，一级河流由建设大臣管理，二级河流由河流所在都、道、府、县知事管理；建设省设河流审议会，委员由建设大臣任命，承担咨询、调查、审议有关河流的重要事项，各地方政府也设定相应的河流审议会；地方各级知事可以向引用河水者、占用河流水域者、土石开采者收费；遇到洪潮紧急情况，可以征用附近土地、材料、运输工具及设置障碍物。

根据新河川法，水资源属国家所有，水权只是一种长期独占水资源使用的权利。各用户使用水资源时，必须先取得水权，按照水权采用限定的水量，不能改变水的用途，如果改变用途，必须放弃原有水权重新申请。水权转让只能是随其财产转给另一团体，且水权是团体财产的一部分。

日本没有全面涉及地下水的法律，根据《日本国民法》，水权从属于土地权。

8.1.4.4 以色列水法

以色列人均水资源占有量只有世界平均水平的 1／32，是典型的缺水国家，但其通过立法，对水资源实行联合调度、统一管理，有效的解决了水资源供需之间的矛盾，是世界缺水国家和地区利用水资源的典范。

以色列建国之初，就先后制定了《水法》、《量水法》、《水井控制法》、《水灌溉控制法》、《排水及雨水控制法》等法律法规，对用水权、用水量、水费征收、水质控制等做了详细规定。《水法》明确规定，水资源属于公共财产，在国家控制之下，必须用于其公民的利益及国家的发展。水资源归农业部和水利委员会负责。农业部授权成立国家和地区水管局，并制定水法实施条例。国家设立水利委员会，负责制定水利政策、分配水量、制定水资源发展规划与用水计划，以及防止污染、开发废水、研制海水淡化设备等。

《水法》是以色列的基本水法，它规定了水权、水保护、水资源管理体制、水价的制定、水事纠纷及水法庭的设立等内容。水权与土地权分开，土地所有者并不能拥有自己土地上的水资源，人人有权从水体取水。用水的使用权必须符合各个行业的用水要求，用水不当者将失去用水权。

以色列实行不同的水不同的价格，农业、工业、生活用水的价格各不相同，水价由全国水利委员会统一制定，实行超量加价的管理办法。以色列的水费与其实行的水配额制是配套管理的，对出现的超额用水制定了较高的收费标准，以利于节约用水管理办法的有效实施。以色列水利委员会签署了一系列法规以降低水的消耗，推进节水设备的开发和利用。

8.1.4.5 印度水法

印度的水资源的所有权和使用权归各邦，水资源开发由各邦负责，中央政府负责协调邦际的河流的流域开发，并制定相应的邦际水协议。印度各邦根据本地区的实际情况，制定了许多有关水的法规。中央政府通过《水争端法令》(1956)对邦与邦之间的水事纠纷和《法令》(1974)对污染控制进行管理。印度的主要法规有 1956 年的河道管理法，目的是协调和解决邦际河流的开发管理问题；《水争端法令》对各邦之间的水事纠纷的起诉、法庭成立、水纠纷裁决、法庭公布、禁止征收特许权费用、纠纷提交法庭的限制、法庭的权力、法庭首席法官的待遇、最高法院和其他法院的裁决限制及法庭的解散等做了具体规定。1873 年颁布的渠道排水法，经修改后成为旁遮普邦、哈里亚纳邦和北方邦有关的水基本法。

8.1.5 中国的水法状况

由于我国历史上洪灾、旱灾频繁发生，人们在与水做斗争的过程中，也积累了丰富的经验，制定了相应的水利管理的规章制度。公元前 651 年，我国春秋时代诸侯国盟约规定“毋曲防”，是中国最早有关水利管理法规的文字记载（《水利大事年表》，水电知识网）。汉代的“均水约束”和“水令”、隋唐的《水部式》和《营缮令》等都是我国历史上典型的水利法规，对当时的水资源管理起到了积极作用。特别是《水部式》，其内容涉及农田水利、水工建筑物、航运、水纠纷及相应的奖惩措施，是我国封建社会水利立法上的杰作。封建社会后期，由于列强入侵，我国逐步进入半封建半殖民地社会，国穷民弱，水利不兴，我国水法与水利事业一样基本处于停滞状态。直到 1930 年前后，才有了一些近代的水利工程，但由于日本侵华，水利工程不仅没有发展，而且年久失修，处于破烂不堪的境地，民国政府在其间也制定了《水利法》和《河川法》，但因国事动荡，没有得到认真实施。

新中国成立后，我国水利事业得到了迅猛发展，我国政府这时基本上依靠行政规范来指导水资源管理工作，先后有《关于加强水利管理工作的十条意见》(1961)、《关于五省一市平原地区水利问题处理原则的报告》(1962)、《关于继续解决边界水利问题的通知》(1962)、《水利工程水费征收使用和管理试行办法》(1965)、《水土保持工作条例》(1982)等，但直到改革开放前，人们往往把水资源管理理解为防洪和农田水利上，将注意力集中在工程建设上，没有将水资源管理上升到重要的自然资源和环境要素引进管理范畴，而且法律层次较低。直到 1978 年我国第一部水法的起草工作才开始进行，经过多次修改，1988 年 1 月，第六届全国人大常委会审议通过，正式颁布《中华人民共和国水法》，使我国的水资源管理跨入一个新阶段。在水法颁布后，我国已初步建立了与水法相配套的水法规体系和水行政执法体系，初步理顺了水资源管理体制，强化了水资源统一管理；以实施取水许可制度和水资源有偿使用制度为重点，建立和完善各项水资源管理制度，我国水资源管理逐步纳入了法制轨道，水的利用率大幅度提高，水利建设和防治水害工作取得了重大成就，水法的颁布实施对我国水利事业的发展发挥了极其重要的作用。但随着经济社会的发展和水资源状况的变化，出现了一些新情况、新问题，原水法的一些规定已经不能适应实际需要。为此，从 1994 年开始，我国就着手对水法进行进一步修改，在原水法的基础上，吸收世界各国水法的经验，结合我国水资源管理的实际情况，经过补充和完善，我国第二部水法于 2002 年 8 月 29 日第九届全国人民代表大会常务委员会第二十九次会议通过。

目前，我国已有水法律 4 部，行政法规 20 件，部规章 90 余件，地方性水法规和政府规章800余件。它们对水资源管理的各个方面和不同领域，有所侧重地做了具体的规定，基本上形成了我国完整的水法体系。2003年4月22日，我国的水行政主管部门水利部制定了《水利部立法工作管理规定》，使我国的水利立法也走上了法制轨道。

我国第二部水法汲取了以往世界各国水资源治理方面的有益经验和改革开放以来取得的成果，和第一部水法相比，其内容更加丰富，管理机制更加具体，责任也更加明确。主要有以下几点：一是加强了水资源管理在规划方面的要求，突出水资源开发利用和管理的系统性和科学性，避免了水资源管理的随意性和破坏性开发。新水法在其第二章用了5个条款专门对其进行规范，并特别规定"规划一经批准，必须严格执行"。二是进一步强调了水资源的保护工作。新水法用了13个条款对水资源、水域和水利工程的保护工作进行了规范，增加了水源地保护和防止水污染等条款。三是明确水资源的管理机制。新水法在水资源归国家所有的前提下，由什么单位代表国家实施管理权和权限范围做了明确规定。例如规定流域管理机构和县级以上人民政府水行政主管部门享有相应的管理权，另外对跨流域地方水流的水资源配置权也做了规定。四是丰富了节约用水方面的内容。对水资源配置和水费征收制度做了详细规定。五是责任追究机制更加具体。新水法对什么样的违法行为给予什么样的处罚做了具体的规定，增加了水法的可操作性。

新水法突破了我国第一部水法着重水利工程管理的做法，加强了水资源的保护、节约和整体性、科学性开发利用，反映了我国水资源管理的最新成就。水利法规体系的形成，标志着我国的水资源管理进入了法制时代。

随着新水法的实施，我国的水行政执法工作也上了一个新的台阶。水行政执法涵盖了水资源开发、利用、节约、保护、防治水害和解决水事纠纷等诸方面。近几年，水行政执法工作主要围绕贯彻实施取水许可制度、保护水利设施、清除河障、打击非法采砂等展开，各地水行政主管部门还根据当地实际情况，在不同时期，确定了不同的执法重点。例如江苏在每年的汛前和汛期，都要开展近一个月的大规模清障活动，有效保障了安全度汛。浙江全省开展河畅水清专项执法活动，声势浩大，效果明显。江西、湖北、湖南等省积极配合退耕还湖、破垸行洪工作，加强了检查监督。西北地区也加强了对退耕还林(草)的检查监督，减少了工作阻力，保障了工作进程。长江水利委员会协调江苏、湖北、安徽、江西等省对长江采砂进行了跟踪巡查，严格的执法使长江中下游无序的采砂活动得到明显遏止。

我国水政执法队伍已经大大加强。2000年5月，水利部发布13号令，水政监察队伍的规范化建设用规章形式确立了下来。到2000年底，规范化建设的任务基本完成。到2001年8月，流域性机构的水政监察专职队伍建设也全部完成。在全国已经建成比较健全的执法网络，形成了比较完备的水行政执法体系。据水利部的最新统计，目前全国共建立省级总队25支，流域机构总队16支，支队328支，大队2 170支。全国共有在编专职水政监察人员6万余名。

目前，国家水利部正积极从体制上、源头上改革和创新水行政执法体制，推行水行政综合执法，努力使水利系统的综合行政执法与国家推行综合行政执法试点工作进程相衔接，为国家在资源环境管理领域推行综合行政执法奠定良好基础。

8.2 中国水资源管理常用的法律法规

我国水法与英法等国的水法相似，我们有一个水资源管理的基本大法——《中华人民共和国水法》(以下简称《水法》)，它对水资源的规划、开发利用、保护、配置、水事纠纷的处理以及相应的法律责任，都做了系统规定。另外，由于《水法》的规定比较原则化，为了更好地贯彻《水法》精神，使其更具有可操作性，国家有关部门又相应地在某一具体领域制定了一系列的法律法规，对某一方面进行具体规范。例如《中华人民共和国水土保持法》、《中华人民共和国防洪法》、《中华人民共和国水污染防治法》、《水利工程供水价格管理办法》等，它们与《水法》一起构成了我国的水法规体系。

8.2.1 《中华人民共和国水法》

我国现行的《水法》是在原水法的基础上，做了进一步修改，2002 年 8 月 29 日第九届全国人民代表大会常务委员会第二十九次会议通过，并于 2002 年 10 月 1 日起开始实施。下面介绍其主要内容。

8.2.1.1 立法背景

我国水资源总量虽然很多，但我国人均水资源占有量只有世界平均水平的 1／4，特别是改革开放以来，随着经济得到长足发展，人民生活水平空前提高，人们面临的水资源短缺、洪涝灾害、水质污染等问题也日益严重。根据中国工程院《中国可持续发展水资源战略研究报告》，全国目前缺水总量为 300 亿～400 亿 m^3，到 2030 年国民经济需水总量将增加 1 400 亿 m^3；1997 年全国废污水排放总量为 584 亿 t，到 2030 年全国城市污水排放量将增加到 850 亿～1 060 亿 t。虽然我国于 1988 年制定实施了水法，并且在水资源管理方面取得了巨大的成绩，但在实践中，我们同样也发现了一些新问题。在开发水资源过程中，不同地方不同程度地出现重开源、轻节流，重开发、轻保护等问题，同时在水市场形成机制、水资源管理地区分割、可操作性等方面也存在不足。这些新情况，都要求对原水法进行修改和完善，因此全国人大从 1994 年开始着手水法的修改工作，新水法于 2002 年颁布并开始实施。

8.2.1.2 立法的宗旨

新水法在其总则第一条就明确规定，制定《水法》的宗旨就是为了合理开发、利用、节约和保护水资源，防治水害，实现水资源的可持续利用，适应国民经济和社会发展的需要。

我国的水资源不少，河川年平均径流总量 27 000 多亿 m^3，居世界第六位，但人均水资源占有量只有世界平均占有量的 1／4。再加上我国水资源在时间和空间上的不均匀性，造成了水资源的南多北少，南方人均水量 4 170 m^3，而北方人均水量仅 938 m^3，其中滦河流域人均只有 430 m^3，与沙特、科威特等极度缺水国家相差无几。水资源紧缺已经成为我们面临的最大的水资源问题，水污染也进一步加重了日益严重的水资源短缺，同时洪涝灾害也十分严重。为了保障整个国家的用水安全，依法治水已经刻不容缓。

8.2.1.3 适用范围

在中华人民共和国领域内开发、利用、节约、保护、管理水资源，防治水害，适用本法。水资源指的是地表水和地下水。我国所辖海域的海水开发利用不属于本法的管辖范围。

8.2.1.4 产权划分

我国实行水资源国家所有制度，即水资源归全民所有。国务院代表国家行使水资源所有权，它对水资源拥有绝对的开发利用、配置等权利，同时负有保护、节约用水和防治水害的责任。体现了水资源的国家单一所有权，同时使水资源的所有权和使用权彻底分离。

水资源归国家所有,国家对水资源实行流域管理与行政区域管理相结合的管理体制。目前水利部作为国务院水行政主管部门，负责全国水资源的统一管理和监督工作。

(1)重要江河、湖泊的管理权。水利部在国家确定的重要江河、湖泊设立流域管理机构，这些流域管理机构依照法律、法规和水利部的授权代表国家享有本流域的所有权和管理权。

(2)地方水资源的管理权。县级以上地方人民政府水行政主管部门按照规定的权限，负责本行政区域内水资源的统一管理和监督工作。县级以下人民政府没有水资源的管理和监督权。

(3)跨行政区域的水资源的管理权。跨行政区域的水资源的调蓄径流、水量分配等问题，由共同的上一级人民政府水行政主管部门商有关地方人民政府制定，报本级人民政府批准后执行。

(4)国际或者国境的水资源管理权。这部分水资源的管理依据我国缔结或参加的国际条约或协定执行。

8.2.1.5 水资源开发利用的原则

为了合理利用水资源，保障人民群众的生活用水和工农业用水，促进国民经济的健康、协调和持续发展，开发、利用、节约、保护水资源和防治水害，应当全面规划、统筹兼顾、标本兼治、综合利用、讲求效益，发挥水资源的多种功能，协调好生活、生产经营和生态环境用水。国家要制定全国水资源战略规划，各部门对其管辖的水资源制定相应的水资源规划。流域范围内的区域规划应当服从流域规划，专业规划应当服从综合规划。各种规划一经批准，在开发利用水资源的时候，必须严格执行。水资源开发利用按照下列原则，制定了相应条款。

(1)保护性原则。制定水资源规划，利用水资源必须考虑保护性原则，维护水资源的可持续开发。注意维持江河的合理流量和湖泊、水库以及地下水的合理水位，维护水体的自然净化能力。任何单位、组织或个人如果对水资源造成了危害，必须承担治理责任，采取补救措施；对他人生活和生产造成损失的，依法给予补偿。同时，水资源的管理部门为了避免水资源遭到危害，可以采取相应措施。例如《水法》中就规定：国家建立饮用水水源保护区制度；禁止在饮用水水源保护区内设置排污口；禁止在河道管理范围内建设妨碍行洪的建筑物、构筑物以及从事影响河势稳定、危害河岸堤防安全和其他妨碍河道行洪的活动，等等。

(2) 节约性原则。由于水资源在一定的时空条件下具有有限性，不可能满足每个社会成员的无限需求，因此在利用开发水资源时必须遵循节约性原则。《水法》第八条规定：国家厉行节约用水，大力推行节约用水措施，推广节约用水新技术、新工艺发展节水型工业、农业和服务业，建立节水型社会。 各级人民政府应当采取措施，加强对节约用水的管理，建立节约用水技术开发推广体系，培育和发展节约用水产业。单位和个人有节约用水的义务。同时国家有权淘汰落后的、耗水量高的工艺、设备和产品，具体名录由国务院经济综合主管部门会同国务院水行政主管部门和有关部门制定并公布。生产者、销售者或者生产经营中的使用者应当在规定的时间内停止生产、销售或者使用列入名录的工艺、设备和产品。

(3) 有偿性原则。我国对水资源依法实行取水许可制度和有偿使用制度。任何单位、组织或个人直接从江河、湖泊或者地下取用水资源，应当按照国家取水许可制度和水资源有偿使用制度的规定，向水行政主管部门或者流域管理机构申请领取取水许可证，并缴纳水资源费，取得取水权。但是，家庭生活和零星散养、圈养畜禽饮用等少量取水的除外。在利用水资源时，应严格按照用水计划进行，为了节约用水，实行计量收费和超定额累进加价制度。

(4) 合理收益原则。为了加快水资源的开发利用，鼓励和促进各种力量参与水资源的开发，农村集体经济组织或者其成员依法在本集体经济组织所有的集体土地或者承包土地上投资兴建水工程设施的，按照谁投资建设谁管理和谁受益的原则，对水工程设施及其蓄水进行管理和合理使用。

(5) 统筹兼顾与优先原则。为了更好地利用有限的水资源，提高用水效率，《水法》在统筹兼顾和优先方面做了相应的规定，《水法》要求，开发、利用水资源，应当坚持兴利与除害相结合，兼顾上下游、左右岸和有关地区之间的利益，充分发挥水资源的综合效益，并服从防洪的总体安排。通常条件下，江河的上游较其下游、水资源的近距离较远距离拥有优先使用权，城乡居民生活用水较农业、工业、生态环境用水以及航运用水优先。为了实现这一原则，国家实行取水许可制度。

8.2.1.6 农民用水权益的保护

新水法特别注重对农民现有用水权益的保护，并为此制定了相应的条款：一是第三条规定“农村集体经济组织的水塘和由农村集体经济组织修建管理的水库中的水，归各该农村集体经济组织使用”。二是第七条规定“国家对水资源依法实行取水许可制度和有偿使用制度。但是，农村集体经济组织及其成员使用本集体经济组织的水塘、水库中的水的除外”。三是第四十八条规定了取水许可制度和水资源有偿使用制度，“但是，家庭生活和零星散养、圈养畜禽饮用等少量取水的除外”。四是第二十五条规定“农村集体经济组织或者其成员依法在本集体经济组织所有的集体土地或者承包土地上投资兴建水工程设施的，按照谁投资建设谁管理和谁受益的原则，对水工程设施及其蓄水进行管理和合理使用”。另外，还规定“农村集体经济组织修建水库应当经县级以上地方人民政府水行政主管部门批准”。这些规定，都有效地保护了农民现有的用水权益。

8.2.1.7 《水法》的强制性

《水法》作为我国水资源管理的根本大法，和其他法律一样，也体现了其强制性，对各种违法行为制定了明确的处罚措施，对水事纠纷的处理和国家公务人员的执法行为进行了规范。例如《水法》明确规定了县级以上人民政府水行政主管部门、流域管理机构及其水政监督检查人员履行规定的监督检查职责时，有权采取的措施，包括可以进入被检查单位的生产场所进行调查、责令被检查单位停止违法的行为等。对违法的行为也视情节的不同，明确了包括罚金、行政处罚，直至刑事处罚在内的惩处措施。

总之，新水法从法律的角度，规定了水资源开发、利用、节约、保护、配置和管理的原则，正确处理了水资源与人口、经济社会发展和生态环境的关系，注重了水与人、水与自然的协调和和谐，具有鲜明的时代性、科学性、针对性和可操作性，应当说是我国现行资源法中的一部好法律。

8.2.2 《中华人民共和国水土保持法》

我国现行的《中华人民共和国水土保持法》(以下简称《水土保持法》)颁布于1991年6月29日，共6章42条。《水土保持法》是与水资源管理密切相关的一部法律，它的实施不仅能改善河流上游生态环境，而且对涵养水源，防止河道淤积都有现实意义。

8.2.2.1 立法背景

我国人口众多，人与土地之间的供需矛盾随着经济的发展日益突出，许多地方为了扩大土地利用，乱垦滥伐，破坏了天然植被，造成了水土流失。目前，我国水土流失面积约有150多万 km^2，占全部国土的1／6，特别是黄土高原地区，沟壑纵横，已达到触目惊心的地步。为了搞好水土保持工作，国务院1957年制定了《中华人民共和国水土保持暂行纲要》，1982年又制定了《水土保持工作条例》，这些都为我国的水土保持工作做出了突出贡献。但随着社会的发展，这两部法规无论从内容上还是从权威上已经远远不能满足水土保持工作的需要。一些地方边治理、边破坏，甚至一方治理多方破坏。水土流失导致耕地土层变薄、土地生产力下降、淤毁水利工程、加重洪水灾害、生态环境破坏等一系列问题，严重影响到人民群众的生存环境和当地经济的发展，制定一部水土保持法已经十分必要和迫切。于是从1987年全国人大就着手水土保持法的起草工作，终于在1991年正式颁布实施。

8.2.2.2 立法的宗旨

《水土保持法》的第一条就明确规定：是为预防和治理水土流失，保护和合理利用水土资源，减轻水、旱、风沙灾害，改善生态环境，发展生产。从《水土保持法》的宗旨可以看出它与《水法》之间的关系，水土保持工作不仅是保护水资源，更是为了保护整个生态环境，同时水土保持也不是保护水资源的惟一途径，而是保护水资源不可缺少的一部分。

8.2.2.3 《水土保持法》的行政主体

由于水土保持工作与水资源管理的密切关系，《水土保持法》规定国务院水行政主管部门主管全国的水土保持工作，县级以上地方人民政府水行政主管部门，主管本辖区的水土保持工作。它们负责依法对水土流失进行预防、监督和治理。

8.2.2.4 主要途径

防止水土流失的途径有两种。一是预防，它是水土保持工作的主要方法。其内容包括植树造林、保护植被、防止乱垦乱伐、通过工程建设及生产活动改变原地貌的防范水土流失等措施。《水土保持法》中对此共有 8 个条款，内容相当详尽，林业上实行限额采伐，避免采伐量大于生产量；牧业以草定畜，不得超载过牧；农业上防止滥垦，在提高单产的基础上，对现有陡坡逐步退耕；工矿、交通进行生产时，要做好水土保持，妥善处理废弃土石和整治地貌、恢复植被。二是治理。《水土保持法》引进“谁使用土地谁保护”、“谁造成水土流失谁负责治理”的原则，企业事业单位在建设和生产过程中必须采取水土保持措施，对造成的水土流失负责治理。本单位无力治理的，由水行政主管部门治理，治理费用由造成水土流失的企业事业单位负担。建设过程中发生的水土流失防治费用，从基本建设投资中列支；生产过程中发生的水土流失防治费用，从生产费用中列支。只有这样才能保证各项水土保持措施的落实，否则，没有资金，治理也就无从谈起，待到造成严重水土流失达到非治不可时才治理，将需要更多的治理费用，并给人民造成很大的损失。

8.2.2.5 水土保持的促进措施

为了促进水土保持工作，国家鼓励开展科学技术研究，提高水土保持科学技术水平，推广水土保持的先进技术；鼓励水土流失地区的农业集体经济组织和农民对水土流失进行治理，并在资金、能源、粮食、税收等方面实行扶持政策。特别是对荒山、荒沟、荒丘、荒滩水土流失的治理实行承包的，应当按照谁承包治理谁受益的原则，承包治理所种植的林木及其果实，归承包者所有，因承包治理而新增加的土地，由承包者使用等方面的内容，都在《水土保持法》中以法律的形式固定下来。这些促进措施，明确了双方的责、权、利，对促使各种社会力量参与水土保持工作起到了积极作用。

8.2.2.6 法律强制性

对于违法行为造成水土流失的，水行政主管部门及其县级以上人民政府有权责令限期改正、采取补救措施，处以罚款。如果滥用职权或暴力抗法的，公安机关依照治安管理处罚条例的规定处罚，构成犯罪的，依法追究刑事责任。

水土保持工作任重道远，非一朝一夕所能完成，为了防止和减轻水土流失，避免“先破坏后治理”所付出的巨大代价，只有一部好的法律是不够的，必须唤起全社会的重视，严格执法，共同努力，才能取得好的效果。

8.2.3 《中华人民共和国防洪法》

《中华人民共和国防洪法》(以下简称《防洪法》)颁布于 1997 年 8 月 29 日，从 1998 年 1 月 1 日起实施，是我国水法体系中防治水害的第一部法律。

8.2.3.1 立法背景

我国是个暴雨洪水较多的国家，历史上洪水灾害十分严重。虽然新中国成立后，党和国家对大江大河进行了大规模的治理工作，但我国的防洪形势依然严峻。例如黄河下游，河床不断淤积，改道和决口危险日益加重，而我们目前还没有好的对策。虽然我国分别于 1988 年、1991 年颁布实施了《中华人民共和国河道管理条例》和《中华人民共和国防汛条例》，但随着经济发展、人口增加、城镇规模的增大，我们遇到了很多新情况和新问题。例如防洪缺乏统一规划，头痛医头，脚痛医脚，无法发挥综合效益；缺乏强有力措施治理河道违规建筑和保护防洪设施；蓄洪区管理滞后；防洪投入不足等。因此，社会效益显著而经济效益不明显，但又严重危害人民群众生命财产安全的防洪问题，必须从立法角度进行规范，将洪水防治归入法制轨道。

8.2.3.2 立法宗旨

立法宗旨是为了防治洪水，防御、减轻洪涝灾害，维护人民的生命和财产安全，保障社会主义现代化建设顺利进行。

由于洪水对人民生命财产的巨大威胁，有可能对人类造成毁灭性的后果，因此防洪抗灾历来是国之大事。我国江河湖泊众多，在江河的中下游，通常人口聚集，经济发达，是国家的精华所在，但这些地区地势较低，常受洪水之害。可以说，伴随着我国几千年生产力发展历史的就是人民对洪水的抗争，虽然我们在治理洪水方面积聚了丰富的经验，但抗击洪灾涉及面广，技术复杂，工作千头万绪，单单凭借经验已经远远不能满足防洪要求，必须以立法的形式对防洪的方方面面加以规范。

8.2.3.3 《防洪法》的行政主体

为了加强防洪抗灾的力度，《防洪法》规定防洪工作按照流域或者区域实行统一规划、分级实施和流域管理与行政区域管理相结合的制度。特别是防汛抗洪工作，实行各级人民政府行政首长负责制，统一指挥、分级分部门负责。

8.2.3.4 主要内容

《防洪法》共 8 章 66 条，分为总则、防洪规划、治理与防护、防洪区和防洪工程设施的管理、防洪抗洪、保障措施、法律责任、附则几部分。它注重防洪的系统化和科学化，要求对各个流域和具有防洪任务的区域制定防洪规划，根据防洪规划进行保护、扩大流域林草植被，涵养水源，加强流域水土保持综合治理，同时疏浚河道和建设防洪工程，努力提高防洪标准，以防为主。遇到超标准洪水或防洪工程出现险情，调动一切因素，全力抗灾。

8.2.3.5 防洪工作的优先原则

洪水问题是我国的心腹之患，事关全局的安定和人民群众生命财产安全，因此防洪问题具有优先性。河道、湖泊管理范围内的土地和岸线的利用，应当符合行洪、输水的要求。《防洪法》规定，建设跨河、穿河、穿堤、临河的桥梁、码头、道路、渡口、管道、缆线、取水、排水等工程设施，应当符合防洪标准、岸线规划、航运要求和其他技术要求，不得危害堤防安全，影响河势稳定、妨碍行洪畅通；其可行性研究报告按照国家规定的基本建设程序报请批准前，其中的工程建设方案应当经有关水行政主管部门根据前述防洪要求审查同意。也就是说在河道、湖泊范围内从事任何生产活动都不得妨碍防洪需要。在汛期，气象、水文、海洋等有关部门应当按照各自的职责，及时向有关防汛指挥机构提供天气、水文等实时信息和风暴潮预报；电信部门应当优先提供防汛抗洪通信的服务；运输、电力、物资材料供应等有关部门应当优先为防汛抗洪服务。在紧急防汛期，防汛指挥机构有权运用国家强制力征用所辖区域内的任何人力、物力资源。

8.2.3.6 防洪资金的投入

防洪的社会效益显著，但经济效益不太明显，为了防止出现企业、个人不愿出资和国家财政又无法全包情况的发生，避免总体防洪水平的下降，防洪法专门在此方面做了规定，“按照事权和财权相统一的原则，分级负责，由中央和地方财政承担”，“国家设立水利建设基金，用于防洪工程和水利工程的维护和建设”，有防洪任务的地方政府“安排一定比例的农村义务工和劳动积累工，用于防洪工程设施的建设、维护”，明确了政府和受益地区防洪资金的合理分配制度。

8.2.3.7 法律强制性

由于防洪抗灾工作的特殊性，《防洪法》在法律责任上要求极其严格。对损害防洪设施、侵占防洪物资、阻挠防洪行为，以及国家公务人员玩忽职守、滥用职权和拒不执行防御洪水方案等行为，都制定了从罚金、治安处罚、行政处分等惩处措施，构成犯罪的，依法追究刑事责任。

8.2.4 《中华人民共和国水污染防治法》

我国现行的《中华人民共和国水污染防治法》，是在1984年颁布实施的基础上，经过1996年《关于修改(中华人民共和国水污染防治法)的决定》修正了的新的水污染防治法。它立足于水污染解决出现的新问题和新现象，对遏制我国水污染发展势头，起到了至关重要的作用。

8.2.4.1 立法背景

我国在1984年就颁布实施了水污染防治法,随后各地和各部门陆续出台了一系列的规章、制度和标准，逐渐形成了完整的水污染防治法规体系。人民群众的水资源保护认识有了一定程度的提高，各地对水污染防治的投入也逐年加大，局部区域的水质情况有了明显的改善。但随着社会的发展，水污染从总体上看呈不断恶化的趋势，全国7大水系，有半数污染严重。并且污染源由原来的工业污染一枝独大发展到工业污染、流域污染、城市污水和非点源污染并重的局面。水污染导致的水质恶化，进一步加剧了我国的水资源短缺和生态环境的恶化。因此，必须研究新情况，针对新问题对原来的水污染防治法进行修改。从1994年全国人大开始相应的调研和准备工作,并于1996年通过了《关于修改〈中华人民共和国水污染防治法〉的决定》，对原水污染防治法进行了修改和完善。

8.2.4.2 立法宗旨

《水污染防治法》在第一条就规定：防治水污染，保护和改善环境，以保障人体健康，保证水资源的有效利用，促进社会主义现代化建设的发展。

我国水污染防治工作立法，也是随着经济发展、水污染日益严重而提上日程的。例如我国在立法前的1983年，全国废污水的总排放量达309亿m^3，很多污水没有经过任何处理就排放在水域或地下，水质遭到严重破坏，许多河段鱼虾不生，地下水无法饮用。水污染问题已经严重影响到人民群众的身心健康并制约经济的发展，因此水污染防治法就是以解决上述问题为宗旨的。

8.2.4.3 管辖范围

本法的管辖范围是我国境内的地表水和地下水，不包括海域水体的水污染防治。

8.2.4.4 行政主体

水污染防治法规定，“各级人民政府的环境保护部门是对水污染防治实施统一监督管理的机关”。由于水污染主体的多样性和危害的广泛性，水污染防治法还规定，“各级交通部门的航政机关是对船舶污染实施监督管理的机关。各级人民政府的水利管理部门、卫生行政部门、地质矿产部门、市政管理部门、重要江河的水源保护机构，结合各自的职责，协同环境保护部门对水污染防治实施监督管理”。由于水是一种多功能动态资源，防止水资源污染作为水资源保护的重要内容，不可能由一个部门单独完成，多部门协作管理也是水资源的特点决定的。

8.2.4.5 主要内容

水污染防治法共 7 章 62 条，包括水环境质量标准和污染物排放标准的制定、水污染防治的监督管理、地表水地下水污染的防治以及法律责任等内容。

(1)按照流域或区域进行统一规划。由于经济的发展，城市人口的增加，水资源的时空分布不均，很多地方为了满足本地的水资源需求而进行长距离调水，因此跨行政区域的流域污染问题日益突出，但是仅靠地方政府相互协调是不够的，必需有统一的水污染防治规划。因此，水污染防治法规定了按流域或区域进行统一规划的原则，各地方政府都要按照统一规划，管理好本地区的水污染问题。

(2)解决水污染问题的途径。解决水污染问题，水污染防治法要求采取两方面的措施：一是防患于未然。制定水环境质量标准和污染物排放标准；实施重点污染物排放的总量控制制度；淘汰落后生产工艺和污染严重的落后设备；关、停、并、转污染严重又缺乏有效治理措施的小造纸、小制革等小型企业；明确禁止向水体排放的污染物；严格管理污水的排放，等等。二是污水治理。水污染防治法吸收了国际上通行的“污染者负担”原则，规定“企业事业单位向水体排放污染物的，按照国家规定缴纳排污费；超过国家或者地方规定的污染物排放标准的，按照国家规定缴纳超标准排污费。排污费和超标准排污费必须用于污染的防治，不得挪作他用”、“城市污水集中处理设施按照国家规定向排污者提供污水处理的有偿服务，收取污水处理费用，以保证污水集中处理设施的正常运行”。

8.2.4.6 法律强制性

水污染防治法对违反有关规定的行为制定了明确的惩罚措施，根据情节的轻重，制定了从罚款、行政处分到刑罚的惩戒条款，明确了执法单位和申辩方式。对造成重大水污染事故，导致公私财产重大损失或者人身伤亡的严重后果的，要追究刑事责任。

8.2.5 《水利工程供水价格管理办法》

《水利工程供水价格管理办法》(以下简称《供水价格管理办法》)是由国家发展和改革委员会与水利部联合于 2003 年 7 月 3 日颁布，2004 年 1 月 1 日开始实施的行政规章，虽然在法律级别上比较低，但却适用广泛，是最常用的水利法规之一。

8.2.5.1 立法背景

我国虽然在历史上有过征收水费的制度，但新中国成立初期，基本上是无偿供水，直到 1965 年国务院批复了水利电力部制定的《水利工程水费征收、使用和管理试行办法》，我国才进入有偿供水时代。1985 年，国务院根据我国水费征收情况和国民经济发展的要求，对其进行了修订，颁布了《水利工程水费核定、计收和管理方法》。这两个办法的实施，对我国的水价管理走上正规化和规范化起到了至关重要的作用。但是，随着改革开放的顺利进行，经济飞速发展，水资源短缺问题也日益突出，人们对水资源问题的认识也越来越深。为了适应社会主义市场经济的发展要求，水利部从 1994 年起就着手制定新的水价管理办法，在近十年的时间，几易其稿，终于在 2003 年与国家发展和改革委员会共同颁布了《供水价格管理办法》。

8.2.5.2 立法宗旨

《供水价格管理办法》是根据新的水法和价格法制定的，其目的是落实水法中关于“有偿用水”的原则，进一步明确不同用途的水的价格组成、征收方法，以达到合理利用水资源、节约用水和保障水利工程健康运营的目的。

8.2.5.3 体现的原则

(1)合理收益原则：《供水价格管理办法》明确规定，水利工程供水必须在补偿成本的基础上，取得合理收益，实行优质优价。利润成为水价的重要组成部分。合理收益原则保证了水利工程的正常运营，也为其他社会资本进入水利市场提供了可能性，它结束了我国依靠国家拨款维持水利工程运转的时代，促进了水利市场的形成。

(2)保护农业用水原则：由于农业的收益比较低，并且农业是国民经济的基础，因此国家对农业用水实行保护制度。农业用水价格中只包括供水成本和费用，不包括利润和税金。

(3)节约用水原则：为了节约用水，落实《水法》规定的用水实行计量收费、超定额累进加价制度，《供水价格管理办法》根据水的用途实行定额管理，明确了基本水价和计量水价的构成。

8.2.5.4 主要内容

《供水价格管理办法》共 6 章 30 条，包括总则、水价核定原则及办法、水价制度、管理权限、权利义务及法律责任和附则 6 部分。明确了水利工程供水价格由供水生产成本、费用、利润和税金构成，并对其组成部分包括哪些内容做了详细规定。例如成本是指正常供水生产过程中发生的直接工资、直接材料费、其他直接支出以及固定资产折旧费、修理费、水资源费等制造费用，对不同用途、不同定额内外的水实行不同的价格，计量收费。价格主管部门和水行政主管部门是水价制定和审批的主管部门，水价的制定必须经过法定的申报审批程序，水利工程供水单位不能自行决定水价。对迟交水费者收取滞纳金，对拒不缴纳水费者可以按程序停止供水。

8.2.6 其他法律法规

在我国的水法规体系中，有全国人大及其常务委员会颁布的 4 部法律，也有国务院颁布的行政法规和各部委制定的规章，以及各地制定的很多制度、办法等，它们都是我国水法规的有机组成部分。一般情况下，法律的级别越高，其规定越原则。行政法规、规章和地方性法律都是根据《水法》的精神，针对某一类事情或各地的具体情况制定的，具有很强的操作性。例如为了落实《水法》应当加强水文、水资源信息系统建设和规范河道采砂的要求，制定了《水文管理暂行办法》和《长江河道采砂管理条例实施办法》。我们在此介绍的基本上都是全国性法规，它们具有实施的普遍性。下面再介绍一下几部常用的法律法规。

8.2.6.1　有关取水许可制度方面的法律法规

1)《取水许可制度实施办法》

《取水许可制度实施办法》是由国务院于1993年颁布实施的水行政法规，它是根据《水法》第四十八条关于实行国家取水许可制度的要求制定的。其目的是通过发放取水许可证，统筹兼顾各方的用水需求，实现水资源的供需平衡，充分发挥水资源的综合效益。它规定了实行取水许可的范围、申请取水许可证的程序和方法、取水许可必须遵守的原则、取水许可的管理权限以及取水许可的变更、核销等。国务院水行政主管部门负责全国取水许可制度的组织实施和监督管理,水行政主管部门在批复用户的取水许可时，必须遵守江河流域的综合规划、全国和地方的水长期供求计划，遵守经批准的水量分配方案或者协议，对取水实施总量控制。规定了家庭生活、畜禽饮用、少量农业灌溉和其他少量取水不必申请取水许可证，紧急抗旱、保障工矿安全和消除公共安全三种情况可免于申请取水许可证。少量取水的限额由省级人民政府规定，取水许可证不得转让，并实施年审制度。

2)《取水许可申请审批程序规定》

根据《取水许可制度实施办法》，水利部于1994年6月9日以水利部令第4号发布了《取水许可申请审批程序规定》，它规定了取水许可实行分级审批，取水口所在地的县级以上地方人民政府水行政主管部门或者水利部授权的流域管理机构负责受理取水许可预申请和取水许可申请，申请取水许可和预申请所需要的资料以及受理机关办理相关手续的时间要求。另外，取水许可证有效期不超过5年，到期后可到原发放审批机关更换取水许可证，否则取水许可证期满后自行失效。

3)《取水许可监督管理办法》

1996年2月29日水利部令第6号发布了《取水许可监督管理办法》，它分为总则、计划用水管理、节约用水管理、取水许可年度审验制度、水资源管理统计、奖励与处罚、附则7部分，共47条。它强调了取水许可的计划性，要求取水人在每年11月15日申报下一年度的用水计划，取水许可监督机关审查和平衡后应于12月31日前以书面形式向取水人下达下一年度计划。取水人每年1月份向取水许可监督管理单位报送上一年度的用水总结。它对取水许可证的年审做了详细的规定，并根据计划用水情况，给予相应的奖励和处罚。

8.2.6.2　有关行政执法方面的法律法规

1)《水行政处罚实施办法》

此办法由水利部于1997年12月26日以第8号令发布，共55条，分为总则、水行政处罚的种类和适用、水行政处罚的实施机关和执法人员、水行政处罚的管辖、水行政处罚的决定、水行政处罚的执行和附则7部分。它是为了加强水法规的执法力度，对行政执法工作进行规范的行政法规。它的主要内容有以下几方面：

(1)水行政处罚的种类。警告、罚款、吊销许可证、没收非法所得以及法律、法规规定的其他水行政处罚。

(2)水行政实施机关和执法人员。县级以上人民政府水行政主管部门；法律、法规授权的流域管理机构；地方性法规授权的水利管理机构；法律、法规授权的其他组织；以及根据以上单位委托书的受委托组织。水政监察人员是水行政处罚机关和受委托组织实施水行政处罚的执法人员。

(3)水行政处罚的决定。它规定了进行水行政处罚所需要的证据条件和程序。根据不同的情况可分为简易程序、一般程序和听证程序 3 种。

另外，还对水行政处罚的管辖权和具体执行进行了规定。

2)《水政监察工作章程》

《水政监察工作章程》由水利部于 2000 年 5 月 15 日发布，它从组织角度对水政监察人员执法提出了具体要求，它规定了水政监察队伍的职责和水政监察人员所需具备的条件。它要求水政监察人员在执行公务时应按规定着水政监察制服，持“中华人民共和国水政监察证”或“中国水土保持监督检查证”，佩戴“中国水政”或“中国水保监督”和“中华人民共和国水政监察”或“中国水保监督”臂章，规范了执法人员的执法行为和合法权益。

3)《水利旅游区管理办法(试行)》

近年来，水利旅游方兴未艾，为了保护水资源和水利工程的安全运行，保证旅游者的安全，规范水利旅游市场，水利部于 1997 年颁布了《水利旅游区管理办法(试行)》。本办法规定了开发旅游的四个原则：一是不得影响水工程的安全运行和正常管理；二是不得危害水环境；三是做好总体规划；四是建立安全保护设施和管理制度。县(含县级市、区)以上水行政主管部门主管本行政区域内的水利旅游工作,跨行政区域的旅游区水利旅游工作由共同的上一级水行政主管部门管理。

8.3 水事纠纷及处理方法

由于水资源的多功能性、稀缺性、不可替代性及系统性，人们在开发利用水资源和防治水害的时候，都会直接或间接地对他人的用水权益和其他权益构成影响，因此在各种利益冲突的时候，就常常发生水事纠纷。水事纠纷自古有之，它与水资源的管理体制和人们的水资源意识密切相关。随着水资源短缺和水环境的日益恶化，目前水事纠纷层出不穷。据有关部门的统计，“九五”期间全国共调解水事纠纷就有 43 100 件。如何预防水事纠纷的发生，在水事纠纷发生时如何处置、化解，已成为水资源管理的重要内容。

8.3.1 水事纠纷产生的原因及种类

水事纠纷是指地区之间、单位之间、个人之间、单位和个人之间，在开发、利用、节约、保护水资源和防治水害以及由水污染、水土流失、水工程活动所引发的一切与水事有关的各种矛盾冲突。水事纠纷和水行政案件不同，水行政案件是指因违反涉水法规，被国家执法机关认为是违法、犯罪而受理，有待追究和处理的事件。虽然水事纠纷通常与违反水法规紧密相连，但违反水法规不是水事纠纷成立的必要条件。如果水事纠纷不妥善处理，双方往往采取过激行为，就可能引发更大的冲突，最终违反水法规被有关部门立案，形成水行政案件。

8.3.1.1 水事纠纷产生的原因

由于水资源利用的多样性，水事纠纷产生的原因多种多样。主要有以下几种：

(1)水资源短缺和水环境的脆弱性。它是水事纠纷产生的根本原因。我国是典型的缺水型国家，在人口密集的黄淮海地区，人均水资源占有量不到500 m^3，水资源的短缺严重威胁着人们的生存和发展。为了抢夺有限的水资源，经常发生抢水型的水事纠纷，甚至发展成群众间的大规模武装冲突。另一方面，某些地方为了发展经济，大力发展小造纸、小化工等技术含量低、污染重的企业，致使水体污染，造成河流的下游地区的水质型缺水，进而引起水事纠纷。

(2)无序开发。无序开发是水事纠纷发生的直接原因，河流的上下游、左右岸没有全局观念，只顾本地利益，无序开发。常常发生在江河水少时，上游无度引水，下游无水可用；江河水多时，上游推水排洪，不顾下游洪涝安危。特别在人口密集区，土地资源贫乏，为获取更大的生存空间，就千方百计围滩造地，向河道进军。更为重要的是，纠纷双方多为本行政辖区的“水源地”或“能源地”，水资源和水电资源要向别的地区供应输送。这样就形成了有限资源与无限开发的矛盾。竞相无序开发争夺资源是引起纠纷的重要原因。

(3)法制观念淡薄。我国几千年的“人治”历史，造成了人们法制观念的淡薄，现在我国虽然初步建立了水法规体系，但人们的法律知识普遍比较欠缺，对法律的理解也千差万别。特别在用水量大的农村地区，知法、懂法的人很少，发生涉水冲突时，常常借助聚众闹事等不法手段解决问题。

(4)管理体制条块分割。国家对水资源实行流域管理与行政区域管理相结合的管理体制，在行政边界的河流上，双方群众为了自己的利益，常常争夺水资源。而我国目前对水事纠纷的处理基本上处于协商阶段，被损害的一方对损害方缺乏制约手段，部分当地领导为了地区利益，袒护群众。使有些纠纷长时间得不到解决，又可能诱发新的纠纷。

(5)水事纠纷的处理水平低下。由于水事纠纷牵涉各方面的利益，涉及面比较广，有些部门处理水事纠纷简单粗暴，不依法办事，甚至回避矛盾，谁的势力大就按谁的要求办，忽视弱势群体的用水权益。结果积怨越来越深，水事纠纷屡屡发生。

8.3.1.2 水事纠纷的种类

水事纠纷按不同的标准，可分为不同的类型。按照法律的性质，可分为水民事纠纷和水行政纠纷；按照纠纷双方地区的不同，可分为国际水纠纷和国内水纠纷，国内水纠纷又分为行政区域与行政区域的纠纷、同一行政区内纠纷、一个流域内的水纠纷和跨流域的水纠纷；按照纠纷争议的内容，又可分为用水纠纷、蓄水纠纷、治水纠纷、排水纠纷和管水纠纷等。我们在这里按法律性质分类如下：

(1)水民事纠纷。指单位之间、个人之间、单位与个人之间等平等主体之间在水资源的开发利用和保护以及水权的交易而产生的争议纠纷。主要的有水事侵权纠纷和水事合同纠纷两种。水事侵权纠纷指的是由于己方的用水行为对其他方的用水权益构成侵害的民事纠纷。按照侵权内容的不同，它主要包括侵犯他人的环境权、水权以及行使自己的水权而对他人的合法用水权益构成侵犯。如修建水库蓄水导致下游河水减少，甚至河水干涸，造成下游无水可用；下游非法占用河道，在河道内建造违法建筑，导致河道排洪能力下降；超标准排污造成水的生态环境破坏，造成水质型缺水及农业、渔业的损失等。水事合同纠纷指的是在水权交易或水资源合作开发、水工程合作建设、供水过程中，合同当事人因合同矛盾而产生的纠纷。

(2)水行政纠纷。水行政纠纷指的是公民、法人或其他组织对水行政部门在水事管理和水行政执法过程中的行政行为不服而产生的争议，或以国家机关为代表的地区与地区之间用水权益的争议。

8.3.2 水事纠纷案例

水事纠纷多种多样，原因也各不相同，下面我们选择几种典型的水事纠纷案例，包括由于水权不清、跨流域、水污染、噪声等原因引起的水事纠纷和违法水事纠纷，以共同探讨。

8.3.2.1 漳河水事纠纷

漳河属于海河流域，发源于山西，流经冀豫省界，上游浊漳、清漳两支汇于合漳，干流汇入卫运河。由于人多地少，水资源缺乏，20世纪六七十年代没有统一规划和管理，漳河沿岸无序开发，相继修建了很多水库和引水渠，需水量严重超过水资源的承载力。为了争夺水资源和围河造地，1976年，河北、河南两沿河村庄发生持枪械斗；1990年以来，沿河村庄发生械斗事件30余起。特别是1999年春节期间，河南的古城村与河北的黄龙口村发生了爆炸、炮击事件，近百名村民受伤，民房遭破坏，生产、生活设施被毁，直接经济损失800余万元。

为了解决漳河水事纠纷，国务院和河南、河北两省地方政府与海河水利委员会进行了多次努力，但由于纠纷复杂和历史积怨很深，一直得不到解决。1989年6月，国务院批转漳河水量分配方案；1992年，国务院形成《国务院漳河水事协调会议纪要》(国阅1992　132号)，决定成立海河水利委员会漳河上游管理局，统一管理三省边界地区108 km 河段和四大灌区渠首。漳河上游局牵头成立由山西省长治市的平顺县、河南省安阳市的林州市和安阳县、河北省邯郸市的涉县和磁县共三市五县(市)参与的漳河管理委员会，制定《漳河上游河道管理办法》等规章制度，为解决漳河水事纠纷创造了条件，这一时期漳河水事纠纷基本上处于行政调解阶段。1999年炮击事件后，进入法制和行政手段集中整治阶段，水利部与公安部派出联合调查组配合漳河上游管理局，开展了法制宣传教育；拆除违章工程，加快了河道治理工程建设；集中收缴了土枪土炮，消除了不稳定隐患；对负有领导责任的有关人员进行了处理，依法追究了犯罪人员的刑事责任；避免和制止了十几起水事纠纷。2000年后，随着人们对水资源认识的加深和治水观念的转变，水市场理论进入漳河水资源管理。2001年6月在漳河水减少的情况下，下游以付出75万元购买商品水为代价，一举解决红旗渠灌区1.33万 hm^2、跃进渠灌区0.67万 hm^2 作物在干旱缺水季节的灌溉问题，以及灌区30万人和沿河村庄的用水问题，避免了水事纠纷的发生。

漳河水事纠纷的解决，从单独的行政手段到行政与法制结合，最后发展到利用经济方法，终于使水事纠纷得到很好的解决。2001年7月，时任国务院副总理的温家宝同志批示：“运用行政、经济手段，实行漳河流域水资源的统一调度和优化配置，有效缓解了水资源的供需矛盾，成功地解决了地区之间存在的水事纠纷。这件事办得好，要认真总结经验。”

8.3.2.2 闽江运砂船噪声污染纠纷

近年来，闽江运砂船日益增多，运砂船高分贝的噪声一直困扰着沿岸居民。虽然居民多次向有关部门投诉，但问题一直得不到解决。水利部门说问题应该由环保和交通部门管理，因为噪音运砂船超载及船上未安装消音器是造成运砂船噪声污染的主要原因，水利部门只是杜绝非法采砂，规范采砂行业准入制度，无权介入。环境部门说应该由交通部门管理，但如果需要环保部门协助，如噪声监测等，环保部门将全力配合。交通部水运司国内航运管理处的有关负责同志最后称运砂船的噪声污染问题应归交通部门的海事局管理，交通部已在京杭运河进行船型标准的尝试与研究，指导将来符合环保和安全要求的船舶投入使用。

8.3.2.3 大岩坑水电站引水纠纷

2000年底，浙江省庆元县在瓯江流域南阳溪支流兴建大岩坑水电站，从浙闽界河交溪流域西溪上游托溪开挖引水隧洞进行跨流域引水，由于该地区没有水利规划和分水方案，因此引发了省际边界水事矛盾。太湖局会同浙江省、福建省水利厅，以水权理论作指导，组织编制了《大岩坑水电站跨流域引水影响分析及托溪上游水量分配咨询研究报告》，该水量分配方案按照基本用水需求优先考虑，保证河流生态流量的原则，确定大岩坑水电站跨流域引水权限，为科学调处矛盾奠定了基础。同时实行有偿调水，对河流下游地区进行补偿。这些措施成功地解决了引水纠纷。

8.3.2.4 水污染纠纷

2001年11月，江苏省苏州市的吴江市和浙江省嘉兴市的秀洲区发生了跨界水污染纠纷，江浙两地政府和环保部门本着团结治污的精神，成立联合工作组，密切协作，采取了一系列果断措施，很快消除了跨界水污染纠纷造成的影响。

8.3.2.5 淇河工农渠引水纠纷

淇河工农渠是鹤壁市市区和郊区的命脉工程，工农渠首期工程于1976年11月21日竣工，经过二期、三期配套工程的修建，现已由总干渠、3条干渠、18条支渠和诸多小型灌溉渠道组合起来，形成了一张全长90.4 km的灌溉、使用的网络。它的渠首位于林州市花营村附近，当时鹤壁市水利局与林县(林州市前称)水利局就修建工农渠及分水事宜签订了协议，但是花营村村民以用水权益受到损害为由多次堵水，为了保证鹤壁市的正常供水，在不得已的情况下，鹤壁市工农渠与花营村签订了供水协议，每年补偿花营村约30万元。

但是花营村村民仍不时以各种理由堵水,例如其村民在鹤壁打工受到不公平待遇等。由于花营村不属于鹤壁市管辖，水事纠纷多以协商解决为主。

8.3.3 水事纠纷的处理方法

水事纠纷受利益驱使，冲突的双方群体极易发生恶斗，造成严重的人员伤亡和财产损失，并有可能产生连锁反应，一处纠纷如不及时公正处理，会引起多处纠纷，影响社会秩序甚至国家的稳定大局。另外，纠纷地区多为省、地区等行政区划的分界河两岸。

为争水不惜人力、物力而拦河引流，视法律为儿戏破坏对方设施；为争地不惜赶河造田，部分河段成为与行洪能力不相称的“狭道”；为争水能盲目建设水电站，你截我的水流，我封你的水口；汛期多雨季节上游疏，下游堵，形成大面积内涝等，导致水资源越争越缺，越缺越争的恶性循环(中国水利，1999 年 1 期，王璋)。因此，如何公正、科学地处理好水事纠纷已经成为水资源管理中的一个重要内容和难点。

8.3.3.1 解决水事纠纷的法律规定

我国《水法》十分重视水事纠纷的处理，专门在第六章对水事纠纷如何处理做出了规定。《水法》要求对于不同行政区域 “应当协商处理；协商不成的，由上一级人民政府裁决，有关各方必须遵照执行。在水事纠纷解决前，未经各方达成协议或者共同的上一级人民政府批准，在行政区域交界线两侧一定范围内，任何一方不得修建排水、阻水、取水和截(蓄)水工程，不得单方面改变水的现状”。对于同一行政区内的单位之间、个人之间、单位与个人之间发生的水事纠纷，“应当协商解决；当事人不愿协商或者协商不成的，可以申请县级以上地方人民政府或者其授权的部门调解，也可以直接向人民法院提起民事诉讼。县级以上地方人民政府或者其授权的部门调解不成的，当事人可以向人民法院提起民事诉讼。在水事纠纷解决前，当事人不得单方面改变现状”。

实际上行政区域之间的水事纠纷属于一种行政纠纷，同一行政区域内的水事纠纷属于民事纠纷。我国解决水事纠纷的方法是一种先协商后诉讼的程序。同时为了避免水事纠纷在处理的过程中进一步恶化，《水法》规定“县级以上人民政府或者其授权的部门在处理水事纠纷时，有权采取临时处置措施，有关各方或者当事人必须服从”。另外，除了《水法》中对水事纠纷做了处理之外，其他涉水法律也对此做了规定，如《水土保持法》、《水污染防治法》都为纠纷的处理做了相关规定，但基本上都和《水法》保持一致，主张先协调，协调不成然后诉讼。

同时《水法》对违反法律的水事纠纷，制定了相应的惩治措施。根据水法规定，在水事纠纷发生、处理的过程中，如果煽动闹事、打架斗殴、哄抢损坏公私财物、非法限制他人自由，则根据情节轻重，由有关机关立案，按照水事案件处理，给予治安处罚或追究刑事责任。对于拒不执行水量分配方案和水量调度预案，拒不服从水量统一调度，拒不执行上一级人民政府裁决，在处理水事纠纷前单方面改变水的现状的，追究负有责任的主管人员和其他直接责任人的责任，依法给予行政处分。

8.3.3.2 水事纠纷解决的原则

由于水事纠纷的特殊性和复杂性，在处理水事纠纷时，必须严格按照法律，公正、公平、科学的处理，在一般情况可以遵照以下原则：

(1)树立大局意识，局部利益服从整体利益原则。一切兴修水利和防治水害的活动都必须从全局利益出发，为了大局利益国家可以牺牲局部的用水权益，但国家必须给予受损害地区以相应的补偿。只有坚持这一原则，才能实现水资源效益的最大化。

(2)统一规划，协调发展原则。由于水资源是一种动态多功能资源，如何使其发挥最大效益，必须科学研究，统一规划，统筹兼顾各个方面的利益，满足各部门、各地的发展要求。

(3)尊重历史，立足现实原则。在处理水事纠纷时，要深入实际，认真了解过去双方在水资源利用等各方面的关系，以及有关用水权益。另外，立足现实条件，考虑各地的实际需求，对水资源使用权重新调整，制定科学合理的分水方案，使各地都能得到很好的发展，使人民群众有章可循。

(4)紧急处置和保持现状原则。由于水事纠纷涉及面比较广，各方利益纵横交错，容易发生群斗群殴等重大事件。因此，县级以上人民政府或其授权的部门为了避免事态的进一步恶化，可以采取必要的紧急处置措施。冲突的双方在水事纠纷处理的过程中，要保持现状，不能采取过激行为。

(5)组织原则。各地出现水事纠纷，各级政府都必须讲组织原则。坚决杜绝推诿扯皮甚至煽风点火，要切实负起责任，组织协调各方协商处理纠纷，协商不成的可以提请上一级政府处理。

8.3.3.3 国外水事纠纷的处理方法

各国对水事纠纷的处理方法，因国情各不相同，但大体上有“当事人自行协商，行政机关处理，仲裁组织调解和仲裁，司法机关解决”等四种。

其中，通过司法机关解决是当前最常见的水事纠纷处理方法。建于 1 000 多年前的西班牙巴伦西亚水法庭就是专门处理水事纠纷案件的，它也是欧洲最古老的机构之一。1975 年 9 月联合国在巴伦西亚召开“国际水法律制度会议”，全球 36 个国家的 200 位水法专家考察水法庭的审讯现场，一致认为水法庭办案快速和高效。迄今已有英国、印度、巴基斯坦、以色列等 20 个国家在其国内的水法规中吸收了巴伦西亚水法庭的经验和做法。如以色列水法就明确规定成立水法庭，它规定水法庭应由三名审判员组成：其中一名由司法部任命，另外两名是公众代表，水法庭的权力相当于区级民事法庭的权力。印度则专门制定了《水争端法令 1956》，成立水法庭负责处理帮与帮之间的水事纠纷。

8.3.3.4 我国的水事纠纷处理方法

我国没有成立专门的水法庭处理水事纠纷，而是从我国的国情出发，主张根据不同的情况，先协商，协商不成再通过诉讼走法律程序。根据《水法》规定，我国处理水事纠纷一般有如下几种方法：

(1)跨行政区域水事纠纷。这种水事纠纷通常是以当地人民政府为代表，处理地区间的水事权益，它属于一种行政争议，不属于民事纠纷的范畴。当水事纠纷产生后，双方的代表一般应本着团结协作，互敬互谅的精神，协商解决。如果协商不成，可以提请双方共同的上一级政府裁决。上级政府的裁决如果不涉及水资源使用权，它的处理决定具有终审裁决的法律地位，不得向法院起诉或提出行政复议，必须无条件服从。

(2)单位之间、个人之间、单位与个人之间的水事纠纷。此类水事纠纷属于民事纠纷，它们一般情况下由当事人协商或请当地政府和其授权的主管部门调解。如果协商和调解无效，当事人可以提请政府或有关部门处理，也可以直接向人民法院起诉。对政府部门处理有不同意见，向人民法院起诉时，只能将对方当事人作为民事被告，不能将做出处理意见的政府当成被告起诉，除非对政府所做的水资源使用权归属决定不服，可以依法进行行政诉讼。

8.3.4 水事纠纷问题的展望

水事纠纷实质上是利益之争，是水资源管理过程中各种矛盾的集中体现，解决水事纠纷必须理顺水资源管理体系，制定科学的治水方案，实现水资源的合理利用。如果仅仅是就事论事，头痛医头，脚痛医脚，而不系统的解决，水事纠纷就不可能从根本上得到根治，必须把水事纠纷放进水资源利用这个大环境内来考虑，主要有以下几个方面。

8.3.4.1 统一水资源规划，明确各方的用水权益

由于水资源的所有权属于国家所有，各地只有使用权，国家保证每个人和用水单位合理的用水权益，国家的目的就是实现水资源利益的最大化。因此，要从根本上解决水事纠纷，就必须在水资源承载力范围内，对水资源科学、统一规划，兼顾上下游、左右岸、干支流之间的开发利用，统筹考虑生活用水、生态用水、农业用水、工业用水及其他用水之间的关系，明确各方在具体情况下的用水权。改变那种“水从门前过，不用白不用”的思想，实现从无序开发到按规划利用的转变。用水权益不清，是导致水事纠纷的根本原因，要解决这一问题，就必须明晰用水权益。

8.3.4.2 按经济规律办事，培育和发展水市场

在用水权益确定后，我们必须还水资源的商品属性，培育和发展水市场，发挥市场在水资源配置中的作用。如果需要额外的水资源，就必须从别人那里购买，实现有偿用水。将水资源和经济利益直接挂钩，开辟用水权益转让的新途径。这样不仅能够保护有限的水资源，防止破坏性的开发利用，保证水的生态环境，还可以促进节约用水，促使节水型社会的形成。

8.3.4.3 依法管理水资源是水事纠纷解决的根本途径

我国现在已经进入依法治国时代，将水资源管理纳入法制阶段是依法治国的要求，也是水资源管理规范化、正规化、制度化的实际需要。将成熟有效的水资源管理方法通过立法手段，形成法律，以国家强制力将其变为人人必须遵守的制度，克服水资源管理随意性和人为性，不仅有利于科学管理方法的推广，也可以避免人为的不公平，防止水事纠纷的产生。水事纠纷发生后，有关执法部门同时可以做到有法可依，及时有效地解决。

8.3.4.4 制定有效的管理体制，是各种措施行之有效的保证

好的法律、好的方法必须有好的管理体制做保证。强化流域机构管理职能，进一步加强水资源统一管理；加强地方政府之间、政府各部门的协调力度，分工负责，强化联合执法力度。如 2001 年 11 月，江苏省苏州市的吴江市和浙江省嘉兴市的秀洲区发生了跨界水污染纠纷，江浙两地政府和环保部门本着团结治污的精神，密切协作，建立联合办公机制，江浙两地共同成立了由政府、环保、水利、农经、渔政等部门负责人组成的联合办公小组，发现重大污染事故苗头，及时赶赴现场分析问题，追查污染源头，采取了一系列果断措施，很快消除了跨界水污染纠纷造成的影响。

8.4 水法规在盘石头水库中的应用

盘石头水库是河南省“九五”重点工程，也是河南省改革开放后第一个利用外资修建的大(二)型水库，它位于河南省鹤壁市大河涧乡盘石头村附近，距离鹤壁老市区约 15 km，是卫河支流淇河中游的一个综合利用的水利枢纽工程。水库以防洪、城市供水为主，兼顾旅游、发电和水产养殖。工程总投资 9.98 亿元人民币，其中包括日元贷款 67.34 亿

日元，坝型为混凝土面板堆石坝。盘石头水库为典型的供水型水利工程，如何依法管理工程水利，确保大坝等水利设施的安全，发挥其应有的效益，并能顺利偿还贷款和收回国家投资，是全体盘石头水库管理人员面临的最大课题。盘石头水库作为一个水利工程，在运行管理过程中涉及的水法规主要有《水法》、《水土保持法》、《防洪法》、《水污染防治法》、《供水价格管理办法》、《水库大坝安全管理条例》以及河南省根据以上法律法规制定的实施细则和条例，河南省颁布的《河南省水利工程管理条例》、《河南省城市供水管理办法》，等等。

8.4.1 水库设施安全的水法规

8.4.1.1 涉及的水法规

盘石头水库的主要建筑物包括：混凝土面板堆石坝、右岸两条泄洪(兼导流)洞、左岸非常溢洪道(建4孔闸)、输水洞及电站。作为水利工程，其自身的安全是第一位的，也只有其自身安全得到保证，才能使水库正常运行，发挥应有的效益。我国水法规对水库设施的安全做了较详尽的规定。《水法》第四十一条规定“单位和个人有保护水工程的义务，不得侵占、毁坏堤防、护岸、防汛、水文监测、水文地质监测等工程设施。”第四十二条规定：“县级以上地方人民政府应当采取措施，保障本行政区域内水工程，特别是水坝和堤防的安全，限期消除险情。水行政主管部门应当加强对水工程安全的监督管理。”第四十三条规定：“国家对水工程实施保护。国家所有的水工程应当按照国务院的规定划定工程管理和保护范围。”“在水工程保护范围内，禁止从事影响水工程运行和危害水工程安全的爆破、打井、采石、取土等活动。”《河南省水利工程管理条例》第七条也规定：“水利工程受法律保护。任何单位和个人都有权制止、检举、控告破坏水利工程的行为。”

同样，由于水库调度对水库安全的重要性，《河南省水利工程管理条例》在第十八条规定，水库工程的调度运用计划，由水利工程管理单位编制，大型水利工程的调度计划须报省水行政主管部门批准，须经流域机构批准的，还应报流域机构批准。各级人民政府和水利工程管理单位，应严格执行调度运用计划，不经原批准单位同意，不得改变计划。任何单位和个人，不得阻挠计划的实施。

由于大坝在水利工程中的重要地位，国家还颁布了《水库大坝安全管理条例》，针对大坝建设、管理、险坝处理以及惩处做了相关规定。例如第十三条规定：“禁止在大坝管理和保护范围内进行爆破、打井、采石、采矿、挖沙、取土、修坟等危害大坝安全的活动。”第十八条规定：“大坝主管部门应当配备具有相应业务水平的大坝安全管理人员。大坝管理单位应当建立、健全安全管理规章制度。”第三十条规定：“盗窃或者抢夺大坝工程设施、器材的，依照刑法规定追究刑事责任。”其河南省实施细则还具体规定了大坝管理范围和保护范围的划定。

8.4.1.2 水库应依法采取的措施

由于盘石头水库库区影响范围涉及到鹤壁和安阳两市，按照《河南省水利工程管理条例》有关规定，水库应由河南省水利厅统一管理。根据盘石头水库安全和维修需要，向县级以上人民政府申请划定水库的管理范围和保护范围，管理范围内的国有荒山、荒坡、滩地等，由县级以上人民政府依照规定划拨给水利工程管理单位使用。禁止在管理范围内从事危害水库安全、管理的任何行为，在保护区内从事可能危害水库安全的行为，必须经水库管理部门批准。同时盘石头水库应及时编制科学可行的水库调度方案，报经国家有关部门批准，并严格执行，以确保水库设施的安全。

8.4.2　水库运行管理的水法规

8.4.2.1　涉及的法规

目前我国还没有专门的全国性水利工程正常运行管理的法律，但在《水法》和其他专门的水法规中，都或多或少地体现出对水利工程运行期间管理的规定，有些地方政府则根据自己的实际情况制定了相应的运行法规。例如《水法》第三十二条规定：“国家对直接从地下或者江河、湖泊取水的，实行取水许可制度。”《水库大坝安全管理条例》第二十一条规定：“任何单位和个人不得非法干预水库的调度运用。”第二十二条规定：“大坝主管部门应当建立大坝定期安全检查、鉴定制度。”第二十三条规定：“大坝主管部门对其所管辖的大坝应当按期注册登记，建立技术档案。”第二十五条规定：“大坝出现险情征兆时，大坝管理单位应当立即报告大坝主管部门和上级防汛指挥机构，并采取抢救措施；有垮坝危险时，应当采取一切措施向预计的垮坝淹没地区发出警报，做好转移工作。”《河南省水利工程管理条例》第三十四条规定：“水利工程管理单位应当严格执行水利工程管理的各项规章和操作规程，建立健全岗位责任制，不断提高科学管理水平。水利工程管理单位在确保工程的安全和正常运行的前提下，应当积极利用管理范围内的水土资源，因地制宜，发展多种经营，提高水利工程的综合效益。”第三十五条规定：“水利工程管理单位有独立的经营自主权。任何单位和个人不得向水利工程管理单位抽调资金，无偿索取或平调各种物资、设备和产品。”等等。

8.4.2.2　水库应依法采取的措施

以上这些水法规，对水库的正常运营提供了法律保障。盘石头水库应依法制定大坝、泄洪洞、输水洞、非常溢洪道的管理规定，泄洪洞、输水洞、非常溢洪道闸门启闭机操作规程，电站的运行管理规定等各种制度，依照各个岗位的具体要求，制定岗位责任制。并根据《河南省水利工程管理条例》、《水利旅游区管理办法(试行)》规定，因地制宜地发展包括水产养殖、旅游在内的多种经营。

8.4.3　水质保护的法律规定

8.4.3.1　涉及的法规

盘石头水库的主要功能除了防洪外，就是城市供水，是鹤壁人民最重要的水源地，是鹤壁人的“水缸”，因此其水质保护工作极为重要。《水法》、《水污染防治法》、《环境保护法》是防治水污染的主要法律。例如《水法》第六条规定：“各单位应当加强水污染防治工作，保护和改善水质。各级人民政府应当依照水污染防治法的规定，加强对水污染防治的监督管理。”《水污染防治法》第四条规定：“各级人民政府的环境保护部门是对水污染防治实施统一监督管理的机关。”第五条规定：“一切单位和个人都有责任保护水环境，并有权对污染损害水环境的行为进行监督和检举。因水污染危害直接受到损失的单位和个人，有权要求致害者排除危害和赔偿损失。”另外还有《饮用水水源保护区污染防治管理规定》、《水利部水文局关于加强江河湖库水质监测工作的通知》等有关法律。

8.4.3.2 水库应依法采取的措施

虽然《水污染防治法》规定环境保护部门是防治水污染的管理机关，但盘石头水库管理部门并不是无所作为，因为《水污染防治法》同时规定水利部门要结合自己的职责，协同环境保护部门对水污染防治实施监督管理。水库管理部门应积极督促河南省环保局与省水利厅制定淇河流域水污染防治规划，促使省政府依法将盘石头水库划定为鹤壁市生活饮用水地表水源保护区，按照水污染防治规划和保护区的有关规定，时刻巡查库区污染点源情况，发现问题，立即向环保局和水利局等有关部门汇报，遇到重大污染问题，同时向市政府汇报。现在淇河水质总体良好，但在库区林州市的林淇镇有12个小型造纸厂，它们对水库的水质构成了潜在的威胁，盘石头水库管理部门应时刻予以关注。

同时，盘石头水库管理部门在发展水产养殖和旅游时，要充分考虑环保要求，实现经济和环境的和谐统一。特别是在发展水库旅游方面，要提倡绿色旅游，游船要有环保要求，建立水库垃圾收集和处理机制，并对水库旅游实行最大游客量限制制度。

8.4.4 水库防洪的法律规定

8.4.4.1 涉及的法规

《中华人民共和国防洪法》是我国防治洪水灾害最重要的法律之一，各地方政府根据本地的实际情况制定了相应的实施办法，例如河南省就有《河南省实施〈中华人民共和国防洪法〉办法》。《中华人民共和国防洪法》第五条规定：“任何单位和个人都有保护防洪工程设施和依法参加防汛抗洪的义务。”第八条规定：“县级以上地方人民政府水行政主管部门在本级人民政府的领导下，负责本行政区域内防洪的组织、协调、监督、指导等日常工作。”第三十六条规定：“各级人民政府应当组织有关部门加强对水库大坝的定期检查和监督管理。”另外一些和防洪紧密相连的法律，如《河南省人民政府关于加强水文工作的通知》等。

8.4.4.2 水库应依法采取的措施

防洪是一件复杂的系统工程，需要工程、水文、气象等各方面的支持和配合，根据《防洪法》的规定，盘石头水库也应全面规划、统筹兼顾，以预防为主。一是督促河南省水利厅和海河水利委员会编制淇河防洪规划。并按照规划在鹤壁市政府和水利局的组织和指导下，开展防洪工作。二是搞好大坝等水利设施的定期安全检查和隐患处理，做好水文水情预报工作。三是做好库区检查工作，坚决禁止在水库倾倒垃圾、渣土等固体废弃物；在库区和大坝下游河道修建妨碍防洪的违法建筑等工作。四是制定防洪预案，储备防洪物资，成立抢险突击队。防汛工作由各地防汛指挥部负责管理，水库的防汛工作应听从防汛指挥部的指挥和管理。

由于淇河在盘石头水库的上游还有陈家院、三郊口、弓上等水库，它们的调度运行情况也对盘石头水库产生重大影响，因此盘石头水库应和上游的各个水库建立调度协调机制，实现调度、信息的及时互通。

8.4.5 库区水土保持的法律法规

8.4.5.1 涉及的法规

《中华人民共和国水土保持法》、《中华人民共和国水土保持法实施条例》、《河南省实施〈中华人民共和国水土保持法〉办法》都是盘石头水库水土保持工作所涉及的重要法律法规。《中华人民共和国水土保持法》第三条规定："一切单位和个人都有保护水土资源、防治水土流失的义务，并有权对破坏水土资源、造成水土流失的单位和个人进行检举。"第六条规定："国务院水行政主管部门主管全国的水土保持工作。县级以上地方人民政府水行政主管部门，主管本辖区的水土保持工作。"《河南省实施〈中华人民共和国水土保持法〉办法》也在第四条规定："水土流失防治应坚持谁造成水土流失，谁承担治理责任；谁治理，谁受益的原则。"

8.4.5.2 水库应依法采取的措施

盘石头水库蓄水后，回水可上逆 24 km，形成约 13 km^2 的水面，在库区形成众多的半岛和岛屿，移民迁走后荒山、缓坡也随处可见。盘石头水库管理部门在开发库区的土地资源时，应该时时牢记水土保持工作，严禁在 25° 以上陡坡地开垦种植农作物，利用 5° 以上的荒坡地时向水利局报审，按照规定办理各种手续，并因地制宜地开展绿化工作。同时，对其他单位在库区保护区内乱垦乱伐等危害水土保持工作的活动，及时制止并向水利局举报。对盘石头水库建设时期的采石场和临时用地进行绿化、恢复地貌等防治水土流失措施。防治水土流失不单是为了创建好的环境，也是涵养水源、防治泥石流、保护水库自身的需要。

8.4.6 供水的法律法规

8.4.6.1 涉及的法规

供水方面遵循的最主要的法律就是《水利工程供水价格管理办法》，它对水价如何确定和包含哪些内容都做了具体规定。例如，它规定水价包括供水生产成本、费用、利润和税金；利用贷款修建的水利工程应使供水经营期内具备补偿成本、费用和偿还贷款能力并获得合理的利润；供水实施基本水价和计量水价等。

8.4.6.2 水库应依法采取的措施

城市供水是盘石头水库的主要功能之一，也是其经济效益最重要的来源，因此供水管理对水库的正常运营极为重要。由于盘石头水库为地方水利工程，其价格必须由省物价局和水利厅审批。因此，水库管理部门应根据《水利工程供水价格管理办法》制定自己的供水办法，并以此计算出在不同时间不同用途的供水价格，如实向省物价局和水利厅上报，并附上相应的文件资料，在有关部门批准后向社会公示。

8.4.7 水产养殖方面的法律法规

8.4.7.1 涉及的法规

水产养殖属于渔业的一种，受渔业法律法规的规范和约束。目前相关的法律有《中华人民共和国渔业法》(1986)以及《关于修改〈中华人民共和国渔业法〉的决定》(2000)、

《中华人民共和国渔业法实施细则》(1987)、《河南省〈渔业法〉实施办法》(1988)。

8.4.7.2 水库应依法采取的措施

水产养殖是盘石头水库主要的功能之一，盘石头水库发展水产养殖必须采取以下措施：

(1)办理养殖使用证、捕捞许可证和渔船牌照。根据《河南省〈渔业法〉实施办法》第八条和第十四条规定，盘石头水库发展水产养殖、捕捞前必须向县级以上水政管理部门申请，办理养殖使用证、捕捞许可证和渔船牌照。如果养殖水域扩展到安阳林州市水域，须向河南省水利厅办理。

(2)划定保鱼水位线。根据《河南省〈渔业法〉实施办法》第二十七条规定，在盘石头水库划定保鱼水位线。

(3)严禁使用法律法规禁止的养殖和捕捞方法。如根据《中华人民共和国渔业法》(修订)第十九条“从事养殖生产不得使用含有毒有害物质的饵料、饲料”。不许电鱼、毒鱼，禁止使用麻布网、密眼网等渔具和捕捞方法，等等。

另外，发展水产养殖，还要自觉接受渔业行政主管部门的监管，按照规定缴纳渔业资源增殖保护费。

8.4.8 取水许可方面的法律法规

8.4.8.1 涉及的法规

我国《水法》规定，利用开发水资源实施取水许可制度，国家有关部门相继颁布了《取水许可制度实施办法》、《取水许可申请审批程序规定》、《取水许可监督管理办法》、《取水许可水质管理规定》等配套的法律法规，河南省政府也于2000年12月发布了《河南省取水许可制度和水资源征收管理办法》对本区域内的取水加以规范。这些法律法规要求，除法律另行规定的情形外，任何取水都必须按规定申请取水许可证，并且对取水许可证实施年度审核。

8.4.8.2 水库应依法采取的措施

根据以上法律法规，盘石头水库应采取以下措施：

(1)申请取水许可证。由于盘石头水库为河南省政府批准的大型水利工程，因此盘石头水库需向省水利厅申请取水许可证，并按法律规定报送取水许可申请书、工程初步设计报告、环境影响报告书等文件。

(2)年度用水申请。每年11月15日前，向取水许可监督单位申报下一年度的用水计划，并按规定提交相应资料。

(3)用水总结。每季度向取水许可监督管理机关报送用水报表，在每年1月份向监督管理机关报送上一年度的用水总结。

(4)其他事项。在取水许可证期满前及时办理更换取水许可证手续。当因扩建、改建或其他原因改变取水状况时向取水监督管理机关汇报，并在日常工作中积极配合水政监察人员开展工作。

盘石头水库建设管理局是水库的工程管理部门，它不具有行政职能和执法职能，但并不是说依法治水只是水行政主管部门的事情，水库建管局发现违法行为，就应该依法予以制止，依据有关法规能当场处理就及时处理，当肇事者不服时或需要立案处理时，交水政机构处理。发现工程被损坏时，当即进行交涉，在交涉无效后，由水政人员依据法律程序办理。盘石头水库在运行管理过程中，要运用包括以上法律在内的许多法律法规，每一个工作人员都要知法懂法，将依法治水渗透到工作的每一个环节。

8.5 依法治水工作的展望

目前我国已经有4部水事法律，行政法规20多件，还有许多地方水事法规，基本上形成了有中国特色的水法规体系，广大水利工作者和国家有关单位为水法规的贯彻实施进行着坚持不懈的努力，特别是新水法实施后，我国依法治水取得了巨大的成绩。但是，我国现在面临的水资源危机并没有得到根本的解决，随着新情况和新问题的不断出现，仍经常出现无法可依、执法不严等现象。

8.5.1 我国水法规体系的完善

新的水法立足于水资源的可持续发展，全面系统地提出了具体的目标、任务、措施与义务，而且对转变观念，调整治水思路，推进我国现代化水利事业的发展都具有深远的历史意义。它针对我国出现的水多、水少、水脏三大灾害中的干旱缺水和水污染严重等问题，强调统一规划，力求理顺管理体制，突出了水资源的保护，是一部反映我国现阶段依法治水最高成就的好法律。但是并不是说，只靠新的水法就万事大吉，就可以做好依法治水工作了，特别是水法中有些条款规定的比较原则，并不具有很强的操作性，需要相应的行政法规、规章或地方法规、规章才能加以实施。主要有以下情况：

(1)《水法》明确要求需要配套的行政法规、规章或规范性文件。例如：“河道采砂许可制度实施办法，由国务院规定”，“实施取水许可制度和征收管理水资源费的具体办法，由国务院规定”；确定供水价格“具体办法由省级以上人民政府价格主管部门会同同级水行政主管部门或者其他供水行政主管部门依据职权制定”。

(2)规定比较原则，需要行政法规、规章或规范性文件做进一步规定。例如饮用水水源保护区制度、用水总量控制和定额管理相结合的制度、水功能区划制度，水利工程供水价格制度，等等。

(3)为了更好的实施法律，执法机关、执法人员加强自身的管理，需要制定或修订一系列规章或规范性文件。例如新水法第四十二条规定：“水行政主管部门应当加强对水工程安全的监督管理。”这样需要制定水工程安全监督管理办法。

(4)有些法律的惩治力度不够，造成违法情况屡禁不止。例如我国水体污染较为严重的淮河流域，从1994年便开始治污，10年累计投入治污资金193亿元，但仍然是污水横流，其中一个重要原因就是惩治力度不够。目前我国环境违规处罚的最高额度仅100万元，大型企业偷偷排一下污，污水处理设备停止运行一段时间，违法成本就回来了，甚至还有富余。在这种违法成本低，守法反倒成本高的情况下，企业违法偷排就不足为怪了。因此，加大惩治力度，也是今后法律完善的重要方面。另外，我国的水法规在管理工程水利时，仍着重水利工程的建设，对已建工程的运营管理方面重视不够，急需出台全国性的水利工程运行管理法规。

8.5.2 水事纠纷和水事案件的处理机制

我国的水事纠纷大多出现在行政边界水域，其最根本的原因是水权不清，因此组织有关部门科学合理地划分水权，并制定相应的规章制度使水权进入水市场，发挥市场在水资源配置中的作用已刻不容缓。另外，虽然我国水资源管理实行流域管理和行政区域管理相结合的制度，流域范围内的区域规划必须服从流域规划，专业规划服从综合规划，但是流域管理机构和地方的水行政主管部门的职权划分不清，而水资源又与本地利益密切相关，很容易产生地方保护主义，以至于对乱引水、乱开发现象不能及时处理，产生水事纠纷的隐患。由于水事纠纷具有偶然性和突发性，涉及群众利益多，矛盾如果得不到及时解决，容易造成严重后果，因此需要建立水事纠纷应急和处理机制，特别是在省界水域上。

8.5.3 形成水市场急需的法律规范

我国水资源比较短缺，随着国民经济的发展，水资源供需之间的矛盾日益突出。许多地方由于缺水，很好的项目不能上马，严重制约着经济的发展；另外一些地方和部门，特别是农业，由于资金等问题水利设施年久失修，水的利用率很低。能不能通过水市场对水资源进行重新配置，使水资源向高效率方向转移呢？很多地方对此问题进行了有益的探索，并取得很好的经验。例如宁夏就有两个火电厂出资 2／3，政府出资 1／3 对农村灌区进行改造，获得了节约下来的水资源的使用权。国外也有这样的范例，如美国的洛杉矶投资 2.33 亿美元为帝国灌区的水渠加水泥防漏层，使其能在工程结束的 35 年能享用帝国水渠节约下的水。通过水市场有偿转移水权，不但有利于经济的发展，提高水的利用率，促进节水型社会的形成，也有利于对农民的保护，改变那种无偿剥夺农民用水权益的做法，体现出节水的经济效益。要实现水资源使用权的转移，必须首先明晰水权，要使每个地区，每个部门，每一项工作都明白自己的用水指标，多了需要从别人那里购买。但是我们现在仍缺少水权划分方面的法律，很多地方都是在上级部门的主持下，通过协商来划分，增加了水权划分的人为性，不利于保护弱势一方的权益。另外，关于水权转让的年限、价格组成，也没有法律规范。所有这些，都不利于水市场的形成和健康发展。必须尽快建立与水市场相关的法规体系。

在我国，依法管理水资源的时间并不太长，水资源立法和执法体制建设仍任重道远，人民群众的法制观念还比较淡薄，如何解决水资源、水环境与人们开发利用之间的矛盾，促使水资源的可持续发展，仍是依法管理水资源的重中之重，这些都需要国家及全体社会成员坚持不懈的努力。

参 考 文 献

[1] 张启岳. 土石坝观测技术. 北京：水利水电出版社，1993

[2] 郭练生. 水库调度综合自动化系统. 武汉：武汉水利水电大学出版社，2000

[3] 郦能惠. 土石坝安全监测分析评价预报系统. 北京：中国水利水电出版社，2003

[4] 刘柏青，马吉刚. 水利工程管理自动化. 武汉：武汉大学出版社，2002

[5] 孙增义，吴跃. 水情自动测报技术基础及其应用. 北京：中国水利水电出版社，1999

[6] 胡振鹏，傅春，王先甲. 水资源产权配置与管理. 北京：科学出版社, 2003

[7] 杨崇俊. 数字地球是什么？www.hebsm.gov.cn　1999 年 12 月

[8] 叶雷，张超. 数字地球的技术与应用. 上海：上海科技出版社，1999

[9] 李国英. 建设“数字黄河”工程. 黄河网，2001 年 10 月

[10] www.mypcera.com. 网络新时代. 网络基础知识及组网技术

[11] 陈良琴. 网站建设全攻略. 上海：上海科学普及出版社，2004

[12] 李思发，徐森林. 水库养鱼与捕鱼. 上海：上海科学技术出版社，1988

[13] 岳永生. 养鱼手册. 北京：中国农业大学出版社，1999

[14] 郑曙明. 养鱼全书. 成都：四川科学技术出版社，2000

[15] 海河水资源保护科学研究所. 淇河盘石头水库环境影响报告书. 1993

[16] 任树梅. 水资源保护. 北京：中国水利水电出版社，2003

[17] 沈国舫. 中国生态环境建设与水资源保护利用. 北京：中国水利水电出版社，2001

[18] 吴季松，袁弘任. 水资源保护知识问答. 北京：中国水利水电出版社，2002

[19] 沈国舫. 生态环境建设与水资源的保护和利用. http://www.fswater.gov.cn，2000

[20] 杨培岭，等. 水资源经济. 北京：中国水利水电出版社，2003

[21] 姜文来. 水价理论与实践. 北京：科学出版社，1999

[22] 林洪孝，王国新，等. 用水管理理论与实践. 北京：中国水利水电出版社，2003

[23] 李晶，宋守度，姜斌，等. 水权与水价. 北京：中国发展出版社，2003

[24] 林洪孝，管恩宏，等. 水资源管理理论与实践. 北京：中国水利水电出版社，2003

[25] 吴季松. 现代水资源管理概论. 北京：中国水利水电出版社，2002

[26] 张占龙，等. 水利经济学. 北京：中央广播电视大学出版社，2003

[27] 任顺平，等. 水法学概论. 郑州：黄河水利出版社，1999

[28] 成建国. 水资源规划与水政水务管理实务全书. 北京：中国环境科学出版社，2001

[29] 柯礼聃. 中国水法与水管理. 北京：中国水利水电出版社，1998

[30] 袁弘任，等. 水资源保护及其立法. 北京：中国水利水电出版社，2002

[31] 水利部政策法规司，水政在线网站

[32] 澎湃. 新水法出台后还需做好哪些立法工作. 中国水利报，2002-09-25

参考文献